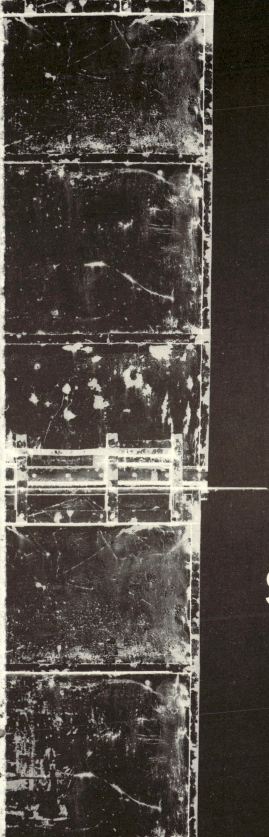

SUBMUNDO
HACKER

LAUDELINO OLIVEIRA DE LIMA

SUBMUNDO HACKER

Faro Editorial

COPYRIGHT © FARO EDITORIAL, 2021

Todos os direitos reservados.
Nenhuma parte deste livro pode ser reproduzida sob quaisquer meios existentes sem autorização por escrito do editor.

Diretor editorial **PEDRO ALMEIDA**
Coordenação editorial **CARLA SACRATO**
Preparação **TUCA FARIA**
Revisão **GABRIELA DE AVILA**
Ilustrações de capa **LUCIANO CUNHA**

Dados Internacionais de Catalogação na Publicação (CIP)
Angélica Ilacqua CRB-8/7057

Lima, Laudelino de Oliveira
    Submundo hacker / Laudelino Oliveira Lima. — São Paulo : Faro Editorial, 2021.
    288 p.

    ISBN 978-65-5957-022-5

    1. Ficção brasileira 2. Suspense I. Título

21-2257   CDD-B869.3

Índice para catálogo sistemático:
1. Ficção brasileira

1ª edição brasileira: 2021
Direitos de edição em língua portuguesa, para o Brasil, adquiridos por FARO EDITORIAL

Avenida Andrômeda, 885 — Sala 310
Alphaville — Barueri — SP — Brasil
CEP: 06473-000
www.faroeditorial.com.br

Dedico este livro aos cem milhões de pessoas que perderam a vida durante as guerras do século XX e aos outros duzentos e sessenta milhões que morreram em tempos de paz no mesmo período, vítimas de democídio, ou seja, por ações do seu próprio governo.

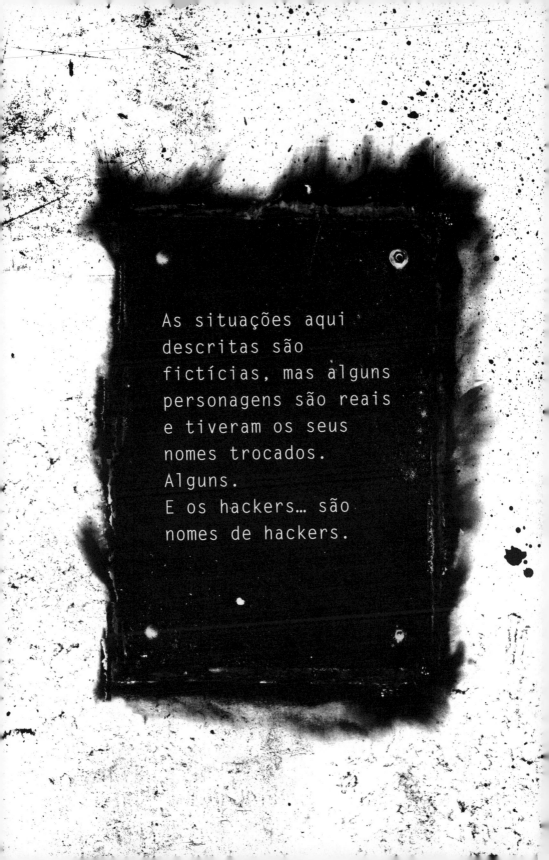

SUMÁRIO

1. A INCURSÃO, 15
2. A FUGA, 21
3. O INIMIGO, 25
4. O CAÇADOR, 29
5. PROJETO CX, 32
6. A BASE, 39
7. APERTANDO O CERCO, 43
8. A SELEÇÃO, 50
9. SEM REDE, 52
10. A PRIMEIRA IDENTIFICAÇÃO, 54
11. O DILEMA, 56
12. O CARTEIRO, 59
13. O CONVITE, 62
14. SÃO ELES, 66
15. A DESPEDIDA, 70
16. DECEPÇÃO, 76
17. A ÚLTIMA OPERAÇÃO, 84
18. SEM SALDO, 89
19. A PRISÃO, 92
20. A DEFESA, 96

21. O KRAKEN, 104
22. A SOMBRA QUE AVANÇA, 106
23. A BASE DESPERTA, 113
24. AVISOS, 114
25. A DECISÃO, 117
26. A PRECIPITAÇÃO, 122
27. DATA VENIA, 124
28. SALVANDO INOCENTES, 125
29. A LONGA ESPERA, 128
30. OLHO-GRANDE, 129
31. O QUE VOCÊ FEZ?, 135
32. DUAS BATIDAS DUPLAS, 139
33. DESAPARECERAM, 141
34. A HIDRA DESPERTA, 147
35. SOB O PÉ DE JENIPAPO, 154
36. LUGAR SEM FUTURO, 161
37. A CHEGADA À BASE, 165
38. LYNDA E SMOKE, 168
39. *AGNUS DEI*, 173
40. A INUMANIDADE, 174

41. O SEGUNDO DIA NA BASE, 178
42. O SYSTEMA, 185
43. O AMANHECER, 190
44. TALIÃO, 193
45. PADRE BROWN, 197
46. *ALEA JACTA EST*, 203
47. CONFIANÇA, 210
48. MEDO DA LUZ, 216
49. PIRANHA BRABA, 223
50. RETALIAÇÃO, 228
51. DESMOBILIZAÇÃO, 232
52. O VAZIO, 236
53. O ATAQUE, 242
54. O CEIFADOR, 248
55. O JEQUITIBÁ, 249
56. QUE DEUS TE GUARDE, 255
57. ENCANTAMENTO, 260
58. A OITAVA SUMAÚMA, 269
59. MENTIRINHA, 272
60. O SENTIDO DA VIDA, 275

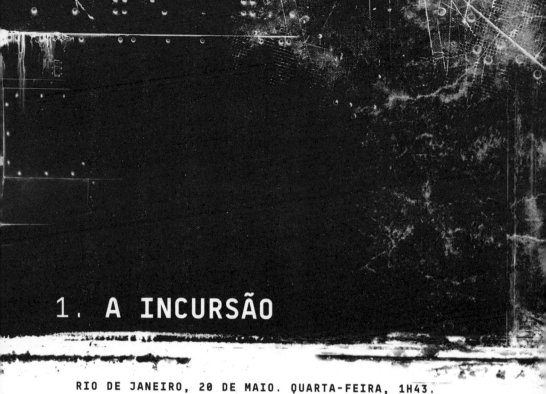

1. A INCURSÃO

RIO DE JANEIRO, 20 DE MAIO. QUARTA-FEIRA, 1H43.
RUA SETE DE SETEMBRO. CENTRO

O local estava deserto. Mendigos dormiam sob os seus cobertores, protegendo-se como podiam do chuvisco, e a única coisa que se ouvia era o som distante de algumas buzinas.

Ela caminhava apressadamente em direção à portaria do edifício número 99. Com o seu cabelo loiro na altura dos ombros, o corpo esguio e bem cuidado, destoava da paisagem sombria. Usava um refinado *tailleur* branco de saia curta e bolsa da mesma cor.

Ao desviar de um grupo de quatro mendigos deitados na calçada, ela foi para o meio da rua. Parou na frente do prédio e, com o rosto meio coberto pelo cabelo, constatou que a pessoa sentada no fundo da portaria notara a sua presença. Tudo estava prestes a começar. Havia apenas uma chance de dar certo, e dependeria da previsibilidade da natureza humana.

Ela respirou fundo e fez um aceno para o porteiro que se levantou e foi ao seu encontro. Ela desatou a falar:

— Meu Deus, estou perdida! Tenho que ir embora. Saí tarde do trabalho... Não sou daqui, tudo o que sei é o nome do hotel. Eu deveria ter encerrado o expediente mais cedo. A rua está cheia de vagabundos que falam um monte de besteiras... Preciso pegar um táxi. Me ajuda, moço, estou apavorada!

— Calma, minha senhora, calma!

— Estou muito nervosa. O senhor sabe onde posso pegar um táxi?

— Ali na esquina sempre passa.

Ela pegou a mão dele e a colocou sobre o seio esquerdo. Sentiu que o porteiro gelou e começou a respirar diferente.

— Moço, olha como o meu coração tá acelerado.

— Não só o seu, dona...

— É que estou muito aflita mesmo. O senhor parece uma boa pessoa... Me faz um favor?

— Claro, até dois!

— O senhor poderia ficar olhando aqui da calçada, enquanto eu pego um táxi ali na esquina?

— Como assim, moça? Eu não posso sair da portaria.

— É só ficar aqui me olhando! — Puxando-o pelo pulso, ela andou cerca de dez metros. — Aqui, moço, fica parado e de olho em mim enquanto eu tento pegar o táxi lá na esquina.

— Então vai logo que não posso sair da portaria. — Ele se virou para trás; a rua estava vazia.

Ela seguiu em direção à avenida Rio Branco, de cabeça baixa, olhando para o bueiro logo adiante. Acertou a passada, de maneira que chegasse com a perna correta e, ao pisar, levou o calcanhar para trás, enganchando o salto no bueiro. Começou a se movimentar falsamente tentando soltar o pé, e gritou:

— Moço, me ajuda! O meu sapato tá preso!

— Não posso sair daqui! Tire o sapato do pé.

— Mas não consigo! Venha me ajudar!

— Não posso.

— Me ajuda! Vem aqui e puxa a minha perna!

— Já disse que não posso. — Nesse instante, a ideia de colocar as mãos nas pernas daquela mulher começou a ficar interessante.

Puxar a perna?, pensou ele. *Vou é meter a mão naquelas coxas agora mesmo*. E o porteiro foi até ela, em passo acelerado, ainda sem acreditar na situação. Colocou as mãos na perna daquela linda mulher e a puxou. Continuou presa. Ele tornou a puxar, dando trancos, e a cada tentativa as suas mãos subiam. O porteiro começou a sentir a renda de algo que deveria ser a cinta-liga. Ofegante, já não fazia questão nenhuma de que o salto se soltasse.

Olhando por cima do ombro do seu herói, a mulher viu que os mendigos tinham desaparecido, e uma furtiva ponta de cobertor cinza denunciava a veloz entrada no prédio. O seu trabalho estava concluído. Ela torceu o pé para a direita e retirou o salto do bueiro. Agradeceu ao porteiro e foi andando para buscar o seu táxi, resmungando algo como "O Smoke vai me pagar caro por esta noite".

O porteiro esperou que ela partisse, e lentamente retornou ao seu local de trabalho com um sorriso no canto da boca. Coçou a cabeça, sem acreditar. Trancou a porta. Olhou mais uma vez para a rua, sentou-se no seu banquinho, consultou os monitores e desligou a televisão. Ainda sentia nas mãos o suave perfume da sua dama da noite.

- -

Hallcox subia correndo as escadas, seguido por Tumumbo, Mr. Fat e Ponytail. Cada um carregava o seu cobertor embolado embaixo do braço através da escuridão, empunhando as suas pequenas lanternas, até chegarem à porta corta-fogo de acesso ao nono andar.

Antes de sair das escadas, eles calçaram luvas descartáveis e entraram. Logo à esquerda estava a grande porta de vidro com a inscrição "Operadora HASP & JES". Ponytail sacou um grande molho de chaves, abriu a porta, deixando os amigos passarem, e correu até a escada para conferir se não havia ninguém subindo. Apurou a audição por alguns segundos — apenas silêncio. Voltou para a empresa, trancou a porta e, com dois leves tapas nos ombros de Mr. Fat, disse:

— Podemos começar!

Mr. Fat retirou a grande mochila que trazia às costas, colocou-a no chão e abriu o zíper. Sacou quatro ventosas que tinham o tamanho de uma mão e prendeu-as na parede acima da porta. Retornou à mochila, retirou um enorme pano escuro e o prendeu nas ventosas. Nenhuma luminosidade passaria para o corredor.

Transpirando bastante àquela altura, Mr.Fat passou a fechar todas as persianas. Ao tatear entre as mesas, derrubou algumas cadeiras. Restavam as duas grandes janelas que davam para o centro do andar, que não possuíam persianas, mas para essas também estavam preparados panos e ventosas.

Hallcox e Tumumbo subiram para o décimo andar pelas escadas internas da empresa, e Ponytail desceu para o oitavo, para, do mesmo modo, escurecerem os andares conforme o planejado. Tudo ficou pronto em cinco minutos. Eles transpiravam, ofegantes. Não estavam habituados a trabalhos de campo, e desde o seu primeiro contato com Smoke, a vida de *hacker* ganhou uma nova dimensão longe das máquinas.

Ponytail ligou o circuito elétrico das luzes e dos computadores no quadro de disjuntores do andar. As salas ficaram claras como o dia.

Hallcox escutou o estalido dos estabilizadores de cada computador. Da sua mochila, retirou três embalagens que continham aproximadamente cem CDS cada. Tumumbo

– 17 –

o ajudou a colocar um CD em cada computador. A tarefa era mecânica: ligar, ejetar a bandeja do CD-ROM, colocar o CD, fechar a bandeja e correr para o próximo computador. Tinham trezentas e dez máquinas e vinte minutos para completar a tarefa. Eles haviam memorizado as plantas dos andares e um caminho ótimo entrando e saindo de todas as salas. Terminariam no datacenter, que ficava no oitavo andar.

Ponytail utilizou o seu crachá de acesso para abrir a porta da sala de servidores e colocou um calço para que permanecesse aberta. Ele e Mr. Fat trabalhariam nos poderosos servidores. Aparentemente o objetivo era simples: invadir a empresa; fechar todas as persianas; ligar eletricidade e luzes; ligar cada computador e carregar um programa; colocar todos os computadores para trabalhar como um só e somar esse poder de processamento para quebrar uma senha.

Ponytail sentou-se para iniciar a exclusão do registro da abertura da porta do datacenter e passou a digitar freneticamente dezenas de comandos.

Naquele momento, Hallcox entrou na sala correndo, pegou outro molho de chaves com Ponytail e perguntou:

— Qual é o endereço IP?

— É 200.223.28.1 — respondeu Ponytail. — Tudo certo por enquanto?

— Sim, tudo ok.

— Beleza, agora é com você. Abasteça o nosso amigo lá fora.

Hallcox correu até a porta de vidro, abriu-a sem fazer ruído e foi subindo até o último andar do prédio. Destrancou a porta de emergência que dava acesso ao terraço e saiu. Um vento gelado atingiu-lhe o rosto. Rapidamente ele tornou a fechar a porta, cortando o deslocamento de ar, que poderia chegar ao térreo e chamar a atenção do porteiro. Olhou os prédios em volta cheios de letreiros luminosos, que faziam a sua pele mudar de cor conforme as luzes. O céu estava nublado, e era prazeroso ter o ar, naquela altura parecendo mais limpo, entrando nos pulmões. Existia uma beleza naquele mar de prédios vazios aguardando o amanhecer e o ritual diário de ocupação humana. Aquilo se repetia por décadas, e para ele não fazia sentido.

As tecnologias quebrariam esse paradigma, Hallcox meditava enquanto caminhava pelo terraço até uma pequena passarela de escape construída em aço e que dava acesso a outro edifício. Ele a atravessou e seguiu adiante, iluminando o caminho e tomando cuidado para não tropeçar em algum fio ou o que quer que fosse. Terraços não são os lugares mais organizados de um prédio.

Ele abriu o cadeado da passagem de emergência para o terceiro e último prédio, tornou a percorrer toda a extensão do terraço e abriu a porta que dava acesso interno às escadas do edifício. Entrou e desceu quatro andares até a sala 1512. Abriu-a e deixou a chave do lado de dentro da fechadura. Estava preparada a rota de saída, com todo o caminho livre para a sala que serviria de abrigo até o horário comercial.

Ao retornar, Hallcox reparou numa silhueta no terraço do prédio no outro lado da rua. Um homem de cabelo grisalho ao vento, com um cigarro aceso pendurado na boca. Ele mexia numa pequena antena parabólica portátil que apontava diretamente para uma antena do edifício em que eles estavam. Uma tênue luz indicava que um notebook estava ligado próximo a ele.

Aquele vulto só poderia ser Smoke cumprindo a sua parte da missão: receber a primeira transmissão da empresa que acontecia sempre que os servidores eram ligados, interceptá-la e fazer a entrega para os seus meninos quebrarem a criptografia. Essa lembrança fez Hallcox se dar conta de que ainda não tinha passado o endereço IP para Smoke. Então, rapidamente escreveu um SMS. O rosto do homem, iluminado pela luz do celular, confirmou a sua identidade.

O celular de Ponytail vibrou informando que a rede WI-FI montada por Smoke estava disponível. Isso significava que ele conseguira interceptar a primeira comunicação entre a empresa invadida e a sua matriz.

Ponytail, em seu período de estágio infiltrado na empresa, descobriu que aquela senha era a mesma utilizada na matriz do grupo — que era fisicamente muito mais segura —, mas vinha sendo utilizada pela equipe que configurava os servidores no local. Ter essa chave era ter acesso à rede de toda a corporação.

Ponytail aceitou no seu celular a recepção do arquivo enviado por Smoke.

Como o único meio de entrada de dados no servidor, além da rede, era uma unidade de disquetes, eles optaram por utilizar um dispositivo eletrônico caseiro que lia o arquivo do celular e gravava em um disquete. Assim, Ponytail retirou o disquete do dispositivo, inseriu-o no servidor, digitou o comando para listar o que existia no diretório e olhou para os amigos à sua volta, dizendo:

— Senhores, é agora! Se a luz do drive acender será porque a unidade de disco está funcionando e nós conseguiremos ir adiante. Posso continuar?

Mr. Fat deu um forte tapa na cabeça de Ponytail ao responder:

— Vai, palhaço, aperta logo essa porra!

Ouviu-se o som da tecla sendo pressionada, mas a luz não acendeu. Hallcox levou a mão à testa, resmungando:

— Caralho de asa! Fodeu tudo!

Todos franziram a testa ao ver que Ponytail não conseguia disfarçar o sorriso.

— Calma, senhores, foi só um teste. Vocês me ouviram pressionando a tecla control. Agora eu vou apertar enter e aliviá-los da pressão que sufoca a mente dos homens fracos.

Foi a vez de Hallcox dar um tapa na cabeça de Ponytail, que não levava nada a sério.

— *Fiat Lux!* — disse Ponytail ao ver a luz do drive acesa com o monitor mostrando o conteúdo do diretório. — Senhores, assistam ao sopro dos deuses da tecnologia!

Mr. Fat ligou a energia dos switches, o que fez com que a rede começasse a funcionar e possibilitou a comunicação entre todos os computadores da companhia. Era chegada a hora de tomar posse daquela pequena fazenda de máquinas.

O esforço agora era para saber se todos os equipamentos estavam ligados, como o previsto.

Ponytail executou o seu programa, que apontava quais computadores não responderiam, e começou a falar no celular-rádio os seus respectivos números.

Hallcox estudara toda essa codificação por dias e tinha agora tudo em mente. Ele e Tumumbo deram prosseguimento à sua tarefa de colocar tudo em ordem. Por fim, Mr. Fat anunciou que apenas um computador não respondera, e Ponytail informou que ele pifara na véspera.

Restava agora levantar o Cluster, software capaz de fazer um número ilimitado de computadores trabalharem como um só. Todos estavam exaltados. Ponytail e Mr. Fat digitavam comandos nunca antes vistos por Hallcox; pareciam apostar corrida no teclado, eram mestres naquilo. Era um mundo novo.

Uma a uma, as representações gráficas das máquinas dentro do programa de Ponytail perdiam um círculo vermelho, e cada vez que isso acontecia, ele sorria e falava:

— Menos uma, gordo!

Mr. Fat fazia de conta que não escutava e continuava concentrado no seu trabalho. Ponytail, sabendo que ele não gostava, insistia em chamá-lo de gordo e parou apenas quando, distraído, recebeu mais um tapa na cabeça que quase o fez bater no monitor.

Logo a seguir, Mr. Fat anunciou:

— Tudo no ar!

— Estou carregando o arquivo do Smoke para a memória do servidor — informou Ponytail.

Foi quando, na rua, começaram os gritos. Todos estacaram. Hallcox correu para a janela e abriu uma pequena fresta da persiana para verificar. Imediatamente, uma voz vinda do celular-rádio ordenou:

— Fecha essa merda, cacete! Foi só uma tentativa de assalto. A área tá limpa. Continuem. — Era Smoke.

Mr. Fat passou, com todo o cuidado, a executar alguns comandos para validar o ambiente. Ponytail, ao notar a insegurança dele, pediu-lhe que repetisse, mas que, em vez de olhar para o monitor, olhasse para o switch e suas luzes. Todas estavam apagadas. Mr. Fat ergueu a cabeça e pressionou enter. Os leds saltaram de uma completa escuridão para um piscar frenético. Era lindo. Lembrava uma árvore de Natal. Trezentas e nove luzes piscavam, sincronizadas. Estava ativo o Cluster trabalhando com um único equipamento de grande potência.

Hallcox chamou o calado Tumumbo para que fizessem a última parte do trabalho: retirar todos os CDs dos computadores, apagar as luzes e descobrir as janelas.

Todo o material e as mochilas foram levados por Tumumbo para a sala de fuga. As coisas estavam acontecendo conforme o planejado.

Havia duas horas que o Cluster começara a funcionar, e, até o momento, o consumo dos computadores beirava os 95%. Foram testados bilhões de combinações de senhas por minuto na tentativa de quebrar a criptografia. Com essa senha, eles descobririam tudo o que vinha sendo feito por aquela empresa em conluio com a pior geração de políticos da história do país.

Pelos cálculos de Ponytail, faltavam dez minutos para que a senha fosse quebrada ou que se esgotassem todas as possibilidades. Estavam todos sentados de frente para o único monitor ligado e aguardando o término do programa. Mr. Fat retirou uma luva para refrescar a mão suada quando, de súbito, um som alto de frenagem e vozes veio da rua. Todos se entreolharam. O som vinha da portaria do prédio onde se encontravam.

A voz de Smoke soou no rádio:

— Vocês têm companhia, e não é pouca.

2. A FUGA

Pela janela, Mr. Fat avistou seis viaturas estacionadas desordenadamente em frente ao prédio, com policiais e transeuntes olhando para cima, e gritou para os amigos essas informações.

Sem perda de tempo, Hallcox saiu correndo pela escada interna, subiu para o nono andar e abriu lentamente a porta corta-fogo. Foi até a saída de incêndio e encostou a porta no batente, evitando fazer ruído. Quando olhou para baixo, no vão dos degraus, pôde ver vultos empunhando lanternas e subindo as escadas. Calculou que estivessem no segundo andar e deu o aviso, sussurrando pelo rádio. Ponytail se recusou a sair do local enquanto não terminasse o processamento — eles teriam que desligar tudo, ou o que acontecera ali seria descoberto.

Hallcox, que continuava acompanhando o movimento nas escadas dos andares inferiores, informou pelo rádio que os perseguidores haviam alcançado o quarto andar e subiam cautelosamente, empunhando as armas.

A voz de Smoke soou pelo aparelho:

— Hora de sair!

Ponytail mandou Mr. Fat seguir a rota de fuga. Ele iria por último, porque trabalhava na empresa e poderia usar isso como desculpa, em caso de prisão. Mr. Fat se levantou e deu um tapa no ombro de Tumumbo, que o acompanhou.

Hallcox, ainda na escada, conseguiu identificar quem vinha vindo: eram policiais federais, liderados por uma pessoa franzina, ágil e encapuzada. Ele já se preparava para correr, quando os policiais interromperam a marcha e entraram no corredor do oitavo andar. A porta de incêndio fez ruído ao se fechar às costas do grupo e logo a seguir veio o som de dois tiros e vidro quebrando. Estavam dentro da empresa. No mesmo andar do datacenter e de Ponytail.

Hallcox saiu dali, voltou para a empresa em silêncio e se deitou no chão, próximo à escada, para observar o andar abaixo. O grupo, por sorte, tomara a direção contrária ao local onde estava Ponytail, prosseguindo em fila indiana, vasculhando tudo com as lanternas fixas nas armas. Assim, Hallcox desceu a escada, abriu a porta do datacenter e passou direto por Ponytail, que não tirava os olhos do monitor. Quando ele puxou a tampa do quadro de luz para desligar tudo, Ponytail pediu:

— Não… falta muito pouco.

— Cala a boca, retardado! Os policiais já estão no nosso andar e do outro lado da empresa. Temos que ir agora! — Hallcox sussurrou.

— Que se foda! Não saio daqui sem conseguir essa senha. Vá embora você. Eu fico até o fim.

Todos os instintos de Hallcox o mandavam cair fora dali, mas Ponytail estava certo. Ele trabalhava na empresa, era um bom álibi. Após mais alguns segundos de hesitação, Hallcox pegou a pochete de Ponytail e tirou dela um punhado de bombinhas e um isqueiro. Em seguida, abriu a porta do datacenter: os policiais ainda estavam na operação de verificação em cada uma das salas. Rápido, Hallcox subiu para a escada de incêndio, acendeu algumas bombas e jogou-as no vão das escadas, para que estourassem no térreo ou o mais próximo possível disso.

Os policiais deixaram o oitavo andar assim que as bombas explodiram e começaram a descer as escadas. Como o som das explosões era muito similar ao dos disparos com calibre .12, os policiais imaginaram que os invasores haviam passado por eles e estavam agora trocando tiros com o outro grupo de policiais na portaria.

Hallcox tornou a entrar na empresa disposto a carregar Ponytail mesmo desmaiado. A diferença de porte entre os dois tornaria fácil a tarefa.

O som de clique simultâneo em todos os estabilizadores indicava que Ponytail desligara a eletricidade. A escuridão era quase completa. Hallcox viu um pequeno vulto subindo para o nono andar: só poderia ser Ponytail. Foi atrás dele.

Devagar e com muito esforço para não fazer ruído, ele saiu da empresa. Ao abrir a porta de incêndio, levou um susto ao deparar com alguém rendendo Ponytail, que estava de costas para a pessoa e iluminado pela lanterna da pistola. Por puro instinto, Hallcox aplicou o maior soco da sua vida na nuca daquele vulto, que, com um gemido, foi ao chão. A luz da pistola ficou parada, iluminando um longo cabelo castanho. Era uma mulher, e aquilo chocou Hallcox, que sentia a mão latejar de dor.

Ponytail, mais rápido do que nunca, apavorado e sabendo da situação crítica, subia a escada como um orangotango, aos saltos, usando mãos e pés. Hallcox foi correndo logo atrás e, alguns andares acima, trombou com Mr. Fat e caiu no chão. O gordo agarrou Hallcox pelo braço e o arremessou para fora da escada em direção ao terraço do prédio. Passou logo a seguir e bateu a porta. Hallcox a trancou. Ambos correram em direção à ponte que levava ao outro edifício. Eles teriam que percorrer o terraço de três prédios antes que os policiais os vissem entrando pela porta final de fuga.

Ponytail aguardava do outro lado da ponte, com as luzes verdes dos letreiros se revezando no seu rosto. Hallcox passou em disparada pela ponte, ouvindo os policiais chutando a porta trancada. Pouco depois, tiros trespassaram a porta, e ainda se ouviam chutes.

Todos passaram pelo segundo terraço. Hallcox parou para abrir a porta que dava acesso ao interior do segundo prédio e colocou um calço para que não fechasse. O plano era fazer com que os policiais pensassem que eles haviam descido por ali.

Ele correu pela ponte para o terceiro terraço e viu os amigos entrando pelas escadas. Hallcox bateu a porta de grades que separava os prédios através da ponte, colocou os braços entre as barras de metal e trancou o cadeado, para dar a entender que por ali ninguém fugira.

Em pouco tempo, os policiais iluminavam a grade que Hallcox acabara de fechar. Eles entraram pela porta que ele deixara aberta, mas Hallcox já caminhava escada abaixo até a sala de fuga, onde entrou e trancou a fechadura. Todos ofegavam, espalhados pelo chão.

Da sua posição, Smoke, que assistia a tudo, até de certa maneira se divertindo, pegou o rádio e perguntou:

— Vocês estão bem?

– 23 –

Hallcox tomou o rádio das mãos de Ponytail, colocou o volume no mínimo e afirmou:

— Sim, aqui tudo certo. Recolhemos todos os cds e materiais que levamos.

— Conseguiram a senha?

— Não sei, espere um instante. E aí, Ponytail, conseguiu?

— Sim, meu caro, tenho uma reputação a zelar. Está tudo decorado. E por falar nisso, me deem logo um papel pra eu anotar antes que esqueça.

Smoke tornou a perguntar:

— Conseguiram?

— Sim — respondeu Hallcox.

— Desligaram a energia?

— Sim.

— Tiveram algum contato?

— Alguém rendeu Ponytail. Ele estava de costas, e a pessoa não viu o seu rosto. Não sei quem era, mas dei-lhe um megaton na nuca, e ela desabou.

— *Ela*? — Smoke quis confirmar.

— Sim! Ao cair, vi pela luz da pistola que era uma mulher.

— Foi por pouco então.

— Sim. Você consegue ver o que está acontecendo, Smoke?

— Consigo. Os policiais estão procurando vocês no telhado. Alguns se encontram no oitavo andar. Outros, no décimo. Todas as luzes foram acesas. Ah, estão recolhendo as digitais dos computadores e devem estar fazendo o mesmo nos servidores, pois tem um grupo lá na sala.

— Mãe do céu! — gritou Mr. Fat — A minha mão!

Todos olharam para as mãos dele — Mr. Fat, e apenas ele, estava sem uma das luvas.

— Porra, gordo, você tem merda na cabeça?! Você tem ficha na polícia! — Hallcox desligou o comunicador.

— Tô ferrado... — Mr. Fat suspirou.

Ponytail não deixaria barato:

— É, gordo, acho que a tua hora chegou. E por falar nisso... já te contei sobre um conhecido que foi preso pela federal? Rapaz, como ele sofreu! Esses caras não têm coração mesmo, sabe? Esse meu amigo tinha um negócio de venda de memórias em Copacabana e, num belo dia, a PF meteu o pé na porta e rapou o apartamento inteiro. Ele tinha uns quinhentos mil dólares em mercadoria, mais uns setenta mil em dinheiro. Os caras levaram tudo pra central, lá na praça Mauá. Sabe como é, toda corporação tem os seus bons policiais, e esses eram os melhores. Fizeram tudo conforme o manual.

— Conta logo essa bosta! — ordenou Mr. Fat, ansioso.

— 24 —

— Pois é, chegando lá, tudo foi entregue pra outra turma. Um pessoal mais administrativo. Sabe o que falaram pra ele?

— Não, o quê?

— Que o dinheiro já era, mas que deixariam que ele se mandasse com toda a mercadoria se entregasse de bandeja o fornecedor. Entregar mesmo, limpinho na mão dos meganhas. O cara ficou tão louco com a possibilidade de não perder os quinhentos mil que falou mais que político em véspera de eleição. Uma hora depois, saía ele sem os setenta mil dólares, mas com toda a mercadoria. Duzentos metros depois, uma blitz com os mesmos policiais abriu fogo contra o rapaz, que nada pôde fazer; e nos jornais, no dia seguinte, foi noticiado que os agentes, atuando prontamente, evitaram que um enorme carregamento de contrabando fosse roubado da sede da polícia e que, no enfrentamento, um bandido fora baleado e morto. Os outros criminosos conseguiram fugir com o dinheiro. O nome disso é auto de resistência. Agora, imagine só o que eles poderiam fazer com você, gordo...

Mr. Fat nada comentou. Estava com a cabeça caída entre os ombros, muito arrependido de ter participado daquela operação.

— Ponytail, isso é verdade? — Hallcox quis saber.

— Claro que não! — Gargalhando, Ponytail tentava escapar das mãos de Mr. Fat, que ameaçava estrangulá-lo.

O próprio Hallcox teve ganas disso, mas seria melhor gastar as suas energias para evitar que Mr. Fat fizesse mais alguma burrada.

A madrugada chegava ao fim, e algumas horas passariam até que pudessem ir embora. Hallcox preparou o alarme do seu celular para tocar às nove. Um bom horário para se misturar àqueles que entram e saem do prédio em horário comercial.

Todos acabaram dormindo.

3. O INIMIGO

ANGRA DOS REIS

O despertador tocou às cinco da manhã e foi desligado por uma bela mão feminina. Ela se sentou na cama, e o seu longo cabelo escuro deslizou pelo corpo. Espreguiçou-se e abriu os olhos. Estalou o pescoço, respirou fundo e se levantou, para ir na direção do banheiro. A camisola ficou pelo caminho no minúsculo quarto.

Vinte minutos depois, ela voltou, enrolada em uma toalha, maquiada e com a cabeleira negra presa num coque. Deixou a toalha cair e vestiu a calcinha de renda. Em seguida, sentou-se e levou a ponta do pé para dentro da meia de seda transparente, que foi puxando lentamente para cima até alcançar a coxa; repetiu o gesto para a outra perna. Levantou-se e prendeu uma cinta-liga nas meias. Calçou um par de sapatos de salto médio preto e retirou do armário um vestido também preto impecavelmente passado, com altura logo abaixo dos joelhos e mangas compridas. Colocou-o com cuidado e passou a abotoá-lo desde baixo até em cima. Buscou no armário sua última peça de roupa: um grande avental branco que lhe cobriria a frente do vestido, dos joelhos até o pescoço, com duas alças passando sobre os ombros que encontravam duas tiras do próprio avental na cintura. A amarração formava um xis nas costas e terminava em um laço. Ela fechou a porta do armário e saiu do quarto.

Pelos corredores, muitas pessoas vestidas de maneira similar vinham de todos os lados, cada qual com as suas obrigações. Não existiam movimentos supérfluos. Todos sabiam o que fazer.

Ela caminhou por algum tempo até chegar ao lado externo da casa e diante de um grande gramado verde. Passou pela piscina em forma de gota, iluminada pelas suas luzes internas de vários tons de azul. Tudo era belo, mas nada se comparava ao mar liso e ainda manchado com as luzes da lua envolto em uma espessa Mata Atlântica com todos os tons de verde que a vindoura luz do dia poderia criar. Ela não conseguia passar por ali sem admirar a harmonia da arquitetura com a natureza.

Algumas dezenas de metros depois, ela chegou ao enorme portão da casa e recolheu todas as correspondências, revistas e jornais. Em seu retorno, na antessala da cozinha, encontrou o mordomo-chefe aguardando-a em frente a uma grande mesa. Ela depositou o que segurava em uma bandeja prateada, na qual ele arrumou meticulosamente revistas, correspondência e jornais, e a levou para a sala de café.

Na parte externa da cozinha, um dos empregados, estático, observava um conjunto de aquecedores a gás que subitamente disparou dois cliques e acendeu com chamas azuis e verdes. No mesmo instante, o empregado entrou pela cozinha e encontrou o mordomo-chefe, que, ao vê-lo, soube que o dono da casa acordara.

— Restam quinze minutos para nós — anunciou o mordomo, o que fez com que a equipe se apressasse para terminar os trabalhos para o desjejum.

Na sala de café, um dos empregados empurrava cada um dos portais de madeira e vidro que simulavam uma parede. Eles corriam suavemente e sem barulho por trilhos individuais e, ao final, todos sumiam dentro da parede. O movimento permitiu que uma agradável brisa entrasse pelo ambiente, que agora estava

– 26 –

completamente aberto para aquela paisagem deslumbrante. Tudo havia sido projetado para que aquele local todos os dias provesse o melhor nascer do sol de que alguém pudesse desfrutar.

Um senhor de roupão vinho apareceu na porta da sala e foi recebido pelo mordomo. Seus movimentos precisos, aliados ao cabelo branco, denotavam alguém que por muito tempo se dedicara à profissão.

Uma leve música clássica tocava ao fundo, quase inaudível.

— Bom dia, senhor.

— Bom dia, Carlos. Tudo bem?

— Está tudo na mais perfeita ordem, senhor.

— Estamos no horário correto?

— Sim, senhor. Em instantes poderemos assistir ao nascer do sol. Espero que o desjejum esteja de acordo com o seu gosto.

— Carlos, estamos ouvindo Strauss e a "Sinfonia dos Alpes"?

— Sim, senhor. Gostou?

— Mas não estamos nos Alpes.

— Certamente, mas ela inicia descrevendo perfeitamente o...

— ... o nascer do sol. Carlos, você realmente pensa em tudo.

Aquilo trouxe uma grande satisfação ao mordomo, por ter acertado na escolha.

— O que temos? — perguntou o patrão, apontando para a mesa.

— Ovos mexidos, bacon, salada de frutas frescas, iogurtes, panquecas, waffle, geleias de fruta, rocambole de canela, crepe, doce de leite argentino, dadinhos de tapioca com geleia levemente apimentada, suco de laranja, açaí, melão, morango, cuscuz doce, bolo de aipim e pão francês daquela receita sul-coreana que é do seu gosto.

— Poderia me preparar pequenas porções de cada um dos itens para que eu possa prová-los?

— Sim, claro, senhor.

Nesse momento, Carlos se afastou dando um passo para trás e apenas com o olhar autorizou outros três empregados, que com destreza preparavam o pedido do patrão. O dono da casa atravessou a sala e sentou-se na sua cadeira preferida, de frente para a paisagem. Colocou o seu caríssimo celular sobre a mesa e observou o conteúdo da bandeja de jornais e revistas.

— Temos um telegrama. Inesperado. Abra-o, por favor, Carlos.

Enquanto o mordomo habilmente abria o telegrama, os pratos iam sendo postos à frente do senhor, que começou a prová-los, até que lhe foi entregue a mensagem, que ele leu em um instante.

— Ah! Boas notícias! É da minha filha. Aposto que despachou telegramas para todas as minhas residências. Enfim, serei avô!

— Que ótima notícia, senhor.

— Excelente! Vou ligar pra ela.

Quando pegou o celular, ele constatou haver recebido uma mensagem poucos minutos antes. Devia estar no banho para não ter reparado. Ao verificar a origem, não gostou do que viu.

> Empresa invadida à noite. PF esteve no local. Houve confronto. Ninguém foi preso. Servidores estavam desligados. Nada foi levado. PF rastreou grupo de hackers. Não tem relação com a nossa operação.

Ele terminou o café, levantou-se da mesa e caminhou para o terraço com as mãos cruzadas nas costas. O céu estava azul, e o sol, ainda fraco. A brisa resistia ao calor e esfriava a pele do seu rosto. Ele voltou para dentro da casa e disse ao mordomo:

— Carlos, as crianças irão acordar mais tarde. Faça com que tenham um dia divertido.

— Perfeitamente, senhor. Já está tudo preparado.

— Não tenho dúvida disso. Eu gostaria de ter uma dúzia de profissionais como você, Carlos.

— O senhor me lisonjeia.

— Não diga isso, por favor, a lisonja nada mais é que adulação. É o elogio falso. Eu tenho admiração e respeito por você.

— Me perdoe, senhor.

O dono da casa consentiu com a cabeça. O mordomo, com a coluna muito ereta, olhava para baixo. A competência acompanhada de fidelidade e submissão era algo de que ele gostava, mas isso era raro — aduladores existiam aos montes.

— É, Carlos, o dinheiro nem sempre compra tudo, e antigamente era mais fácil encontrar gente competente. Mas até sem querer você me ajuda. Eu tenho um problema para resolver, e dessa vez será à moda antiga. Preciso de alguém que realmente seja profissional, e eu conheço uma pessoa que está aguardando uma oportunidade.

O senhor tornou a abrir a mensagem no celular e a encaminhou para outro contato da sua agenda, acrescentando:

> A minha corretora foi invadida. A sua oportunidade chegou. Encontre os culpados. Não economize recursos.

4. O CAÇADOR

RUA DA ASSEMBLEIA, CENTRO

Sentado à mesa de um modesto escritório no edifício mais alto da cidade, o homem magro, calvo, grisalho e de terno escuro retirou do cofre o seu celular reservado. Quando terminou de ler a mensagem, apoiou os cotovelos nos braços da cadeira e juntou as mãos em frente ao rosto como se fosse rezar, mas ele estava pensando. Não era brasileiro, e trabalhara durante toda a vida num país extinto. O tempo passou; as suas convicções mudaram, mas as suas vocações eram as mesmas.

Sobre a sua mesa havia uma bandeirinha do Brasil em uma vareta de madeira com um verniz brilhoso e barbantes dourados hasteando-a como um mastro de verdade. Ao seu lado, outra bandeira, com três listras: preta, vermelha e amarela. No centro dessa bandeira, uma coroa de espigas de trigo que simbolizava os campesinos, um martelo para os operários e um compasso para os intelectuais. Muitas eram as suas lembranças e decepções. Na base de madeira via-se a inscrição: *"Proletarier aller Länder, vereinigt Euch!"* — "Trabalhadores do mundo, uni-vos!".

Ele leu com cara de nojo e balançou a cabeça. Era um homem apaixonado pelo seu país, embora reconhecesse que ele fora destruído por uma ideologia estúpida. Aquelas bandeiras eram suvenires do tempo em que atuou no Brasil em "medidas ativas" de desinformação com a StB tcheca. Ele nunca esqueceu que, quando tudo deu errado, aquele país tropical o acolheu. Mas a estupidez estava em todo lugar, e a ideologia era o caminho para aquilo que mais seduz o ser humano — e tudo se resume à disputa de poder.

Todos admiravam o seu passado; mas ele silenciosamente o rejeitava. Os seus serviços eram utilizados porque a sua pátria o forjara, tornando-o eficiente. Ele não sabia fazer outra coisa a não ser ações de inteligência, desestabilização, investigação e interrogatório. Sem isso, não ganhava dinheiro, e sem dinheiro, vinham as dificuldades, como as que ceifaram a vida dos seus filhos durante a sua fuga pela Europa. Ele se tornou um homem sem medo. Era procurado e marcado pelo seu passado. Sem opções, após uma série frustrada de tentativas de vida digna, o que lhe restou foi o submundo.

Montou no Brasil a sua rede de colaboradores com uma mescla de métodos consagrados e novas tecnologias. Em um país dominado por uma classe política sem valores, não lhe faltava trabalho. Aquele que lhe enviara a mensagem era um novo e promissor cliente. Já fizera a sua investigação: a quantidade de negócios que ele conduzia indicava que o seu cargo eletivo nada mais era do que um viabilizador para os seus negócios.

Levantou-se e retirou um dos livros da estante. *Princípios da Filosofia do Direito*, de Hegel. Abriu e folheou até chegar à página 89, ano da queda do Muro de Berlim. Riu. Jamais esqueceria aquele número. Havia uma pequena anotação a lápis no canto da página. Era um número de telefone. Ele pegou o celular e digitou. Uma voz seca atendeu do outro lado:

— Qual o serviço, Jürgen?

— Informações da Polícia Federal acerca de uma batida no Centro do Rio.

— Quando?

— Hoje, no fim da madrugada. Descubra tudo sobre essa operação. O valor do serviço será depositado agora.

— Será feito.

— Atenção! É prioridade zero. O dinheiro estará na sua conta em instantes.

Do outro lado da linha, um jornaleiro desligou o telefone e pediu para que a esposa ficasse no caixa para ele ir ao banco.

— Já volto, minha nega. Era o alemão.

— Que bom! Estávamos precisando — ela respondeu, ocupada com o seu bordado de lã.

Ele pegou a sua bengala e uma boina cinza. Saiu da banca de jornais e caminhou por uma importante avenida de Copacabana. Entrou na agência de um banco. Olhou em volta buscando o seu gerente, que se despedia de um casal de idosos. Pegou uma senha e aguardou ser chamado, o que não demorou:

— Bom dia, seu Henrico. Em que posso ajudá-lo?

— Preciso de informações sobre uma operação realizada hoje pela manhã, no Centro do Rio, pela Polícia Federal. Você consegue isso?

— Hum, Polícia Federal... do Rio! Deixe-me ver.

O gerente abriu uma gaveta e apanhou uma lista de correntistas do banco, todos funcionários públicos de vários departamentos e órgãos. Não havia nomes, apenas números de contas correntes, a sigla do órgão e ao final um telefone de contato internacional. O serviço era contratado com uma simples transferência e um e-mail criptografado. Todos da lista estavam acessíveis para qualquer operação que fosse bem remunerada. O procedimento era antigo e garantia a todos um bom dinheiro em contas no exterior. O gerente fazia a transferência e enviava um ininteligível comprovante da operação dólar-cabo.

— De qual conta eu retiro a grana? — perguntou o gerente.

— Tome aqui o meu cartão. — O jornaleiro estendeu o braço.

— Só um minuto. — O gerente digitou no seu terminal. — O senhor está com o certificado digital?

Henrico buscou na carteira e o entregou.

— Muito bem. A transferência deverá acontecer em instantes. Vou passar o comprovante e as instruções criptografadas para que o serviço seja logo iniciado.

— 30 —

Cerca de vinte minutos depois, um celular vibrou sobre a mesa de madeira de um bar em Figueira da Foz, Portugal. O par internacional da pessoa selecionada na lista do banco inseriu a senha, abriu o programa de e-mail, leu com atenção o texto e esboçou um leve sorriso, dizendo:

— Essa vai ser fácil.

Pouco depois, um telegrama internacional com vários números de três dígitos chegou a um posto dos Correios na praça Mauá, no Rio de Janeiro, destinado ao gerente da loja.

Ao receber o telegrama, o gerente observou a distribuição de números em busca dos primeiros dois dígitos: 21. Colocou o papel no bolso do casaco, deixou a loja e foi para um antigo prédio de escritórios.

Lá, ele cumprimentou o porteiro, pegou a sua correspondência na recepção e entrou no elevador. Saiu no sexto andar, retirou uma chave do bolso e abriu a porta. Colocou o telegrama na mesa e foi até o próximo cômodo, retornando com algo que se assemelhava a uma lista telefônica. Na capa toda branca estava impresso, em letras pequenas, o número 21. Ele abriu no índice. Olhou o próximo número no papel: 324. O livro mostrava uma abreviação ao lado do número: INF.

Ele continuou com a segunda sequência, 097, e encontrou a palavra FULL.

Ao final da busca por todos os números, a frase estava pronta:

INF FULL SOBRE OPER PF HOJE MADRUGA VG MANHAM VG CENTRO RJ PT ABRASPAS PRIORIDADE ZERO FECHASPAS PT SDS FIGUEIRA PT

As últimas sequências de números — 063, 637, 252 e 004 — vinham separadas em outro parágrafo e referiam-se a outros livros.

O primeiro era uma publicação pertencente ao governo federal que lista todos os seus órgãos. Na página 63 estava uma apresentação da Polícia Federal. O segundo tratava-se de um livro de calendários, e o gerente encontrou a equivalência do número 637 para uma determinada data do passado. O terceiro grupo de números se referia ao *Diário Oficial da União* para aquele exato dia. Ele o folheou até achar a relação de aprovados daquele ano no concurso da Polícia Federal, na página 252. Da lista, decorou o nome do quarto colocado. Era a pessoa de destino da mensagem.

O gerente recolocou todos os livros nos seus devidos lugares, abriu uma gaveta da mesa para pegar um envelope branco e escreveu o nome do destinatário. Ligou um notebook e digitou a mensagem num site que lhe retornou um número longo. Dobrou o papel onde anotara o número e o colocou no envelope. Picou o telegrama, jogou-o no vaso sanitário do banheiro do escritório e deu descarga.

Ele apagou a luz da sala, fechou a porta e retornou à agência.

No seu terminal, buscou a lotação da pessoa e preencheu o endereço no envelope. Colou vários selos e os carimbou. Chamou um carteiro que estava no local e pediu-lhe, calmamente:

— Nelson, por favor. Já separou as correspondências da Polícia Federal?

— Sim, senhor.

— Então vá logo levar tudo e entregue esta carta também. Acabou de chegar.

Pouco depois, no subsolo — local do arquivo geral onde são depositados todos os processos e documentos —, um agente recebeu uma carta. Ao abrir o envelope, ele encontrou uma folha em branco com um longo número escrito à mão. Era mais um serviço especial.

Sacou o celular e abriu o aplicativo sem nome que imediatamente lhe pediu uma senha. Após inseri-la, uma tela branca surgiu, bem como um teclado numérico. Ele digitou o número longo e recebeu a mensagem: "Informações totais sobre operação da PF de hoje madrugada, manhã, no Centro do Rio de Janeiro. Prioridade zero. Saudações, Figueira.".

— Já até sei qual é a operação. É daquela retardada.

5. PROJETO CX

ZONA OESTE

Smoke, com um olhar distante, pensava na dificuldade que foi para quebrar a senha durante a incursão no centro da cidade. Tudo terminaria em algumas horas. Aquele fora um trabalho longo e diferente, pois ao mesmo tempo que treinava e observava seus candidatos, ele concluía mais um projeto.

Gravou os dois CDs finais e pegou o telefone celular que recebeu no início do contrato. Procurou na agenda de telefones por "cx", o único registro cadastrado e sem número. Teclou enviar e escutou uma voz feminina:

— Alô? Smoke?

Ele respondeu, seco:

— Está pronto.

— Que ótimo! Podemos nos encontrar? A que horas? Onde?

— Eu te aviso.

Após desligar, Smoke guardou os CDS e pegou o seu inseparável maço de cigarros e a sua jaqueta de couro preta. Saiu e olhou para a casa dos avós a uma centena de metros. Eles não sabiam que ele estava vivo.

Fez sinal para um táxi, e durante o trajeto foi pensando sobre o projeto. Sabia estar lidando com gente grande, e que o que tinha em mãos iria prejudicar alguém importante, cuja identidade ele ignorava. Não fez questão de descobrir de quem se tratava. Quanto menos soubesse, melhor.

Desceu em Copacabana e ligou novamente para "cx". Ao primeiro som da voz do outro lado, Smoke cortou imediatamente, dizendo:

— Estou te esperando na portaria do seu prédio.

— Mas como? Você tem o meu endereço?

— Estou esperando. — Ele desligou o aparelho ainda escutando lá no fundo um "mas".

Todos os encontros anteriores haviam sido realizados no centro da cidade e a notícia de que ele a aguardava na portaria do seu prédio serviu para tirar a calma de Elisa. Ela, secretária executiva de uma grande estatal, nunca revelou como conseguiu o contato de Smoke, mas, desde então, contratou-o para vários projetos.

Ao vê-lo, Elisa ficou perplexa com a piora na sua aparência. À sua frente encontrava-se um homem com cabelo comprido e malcuidado, malvestido, com olheiras profundas e mais magro do que da última vez. De cara, ela exclamou:

— Você está um lixo!

Ele sorriu.

— É engraçado, mas sempre que te vejo, me pergunto: por que não nasci mulher? — Smoke se referia não só a beleza diante de si, mas também às preferências sexuas de Elisa.

Elisa, alta e esguia, estava usando calça jeans e uma blusa com os primeiros botões abertos, o que deixava entrever parte dos seios. Ela respondeu, um pouco sem graça pelo comentário indiscreto:

— Sejamos profissionais. Vamos para onde?

— Sair da rua. Que tal o seu apartamento?

— Venha, Smoke. Quero acabar logo com isso.

O apartamento era grande, confortável e bem decorado, tudo de muito bom gosto. A paisagem era linda, mas Smoke fechou as grandes persianas.

— Que tal um drinque? — Elisa já servia uma dose de uísque em dois copos.

— Sim, aceito essa água que passarinho não bebe.

Após servi-lo, Elisa, não contendo a curiosidade, perguntou, serenamente:

— O que houve com você? Parece mais acabado que nunca. O que andou fazendo?

— O mesmo de sempre, nada de mais.

— E o que significa isso? Você nunca me disse nada a seu respeito, não tenho a menor ideia do que seja "o mesmo de sempre". O que faz? Onde mora? Qual o seu verdadeiro nome?

Ela insistia, nervosa, enquanto Smoke tragava o segundo cigarro. Ele bebia tranquilamente o seu uísque e até certo ponto se divertia com a situação.

— Posso falar?

— Sim, pode, mas eu não entendo como alguém como você aparece e desaparece sem deixar pistas. E como sabia o meu endereço, Smoke? Isso tudo me deixa muito confusa.

— Posso falar?

— Fale. — Dessa vez ela ficou em silêncio.

— Um dia eu explico, mas primeiro os negócios. Aqui estão os CDs.

Elisa os recebeu, trêmula. Segurou firme e sentiu a aspereza da superfície do estojo. Antes de soltar, Smoke olhou-a nos olhos, dizendo:

— Desta vez as coisas são mais pesadas. Tome cuidado.

Ela sentia a preocupação de Smoke, como a de um irmão mais velho. Mas na verdade Smoke já enxergava o quão inocente ela era naquilo tudo.

Ficaram alguns segundos se olhando. Elisa se deu conta de que a sua máscara havia caído e que a imagem de profissional que tentara passar desde o início desmoronara.

— Não quer tomar um banho, Smoke? Lave esse cabelo. Você parece imundo. Eu te empresto uma camisa, e depois saímos pra jantar. — No instante em que terminou a frase, Elisa se arrependeu, torcendo para que ele não aceitasse. Era como se a mente desejasse uma coisa, e o seu eu, outra.

— Não quero ocupar o seu tempo. Além do mais, já passa das três da manhã. Onde você pensa que conseguiria jantar a uma hora dessas?

— Então, eu preparo algo pra comermos. Tome o seu banho, eu aguardo. Vou pegar uma toalha e as roupas que o meu irmão deixou aqui antes de ir morar na Europa. Elas devem caber em você.

Smoke pensou na oferta e a comparou com a alternativa de retornar com fome para casa, no meio da madrugada e sem um transporte próprio. Seria mais lógico aceitar.

— Tudo bem, Elisa. Fico por aqui até o amanhecer.

Ela deixou a sala e, em instantes, retornou com a toalha e algumas roupas.

No banheiro, Smoke admirou a arrumação das toalhas penduradas; a integridade do sabonete amarelo na pia, que combinava com os detalhes dourados da louça. Tinha uma banheira com chuveiro, e aquilo foi um convite. O que poderia ser melhor do que repousar o corpo em água quente? O tempo em que esteve preso somado ao desconforto da casa vazia e próxima dos seus avós o fizeram esquecer o bem que algumas coisas fazem à mente.

Smoke tirou os sapatos e a roupa, as dobrou com todo o cuidado, deixando-as dentro do bidê. Abriu a ducha, sentou-se na banheira e ficou um bom tempo relaxando. Um cansaço se aproximou fortemente, como se a camada de sujeira fosse a responsável por mantê-lo acordado. Ele sentia a água batendo na cabeça e escorrendo pelo pescoço. O jato era forte e o fluxo entupiu os seus ouvidos. O som da água aumentou dentro do seu crânio, fazendo parecer uma chuva com grossos pingos. Smoke tapou os ouvidos com os dedos, e o som se ampliou. Era tão relaxante que ele acabou adormecendo.

Foi despertado por uma preocupada Elisa, que abriu a porta e gritou:

— Smoke! Acorda! O jantar está servido.

Após ter dormido por quarenta minutos na banheira, Smoke vestiu a roupa emprestada e calçou chinelos de borracha bastante coloridos. Saiu com o cabelo ainda despenteado e foi envolvido por algo delicioso que quase esquecera que existia: o aroma incrível de comida caseira e feita na hora. Ele respirou fundo, saboreando cada molécula daquele cheiro fantástico.

Ela preparara fettuccine ao sugo e medalhão ao molho madeira. Havia também duas taças de vinho ainda vazias e uma garrafa de Cabernet Sauvignon.

Smoke sentou-se e, ao pegar a garrafa, viu que se tratava de um vinho americano: Chateau Ste. Michelle Indian Wells. Arqueou as sobrancelhas em aprovação. Estava tudo perfeito.

Com destreza, ele sacou a rolha e deixou o Cabernet respirar por instantes. Em seguida, serviu ambas as taças, tomou um gole e levou à boca um pedaço de carne. Estava deliciosa e combinava perfeitamente com aquele vinho. Tudo dentro de Smoke sorria, agradecendo pela entrega do trabalho, pelo banho, pela refeição, pelo vinho e pela companhia. Todos os seus sentidos eram gratos por aquele momento, e ele olhava para Elisa, do outro lado da mesa, com um respeito maior.

Smoke era naturalmente calado, e Elisa tentava manter um diálogo. Ele não se importava, poderia ficar ali em silêncio e curtir tudo da mesma maneira, mas uma pergunta o despertou:

— Você tem alguém?

Ah, essa curiosidade feminina…, pensou Smoke.

— No momento, não. — Ele se lembrou das mulheres com quem se relacionara. Bastaria um telefonema para ter várias delas à sua disposição. Mas a sua resposta fora sincera, ele não tinha ninguém.

— Já teve alguém especial?

— Defina especial.

— Uma pessoa com quem se pretende ficar pelo resto da vida.

— Não, nunca. Quer mais um pouco de vinho?

— Sim, obrigada.

— Elisa, isso tudo está simplesmente perfeito — Smoke elogiou, antes de colocar mais um pedaço de carne e fettuccine na boca.

— Você nunca pensou sobre isso?

Nesse momento, soou o sinal de alerta para Smoke. Ele entendia muito bem como funcionava a cabeça de uma mulher e já previa o caminho que aquela conversa tomaria. Cada um se deliciava com os sabores da sua refeição, com os seus cérebros funcionando a todo vapor. Elisa tinha vontade de acelerar, e Smoke não sabia se deveria frear tudo aquilo. As coisas, embora estivessem aparentemente calmas, por dentro estavam fora de controle. Tudo poderia acontecer.

— Sim, Elisa, já pensei sobre isso.

— Como assim?

— Bem, não sou nenhum garoto, já tenho algum tempo de estrada. Conheci várias mulheres, e sempre me perguntei quando aconteceria a tal flechada.

— Você quer dizer… do cupido?

— Exato.

— Ah, Smoke, você é muito racional…

— Neste momento, não, estou sendo apenas sincero. E você, já foi flechada?

— Pensando dessa forma, não sei, mas já me apaixonei várias vezes.

— Ou seja, o anjinho deve estar com o braço cansado de tanto disparar flechas, e aqui está você, sozinha. Falta pouco para ele dar com o arco na sua cabeça pra ver se você acorda.

Elisa soltou uma gostosa gargalhada e se levantou.

— Vem, senta ali no sofá que eu vou pegar um sorvete.

Smoke se ergueu e cruzou com Elisa pelo lado esquerdo da mesa. Eles se encararam rapidamente, e ela, com um leve sorriso, ajeitou o cabelo, prendendo-o atrás da orelha, e foi para a cozinha. Ele, para o centro da sala.

Smoke, ainda sentindo o perfume feminino, se acomodou no sofá muito macio. Elisa chegou com duas colheres, um pano de prato e um pote de sorvete de chocolate. Ela usou o pano para forrar o sofá e entregou uma colher para Smoke. Os dois atacaram o sorvete como se fossem adolescentes. Ninguém mais se lembrava do projeto CX, e parecia que nem sequer existia um mundo em volta deles. Estavam descontraídos e sorridentes. Conectados por um pote de sorvete.

Elisa, prevendo o que poderia vir a seguir, mais uma vez utilizou o seu recurso de escape:

— Sejamos profissionais. Vamos ver o seu trabalho. Vou pegar o notebook. — Ela foi até o quarto.

Smoke riu, baixinho.

Elisa voltou com um notebook prateado e fino, que adquirira na sua última viagem aos Estados Unidos. Smoke não se conteve e sussurrou:

— O que o dinheiro não faz...

Ela sorriu e respondeu:

— Este notebook não é meu, é seu. Um inesperado presente do meu chefe pelo projeto cx.

Smoke olhou para o aparelho com renovada admiração. Ligou-o, e um clarão invadiu a sala.

— Passe-me os cds, por favor, que eu vou te mostrar todo o trabalho.

— Estamos há meses esperando por isso.

— Tomara que vocês saibam onde estão se metendo — retrucou Smoke, à espera de uma resposta mais concreta por parte de Elisa.

— Você viu tudo. Sabe do que se trata. Estamos fazendo um favor ao mundo.

Já no primeiro diretório, Elisa se assustou ao ponto de pedir para que Smoke desligasse.

— Acho que já vi o suficiente, temos tudo pra ferrar aquele canalha!

Durante algum tempo, Smoke monitorara toda a conexão, arquivara e-mails, lista de contatos e imagens do presidente da organização na qual Elisa trabalhava. Todas elas ligadas ao *lobby* no Senado Federal, propinas, licitações fraudadas, doleiros, remessas ilegais de dinheiro para paraísos fiscais e farto material de pedofilia.

— Vou passar um torpedo avisando que o serviço foi entregue e você receberá outro torpedo com a confirmação do depósito — disse Elisa.

Smoke olhou para as cortinas e para seu relógio. Já estava quase amanhecendo. Elisa, percebendo o que ele faria, sugeriu:

— Não quer ficar aqui? Só irei trabalhar mais tarde, hoje. Afinal, trabalhei a noite toda.

— Tudo bem, não será nenhum sacrifício. — Ele se recostou no sofá e colocou os pés na mesa de centro.

Smoke sentia uma atração diferente por Elisa. Ela não era como as outras mulheres que levava para a cama; sentia-se bem ao lado dela. Elisa era linda, sexy, gentil, suave, e transmitia uma mistura de proteção e carinho que havia muito ele perdera. E preocupava-se com ele. Smoke também não conseguia saber de onde os instintos de ambos haviam retirado esse comportamento mútuo.

Horas depois, Smoke despertou. Ao baixar a cabeça, viu Elisa fazendo o seu colo de travesseiro. Passou a mão no cabelo dela, suspirou e disse a si mesmo:

— Elisa, Elisa, quem é você?

Colocou uma almofada embaixo da cabeça dela e levantou-se. Foi ao banheiro, lavou o rosto. Todo o seu corpo reclamava de uma noite maldormida em um sofá. Passou pela cozinha, pegou uma lata de cerveja na geladeira, retirou os CDs do note-book, colocou-os nos protetores; apanhou o celular da jaqueta e o pôs na mesa — afinal, a sua missão estava concluída. Com o notebook debaixo do braço, Smoke saiu pela porta sem fazer barulho.

Elisa, que acompanhara tudo de olhos entreabertos, ergueu-se com um sorriso nos lábios, espreguiçando-se como uma gata. Viu os CDs na mesa e foi para o quarto. Queria dormir mais algumas horas.

Da calçada, Smoke olhou para cima e viu a luz do quarto acesa. A sua saída não fora tão silenciosa. Fez sinal para um táxi e, assim que entrou, pediu ao motorista que o deixasse em um conhecido motel da região; pretendia dormir até mais tarde. De repente, a porta traseira esquerda do táxi se abriu e mais alguém adentrou o carro. Smoke e o taxista olharam, espantados, para o homem, que sorria.

— Rapaz, já tem gente! Pega outro — disse o taxista.

— Eu vou neste mesmo. Eu e o meu amigo Smoke.

Apesar de tudo e com o cenho franzido, Smoke, com um gesto de cabeça, mandou o taxista seguir em frente.

— Quem é você? — Smoke indagou, colocando a mão na canela em busca da sua arma de reserva.

— Não precisa recorrer à sua Walther, meu caro. Venho trazer algumas notícias bem interessantes para um HC3.

Smoke respirou aliviado, pois já suspeitava de onde ele vinha; porém, não tirou a mão da Walther. De olhar fixo no estranho, falou:

— O fato de você saber que sou um *hacker* de campo nível três não te torna meu amigo, nem te dá o direito de ficar me seguindo, seu arrombado. Aposto que passou a noite toda aguardando a minha saída...

— ... do apartamento da Elisa — completou o estranho, antes que Smoke terminasse a frase. — Belo fim pra esse projeto CX. O pessoal da Base achou tudo muito interessante. O HAVOC te mandou um abraço e disse que o sonho dele era que os HCS fossem como você, que trabalha até quando está de folga.

– 38 –

— Ainda mato um de vocês, bando de escrotos! Quem foi que te mandou? O HAVOC não é meu coordenador, foi apenas um dos meus instrutores. O que esse merda quer comigo?

— Smoke, parece que agora ele é. E as bebedeiras e orgias em que você se meteu nesses últimos meses chegaram ao fim. A Base vai te dar uma missão que eu não sei qual é nem quando vai ser; portanto, apareça conforme o costume no local do transporte número 18, amanhã às dez horas. Essas são as minhas instruções. Foi um prazer estar com você, e que a força esteja contigo.

— Motorista, encoste que o "meu amigo" vai descer antes que eu enfie um sabre de luz no rabo dele.

— Antes do quê, companheiro? — O taxista o olhou pelo retrovisor, confuso.

— Nada não, só encosta.

O taxista parou junto ao meio-fio do lado esquerdo da rua, e o intruso desembarcou tão rápido quanto entrou. Smoke olhou para trás a tempo de ver um outro veículo parar para buscá-lo. O táxi prosseguiu, e logo Smoke chegou ao motel, em cuja portaria ordenou enfaticamente que ninguém o perturbasse.

Smoke deveria comparecer a Base somente no dia seguinte para descobrir o que queriam com ele. Assim, iria dormir um bom sono e passar o resto do dia no local.

6. A BASE

Smoke sentou-se na beira da cama, mas a sua mente se recusava a colaborar. A cabeça latejava, a visão demorava para entrar em foco, e a boca estava seca por conta do forte ar-condicionado. A preocupação em acordar cedo e ir à Base lhe tirara o sono. Aquela fora uma noite nada tranquila.

Ele tinha duas horas para chegar ao seu destino, mas nada no mundo o impediria de desfrutar seu café da manhã na banheira de hidromassagem. Uma hora depois, pediu a conta.

Tomou um táxi para a deserta rua Conde Lages, no bairro da Glória. Em vinte minutos, já estava no ponto correto e no horário. Acendeu o primeiro cigarro do dia enquanto o transporte não chegava.

Um furgão preto Mercedes-Benz com os vidros escuros parou ao seu lado, abrindo a porta deslizante. Smoke, conhecedor do procedimento, entrou, pegou um saco plástico no banco e colocou nele a sua pistola, o relógio, a carteira, o maço de cigarros, isqueiro, chaves e o celular sem a bateria. Entregou tudo para o motorista por uma janelinha. Smoke sabia que, ao deixar a Base, receberia as suas coisas de volta.

O veículo foi posto em movimento. A escuridão do interior trouxe algumas recordações de missões passadas e tudo o que aconteceu desde o dia da rebelião no presídio de onde Smoke escapou. Foi uma fuga paga com a sua liberdade.

Sabendo que não conseguiria ver nada durante o trajeto, com aqueles vidros, tratou de deitar-se no banco e dormir um pouco mais. Os condutores daqueles furgões, chamados de "cocheiros" pelos HCs, nunca faziam o caminho direto para a Base. Dependendo das instruções recebidas, poderia acontecer até a troca de transporte em alguma garagem. Em resumo, só se chegava à Base quando se era convidado.

A total falta de movimento da van acabou por despertar Smoke, que se levantou lentamente e se espreguiçou. Como a porta estava aberta, ele se viu numa garagem conhecida. As paredes eram verde-claras, pintadas com tinta plástica. Era um ambiente totalmente fechado e com uma grande quantidade de luzes fluorescentes brancas. O chão era cinza-claro com pinturas de ruas, vagas e faixas. Tudo parecia artificial de tão limpo. Outros transportes chegavam, e o cocheiro de Smoke se preparava para sair.

O teto da garagem possuía muitas câmeras capazes de vasculhar cada centímetro do local. Ele sempre achou que havia mais do que o necessário, mas nunca teve oportunidade de sequer saber quem era o responsável pela segurança dos desembarques nas garagens. Apesar do tempo de serviço, o seu conhecimento sobre as instalações era restrito ao necessário. Essa era uma das regras da Base.

Em frente a cada vaga de transporte existia uma escada que levava a um patamar mais alto, cerca de dois metros, e depois o caminho ia se estreitando até se tornar um corredor longo, com muitas curvas tanto para a esquerda quanto para a direita. Em cada fim de reta, viam-se mais algumas câmeras e uma parede composta de um material metálico pesado, como um grande portão. Smoke de início imaginou se tratar de algum caminho bloqueado, mas no seu treinamento ficou a par de que ali dentro era guardado um dispositivo anti-invasão composto por metralhadoras calibre .50 nos primeiros seiscentos metros e de 20mm nos últimos duzentos metros de corredor. Todas equipadas com sensores de movimento.

Smoke agora passava por uma grande catraca no centro do corredor, que ia do chão ao teto e só se movia em um único sentido, como uma porta giratória de banco, mas, uma vez lá dentro, não havia como sair. Logo depois da catraca, chegava-se a um grande salão com quatro seguranças bem armados — um em cada canto em torres protegidas a três metros do chão. Cada torre era ligada à outra por um corredor junto à parede. O salão deveria ter o mesmo tamanho de uma quadra de basquete.

No centro, outro afunilamento dava acesso à área de terminais de reconhecimento biométrico pela íris e pelo escaneamento completo da mão. Uma a uma, as pessoas passavam por outra catraca para saírem em uma área de dois metros quadrados para realizar o procedimento de identificação. Smoke foi adiante e colocou a mão em um local que realizava escaneamento total, além de posicionar o queixo em um suporte de metal e borracha de silicone para o reconhecimento das íris. Logo acima da sua cabeça, acendeu-se uma luz verde; uma porta se abriu, e ele seguiu em frente por outro corredor.

Mais adiante, parou em uma fila. Olhou em volta, curioso para saber os níveis daqueles HCS. O movimento anormal de pessoas deixava todos inquietos.

Após eternos dez minutos, chegou a vez de Smoke, que avançou para a porta com a luz verde acesa. Ele entrou e a trancou. Imediatamente uma luz branca iluminou todo o cubículo, mostrando que havia outra porta e uma parede de vidro blindado com um segurança a encará-lo. Uma grande tela de um monitor mostrava a foto de registro de Smoke em tamanho natural para que o segurança verificasse visualmente a sua autenticidade.

Havia a informação de que o sr. Smoke era esperado pelo coordenador HAVOC. O segurança pegou uma tira de plástico um pouco mais longa que um pauzinho de picolé e a inseriu em um aparelho similar ao de cartão de crédito. Uma luz verde se acendeu, e no mesmo instante abriu-se a porta. Smoke recebeu um leve cumprimento de cabeça do segurança, que colocou nele a pulseira e verificou se estava bem ajustada de maneira que não soltasse, saísse ou incomodasse muito. Nela estava escrito "Smoke".

A Base tinha um sistema de orientação desenvolvido internamente, de grande eficiência e facilidade. Naquele momento, Smoke recebia uma Smart Pulseira, que continha o seu código, e o sistema o guiava até o local de destino conforme o roteiro programado.

Ele caminhou em frente e, no fim do corredor, no alto na parede, um pequeno quadro com muitos leds ligados e um servidor central capturava a aproximação da pulseira, buscava o destino, escrevia o nome "Smoke" nos leds e indicava o caminho, esquerda ou direita. Smoke foi seguindo preguiçosamente as orientações até chegar a um elevador onde um painel acima da porta dizia: "Smoke, ingresse neste aqui".

Assim que Smoke entrou, o sistema leu o seu destino e transmitiu-o à central, que informou ao elevador o andar a que ele deveria se dirigir. No trajeto, o elevador foi recebendo outras pessoas. Chegando ao seu andar, uma voz sintetizada disse: "Sr. Smoke; oitavo subsolo; seguir pela esquerda".

Ele sabia que, se virasse para a direita, naturalmente o sistema leria a sua pulseira e detectaria que estava fora da rota autorizada, e os seguranças o deixariam de molho em algum lugar por horas.

Ao fim da caminhada, Smoke se aproximou de determinada sala, e mais uma vez uma voz metálica se fez ouvir: "Sr. HAVOC, Smoke o espera na recepção".

A porta se abriu, e o velho, chato, ignorante, metido, ranzinza e eficiente HAVOC de sempre apareceu. Os dois apenas se cumprimentaram com um leve aceno de cabeça. HAVOC foi se servir de uma xícara de café e perguntou a Smoke:

— Açúcar ou adoçante?

— Como sabe que quero café?

— Putz, Smoke, depois desse tempo todo acha mesmo que ainda não te conheço? Você fuma; acabou de chegar de um transporte, dormiu o tempo todo; desde a partida não acende um cigarro e está com um cabelo que parece o daquele empresário de boxe americano. Tudo em você grita por um café!

— Faz um cappuccino então, sabichão, e me diz que movimentação é essa.

— É, meu caro, isto aqui está um inferno desde o incidente da semana passada.

— Que incidente? Não estou sabendo de nada.

— Pensei que no caminho até aqui você descobriria.

— HAVOC, dá um tempo. Você sabe que não sou nenhum modelo de comunicação, e o pessoal do transporte parece zumbi.

— Mataram toda uma célula.

Smoke arregalou os olhos.

— O quê?! E o apoio?!

— Os carcaças morreram também.

— Como isso foi acontecer?!

— O HC3 que cuidava da operação com os HC1, uns oito meninos muito bons, não atentou para as orientações do apoio e, na ânsia de terminar o serviço, ficaram cercados. O apoio combateu como pôde, mas, no fim, todos foram mortos, e o último carcaça, ferido, teve de seguir o protocolo Aníbal. Telefonou para o seu coordenador, relatou o fato e desligou. Cercado, recolheu os explosivos plásticos dos mortos e preparou uma despedida para os seus atacantes. Não sobrou ninguém. O segredo da operação, da célula e da Base foram mantidos.

— É, no treinamento nos dizem que o apoio tem o comando na rua, não segui-lo dá nisso.

— E aqueles moleques eram bons mesmo, até o fim mantiveram a disciplina. Como é difícil conseguir gente assim. Como é difícil, e de uma hora pra outra, perdemos todos. Que desperdício de material humano, tanto deles como do apoio, os carcaças.

— E agora, como fica?

— Os supervisores soltaram os seus rastreadores. O figurão que patrocinou a emboscada está com os dias contados.

— Tá, mas o que eu estou fazendo aqui?

— Simples, Smoke. Com a intensidade com que as coisas estão acontecendo, muitas equipes vêm enfrentando grandes apertos. Estamos perdendo gente a um ritmo preocupante. Os supervisores começaram a falar nisso, e os cabeças concordaram que chegamos novamente ao período de avaliações para aquisições. Você sempre foi eficiente nesse tipo de trabalho.

HAVOC respirou fundo, chacoalhou a cabeça e prosseguiu:

— Tenho aqui um grupo pra você analisar. Nessas pastas, estão os perfis de cada um, e você tem todo o tempo do mundo para estudá-los. Naquela caixa no chão, à esquerda, existe mais material sobre eles. Fique à vontade, pois você já consta na lista do rancho e do dormitório. Bem-vindo ao lar! Amanhã de manhã, a gente se fala. Vai ser bom ver a arena vibrando de novo. Ah, já ia me esquecendo! Você pode adicionar a ficha dos seus garotos também. Vamos avaliar todo mundo.

Smoke não gostou do que ouviu. Se a arena iria vibrar, significava que muitos outros *hackers* de campo do mesmo nível dele também vinham realizando prospecções. Entrar para a Base era um caminho sem volta. Não que a Base proibisse alguém de ir embora, mas porque, ao sair, um exilado se tornava um artigo muito interessante e com muitos inimigos. Mas nesse momento, o que o incomodava era voltar a oferecer a escolha entre a pílula azul e a vermelha. Definitivamente isso era algo que ele não gostava de fazer.

7. APERTANDO O CERCO

Lynda dirigia em alta velocidade e com farol alto um Toyota Corolla preto com os vidros escuros e o escudo da Polícia Federal na porta, com o qual se dirigia para a sede pela avenida Brasil na pista da esquerda, com o giroscópio de luzes azuis aceso no teto. Ela recebera a informação de que os seus suspeitos haviam sido localizados.

Como especialista em segurança e crimes cibernéticos, esse era o tipo de notícia que fazia o sangue circular mais rápido nas suas veias, e ela trabalhara muito nesse caso. Corria contra o tempo. Um grupo já se preparara para uma batida no local.

— 43 —

Lynda amaldiçoou o universo por não estar na central justamente na hora em que se concluiria toda a sua investigação.

Quando chegou à sede da Polícia Federal, encontrou vazia a vaga do furgão dos membros da equipe, e teve esperança de que eles ainda estivessem se preparando. Ela era a delegada responsável pela investigação, e agora teria que ficar restrita à sala de comunicações para acompanhar o andamento da batida. Lynda ligou para o agente que estava no local e perguntou-lhe:

— Quem está no comando do grupo da batida?

— Aqui é o Monteiro.

Lynda respirou fundo, mais tranquila. Monteiro era um dos mais antigos agentes na operação, muito experiente e calmo. Ela adoraria que ele tivesse estado disponível naquela noite no edifício do Centro do Rio, em cuja operação terminou desacordada por um soco na nuca. Aquilo fora um fracasso, e os "meninos" simplesmente desapareceram sem deixar rastros.

— Estamos prontos para subir e aguardando autorização — afirmou Monteiro.

— Aguarde um instante, espero confirmação de movimento na rede.

Um operador confirmou que a rede estava em plena atividade.

— Monteiro, pode prosseguir com a invasão.

O edifício-alvo, de cinco andares, era um prédio residencial de classe média, com porteiro e grades na entrada. O alvo se encontrava no primeiro andar. Seria preciso interagir com o porteiro e garantir que ele não avisasse ninguém sobre a chegada da polícia. Por sorte, ele estava regando as plantas da entrada. O primeiro agente mostrou-lhe o distintivo, e o rapaz ficou olhando a meia distância sem saber o que fazer. O agente indagou:

— Qual o seu nome, amigo?

— Severino.

— Pois bem, eu sou o agente Adécimo e gostaria que você abrisse o portão.

Nesse instante, o grupo de seis agentes se aproximou, e o porteiro viu ao fundo a van da Polícia Federal. Sem demora, puxou uma chave da cintura e atendeu à ordem do agente.

Lynda falou no rádio:

— O apartamento pertence a Carla Mendes Soares, viúva. Tem setenta e seis anos e mora sozinha. Lembrem, ela não é o alvo. Mas isso não está certo... Vocês têm realmente certeza dessa origem?

— Foi confirmado pela operadora. O endereço IP pertence a essa residência — Monteiro afirmou.

— Onde você está agora? — Lynda quis saber.

— Aguardando o elevador com um suporte. Tem um grupo indo pelas escadas, e a retaguarda ficou na portaria.

— Monteiro, acho que é alarme falso, ou que estão usando a rede dessa senhora. Converse com a moradora de maneira bastante informal. Não a deixe entender. Faça o possível para conseguir uma breve busca no seu apartamento.

— Tudo bem. Deixa comigo.

— Monteiro, mais uma coisa. Mantenha o microfone aberto para acompanharmos.

O grupo de apoio e a central, a partir desse momento, passaram a escutar o áudio proveniente do líder. Ele era das antigas e estava quase se aposentando depois de décadas na polícia. Era alto, com cerca de um metro e noventa, cabelo escuro com vários fios prateados, sempre de barba bem-feita e uma voz de tenor. Já passara por três casamentos e tinha quatro filhas que herdaram os seus olhos azuis. Ele era muito sério e não brincava em serviço.

Todos escutaram a campainha do apartamento. A porta se abriu, e uma senhora de cabelo branco, usando pijama e roupão, apareceu. Uma corrente de segurança limitava a abertura da porta. Monteiro não esperou que ela falasse e iniciou o diálogo com um sorriso no rosto:

— Bom dia. A senhora deve ser a dona Carla, correto?

— Sim, sou eu, por quê? — A senhora o olhava, desconfiada.

— Está tudo bem com a senhora?

— Sim, o que o senhor deseja? Por que o porteiro te deixou entrar?

Nesse instante, alguma voz no circuito disse que o nome do porteiro era Severino.

— Não se preocupe, dona Carla, o Severino me deixou subir, porque eu sou uma autoridade policial em missão no seu prédio, e ele me disse que a senhora morava aqui sozinha. Fiquei preocupado, pois houve rumores de que alguns bandidos correram por esta rua, e naturalmente a senhora sabe que às vezes eles se escondem nos edifícios, e também dentro dos apartamentos das pessoas. Eu vou te mostrar a minha carteira funcional. — Monteiro abriu a carteira, mostrando a sua foto e o distintivo.

— Sim, estou vendo, o seu nome é Monteiro.

— Mil perdões, dona Carla, pela minha falta de educação. Eu não me apresentei, é verdade, que lapso o meu. Mas a senhora me perdoe, acho que foi a pressa em ver se estava tudo bem que me levou a esquecer os bons modos. Sim, meu nome é Monteiro e trabalho na polícia desde a juventude. — Nesse momento, Monteiro avistou, em um canto da cozinha, um grande crucifixo e um santo com uma pequena luz azul a iluminá-lo.

A dona Carla permanecia com a corrente, e a porta, entreaberta.

– 45 –

— Está tudo bem com a senhora, dona Carla?

— Sim, tudo bem.

— Entrou alguém no seu apartamento contra a sua vontade?

— Não, senhor.

— Que bom, esses bandidos não respeitam ninguém. Pra mim, dona Carla, a nossa casa e a nossa família são sagradas, e graças ao nosso bom Deus eu tenho uma linda família e quatro filhas.

A senhora arregalou os olhos e disse:

— Caramba, quatro filhas! Que trabalhão!

— Nem te conto, mas tem o seu lado bom. Sempre pela manhã, quando acordo, encontro o meu café pronto, feito por elas. Juro pra senhora que é cheiroso como o seu.

— É verdade, deixei o café no fogo. O senhor pode me esperar um segundo?

— Sim, claro.

Ela fechou a porta. Então, veio uma voz da central:

— O que houve, Monteiro? — Era Lynda.

Ele respondeu, sussurrando e com a mão em forma de concha cobrindo a boca:

— Ela bateu a porta e foi desligar o fogão.

Outra voz soou nos fones de ouvido:

— Monteiro, não é para convidar a velha pra sair, tudo o que queremos é dar uma olhada no apartamento e cair fora. Acelera essa porra.

Monteiro se manteve inabalável. Ouviu-se novamente o som da porta se abrindo, agora sem a corrente.

— Ah, seu Monteiro, desculpe o mau jeito. O senhor está servido? Quer um cafezinho?

— Sim, seria um prazer.

A senhora lhe deu passagem.

— Venha, sente-se.

— Não precisa, não quero incomodá-la. Eu posso ficar aqui em pé? Não quero aborrecê-la.

— Que nada, senta, vou pegar um banquinho.

Monteiro adentrou a pequena cozinha.

— Tudo bem, dona Carla, vou sentar aqui com a senhora e provar esse cafezinho cheiroso. Nada melhor que isso pra começar bem o dia. — Ele esboçou um charmoso sorriso que parecia estar fazendo efeito.

A senhora lhe entregou uma xícara com o pires.

— Dona Carla, posso lhe fazer uma pergunta?

— Lógico!

— Tem um subordinado meu tomando conta do corredor. Esse cheirinho maravilhoso já deve ter chegado lá. A senhora se incomodaria se eu o chamasse pra provar o seu cafezinho também? Seria um pecado deixá-lo ali, sendo torturado por este aroma. Saímos correndo da central sem tomar café pra atender a este chamado. Não poderíamos permitir que algo acontecesse com os moradores. Sabe como é, temos que primeiro cuidar das nossas obrigações, mas eu também gosto de cuidar bem dos meus subordinados.

— Lógico, pode chamá-lo, sim. Vou pegar outro banquinho e uma xícara.

No instante seguinte, estavam os dois, muito sorridentes, provando o cafezinho de dona Carla.

— Seria muito abuso se eu pedisse mais um. Posso repetir?

— Sem problema, seu Monteiro, eu fiz bastante.

— Hum, que bom... A senhora realmente tem um enorme coração. Sempre que houver algum problema nesta rua, acho que este será o prédio pelo qual vou passar primeiro. Nunca fui tão bem recebido.

— Ah, que é isso... não fiz nada demais.

— Dona Carla, posso lhe pedir mais um favor?

— Diga.

— Eu gostaria muito que o meu amigo fosse constatar se realmente está tudo bem no apartamento da senhora. Isso é só pra garantir que ninguém entrou sem a sua permissão. A senhora está sozinha, né?

— Sim, estamos eu e Deus.

Monteiro, cutucou o policial de apoio, que largou a xícara na mesa e entrou na sala.

— Mas me conta, a senhora mora aqui desde quando? — Monteiro já conquistara a confiança da senhora e agora queria a sua atenção para que o outro fizesse o seu trabalho livremente.

— Ah, desde solteira... Sempre morei aqui.

Nesse instante, o apoio saiu da visão da senhora, levantou a lateral da camiseta, retirou a pistola do coldre e passou a seguir em silêncio de cômodo em cômodo. Revistou todos os armários e cantos onde poderia estar escondido alguém. Viu que existia apenas um computador no quarto e que estava conectado ao modem da operadora de internet e TV. Pegou a lanterna do cinto, ligou e olhou atrás do modem. Anotou o número da etiqueta do cabo. Ao apagar a lanterna, constatou que o computador estava desligado. Pegou o seu microfone, disse:

— Central, aqui é o apoio. O apartamento está limpo, e o computador, desligado. Favor confirmar atividade.

— Confirmado. Está em atividade no momento.

— 47 —

O apoio retornou à sala e verificou que o ponto do quarto da senhora era o principal. A sala não tinha TV.

— Dona Carla, desculpe interromper. — Ele sorriu. — A senhora fique tranquila, está tudo bem com o seu apartamento. Vou ficar lá fora, no meu posto. Obrigado por tudo.

Monteiro continuou a conversa enquanto o apoio abria a caixa de passagem do corredor. Ele identificou o fio com a mesma numeração: estava limpo e chegava diretamente do telhado do prédio.

— Atenção, central, vou seguir o fio. Preciso de alguém comigo.

— Autorizado — confirmou Lynda.

O trabalho de identificação foi sendo feito andar por andar, até o telhado.

— Atenção, central. Tem um monte de fios espalhados aqui em cima. Vai demorar um pouco.

Lynda deu a ordem:

— Monteiro, despeça-se da senhora e vá pro telhado também. Quero que identifiquem por onde esse fio está passando.

· ·

— Atenção, central, encontramos, na casa de máquinas dos elevadores, um repetidor de sinal com uma bifurcação. Os caras estão usando o sinal da velhinha. Esse cabo desce para o outro prédio. Vamos acompanhá-lo.

— Vocês conseguem seguir pelo terraço? — perguntou Lynda.

— Sim, os prédios possuem o mesmo número de andares.

— Então, sigam.

Os agentes, em meio à bagunça dos telhados, foram acompanhando lentamente o caminho do cabo coaxial branco e repararam que ele parecia estar seguindo para a casa de máquinas dos elevadores do outro prédio.

Um dos agentes mostrou para Monteiro que o cabo entrava na sala de máquinas, dava a volta e saía pelo outro lado. Ele balançava o fio e nitidamente via mexer no outro lado.

Daquele ponto dava para enxergar quase toda a região. O sol estava quente e o dia sem nuvens, com um intenso céu azul. Era nítida a visão do cabo coaxial branco e todo o seu percurso até o outro edifício. Lá, ele se conectava a uma antena de rádio.

— Central, aqui é o Monteiro. Descobrimos que o cabo segue para o outro prédio. Ele se conecta e termina em uma antena omnidirecional, ou seja, os caras estão na região, mas não sabemos em que local.

Fez-se um longo silêncio no rádio.

– 48 –

— Agora ela vai virar o capeta — disse o apoio. — Estamos levando uma sova desses moleques.

— Que merda... Monteiro, vamos fazer um pequeno teste: corte esse fio e veremos se a conexão deles cairá.

Monteiro não pensou duas vezes: olhou para o apoio, que já lhe estendia um alicate, e cortou o fio sem dificuldade. O cabo caiu no vão entre os dois edifícios, bateu na parede do outro lado e ficou balançando ao ritmo de uma música que tocava em algum apartamento da região. Daria um certo trabalho lançar novamente aquele cabo.

— Que música é essa? — o apoio quis saber. — Não me é estranha...

— *Whole Lotta Love*, do Led Zeppelin — respondeu Monteiro.

— Monteiro! O tráfego de dados foi interrompido. Vamos deixar uma equipe vigiando o quarteirão. Obrigada, pessoal. Foi por pouco. — Lynda se ergueu da cadeira, agradeceu aos presentes com um sinal de cabeça e saiu da sala.

Ela parou na sacada do corredor e olhou para o estacionamento. Apoiou ambas as mãos na superfície de concreto e respirou fundo. Observando o agente do arquivo que fumava entre os carros, pensou:

Aqueles garotos estão me impondo uma derrota atrás da outra. A gente chega perto, mas eles estão sempre um passo à frente. Tem alguém ajudando. Mas quem?

- -

Num botequim próximo, um homem de barba acinzentada e olhos fundos acompanhava todos os movimentos dos policiais, que naquele momento entravam na van. Ele comia calmamente um pão acompanhado de um copo de café com leite. Ao mesmo tempo que mastigava, ele mexia a bebida com uma colherzinha. No balcão, uma ligação no seu celular captava as batidas em código Morse que ele fazia no copo informando que a operação falhara e não prendera ninguém. Um som em resposta confirmou o recebimento. O homem deixou o dinheiro embaixo do copo vazio e saiu, sem esperar o troco, para entrar em um carro, seguido por outros três veículos.

8. A SELEÇÃO

Smoke apanhou a caixa de papelão com o resto do material que estava ao seu dispor. Ele encontrou ali dentro um envelope, com o seu nome escrito e a costumeira organização da Base, que continha uma lista de locais autorizados, de ramais, horário de refeições, endereço do seu quarto e a data de saída da Base.

Ele seguiu as instruções até chegar ao seu quarto e abriu a porta com a pulseira. O pequeno cômodo possuía uma cama de solteiro com lençóis brancos esticadíssimos, uma colcha também branca dobrada embaixo do travesseiro e um edredom amarelo enrolado em forma de charuto. Em frente à cama, uma pequena bancada com pouco menos de dois metros de largura, onde Smoke colocou a caixa, e um computador.

No armário havia algumas roupas do enxoval da Base, destinadas aos esportes, ao dia a dia e para dormir, todas com o nome dele bordado ao lado de "HC3". O nível dos *hackers* começava em um e subia sem restrições, e cada qual com a sua respectiva cor. Smoke jamais conhecera alguém acima do nível cinco, embora soubesse que esses profissionais existiam na Base.

Ele pendurou a roupa em um cabide e aproveitou para tomar um banho e fazer a barba. Vestiu o traje padrão: calça jeans com vários bolsos e camiseta branca. O cinto era preto, assim como o tênis. Tudo bem prático, como ele já sabia que seria. A calça tinha um bolso específico no lado direito da perna para colocação do cartão de acesso por aproximação. Isso obrigava as pessoas a sempre entrar pelo mesmo lado.

Smoke fechou a porta do quarto e foi ao refeitório. Entrou na fila e se posicionou do lado direito, próximo à parede. A catraca foi automaticamente liberada, e um segurança conferiu o seu nível bordado no peito.

Havia pessoas de outros níveis ali, mas ninguém maior do que um HC2. Por isso, Smoke acabou por chamar a atenção. Quanto maior o nível, maior o conhecimento do agente. Nesse ponto, a Base não brincava. Alcançar aquele nível era sinal de que o indivíduo estudara muito e trabalhara bastante em campo. A maioria ali nunca tinha ido a campo. Smoke era visto como um veterano de guerra em um acampamento de escoteiros.

Ele se serviu, sentou-se em um canto vazio e começava a montar o seu sanduíche quando alguém se acomodou à sua frente. Quando ergueu a cabeça, Smoke deparou com um grande homem negro com uma mancha branca de vitiligo no lado esquerdo do rosto. A roupa dele era diferente. A camiseta era preta, a única do refeitório. Ele pertencia aos grupos de segurança de campo, os carcaças, que, por

– 50 –

convenções não oficiais, mas por hábito, não deveriam estar na área dos HCS, pois possuíam as próprias instalações, rotinas e os próprios treinamentos.

O silêncio no ambiente era total. Como se não fosse estranho o suficiente ter um HC3 ali sentado, diante dele achava-se um carcaça. Até o segurança da entrada estava atento à mesa.

O homem nada falou, mas o olhar sério de um para o outro foi aos poucos se transformando em um leve sorriso até que Smoke engoliu o primeiro pedaço de comida e comentou:

— Cavalo de Índio, seu filho da puta, há quanto tempo! — cumprimentou Smoke, naquele estranho hábito masculino de expressar afeto através de xingamentos.

— Porra, *brother*, o que é que você tá fazendo nesta merda?!

Ambos apertaram as mãos com um estalo, quase derrubando o refrigerante de Smoke.

— Me chamaram de volta.

— Eu te vi passando no corredor e não acreditei. Pensei que você nunca mais fosse voltar, depois do tempo que ficou fora.

Na outra ponta da mesa, um HC1 observava aquela confraternização. Cavalo de Índio, que não pôde deixar de perceber, encarou o garoto e ordenou:

— Vaza!

Não foi preciso falar de novo: o jovem pegou a sua bandeja e sumiu.

— Fiquei sabendo que sujou geral e perdemos toda uma equipe — comentou Smoke.

— Pois é, bicho, a rapaziada ficou completamente cercada, e sabe como é... tem inimigo que não pode te pegar vivo, senão o sofrimento é muito maior; eles te torturam até o fim pra arrancar informações. Mês passado, graças ao Marechal, resgatamos um assim. Estragado. Ele tá no hospital até hoje, em coma. Não vale a pena. É melhor você levar um monte contigo e acabar com tudo.

— Caramba, o Marechal ainda tá na ativa? Dinossauro! O coroa sempre foi cascudo nessas operações de resgate.

— Ele saiu na semana passada, se aposentou. Voltou pra favela da Rocinha, onde nasceu. Aquilo tá uma bosta. Falamos pra ele tomar cuidado, mas o cara disse que iria ajudar nos projetos da comunidade.

— O Marechal sempre me pareceu um cara muito sério e nobre.

— Pois é. Nós é que nos fodemos sem a coordenação dele por aqui.

— E a turma lá de cima?

— Os "cabeças" estão muito putos. Eles falaram que o nível na arena vai subir porque a última leva não saiu boa.

— Deve ser por isso que me chamaram. Espero que eu participe da seleção e depois seja mandado pra rua. Não tenho mais saco de ficar dando aula. Essa molecada é boa, mas tô ficando velho pra isso. Tenho uma turma prontinha pra entrar aqui, só preciso convencer os garotos.

— Você acha que irão refugar?

— Pelo contrário, são doidinhos e adoram um trabalho de campo.

— Então, qual é o problema?

— Eles vão curtir o trabalho e a grana, mas acho que a disciplina das aulas, a rigidez da Base com o seu regulamento e o treinamento físico irão assustá-los. Aqui na Base, quase todos chegaram quando estavam no fundo do poço e sem ter pra onde correr. Talvez seja cedo pra convidá-los, mas, se eu ficar aqui nessa temporada, não os verei por mais de um ano e talvez não consiga mais encontrá-los juntos.

— Verdade. — Cavalo de Índio acenou com a cabeça.

— Não sei se fodo a vida deles agora ou daqui a um ano. A verdade, meu amigo, é que desde que os conheci venho ensinando mais e mais, como se já fosse uma preparação pra Base. Talvez seja isso mesmo. Não sei fazer outra coisa a não ser trabalhar do submundo. É da minha natureza e já faço inconscientemente.

— *Brother*, desencana. Abre o jogo para os nerds e deixa que eles tomem a decisão.

— Acho que eles vão aceitar, e mesmo que eu explique, nunca saberão realmente onde estão se metendo. Na verdade, não falo com eles há um bom tempo, mas na primeira oportunidade vou telefonar. Eu precisava conversar com alguém. Obrigado, amigão, te devo essa!

— Smoke, foi pra isto que Deus criou o uísque escocês: quando a gente se sente devedor de alguém, manda uísque escocês, pra não ficar com o rabo preso. — Cavalo de Índio esboçou um largo sorriso.

9. SEM REDE

Ponytail se sentia eufórico. Em breve eles começariam as infiltrações pela internet. A sala do seu apartamento estava repleta de notebooks, janelas fechadas e o ar-condicionado no máximo.

Hallcox não chegava aos pés de Mr. Fat ou de Ponytail, mas compensava isso com as suas habilidades em engenharia social e em sua disciplina para organizar as missões. O seu ajudante, Tumumbo Kinsasha, não entendia quase nada, mas era fiel e focado.

Hallcox sabia que ele poderia aprender com o tempo e não lhe negaria essa oportunidade. Todos já respeitavam Tumumbo por conta de sua participação nas missões.

A música parou.

Mr. Fat testou o botão do volume e olhou para os leds do switch na estante. Todos apagados. Virando-se para Hallcox, ele perguntou:

— A internet caiu?

— Parece que sim.

— Que música era aquela que tocava? — Tumumbo quis saber.

— *Whole Lotta Love*, do Led Zeppelin — respondeu Ponytail. — Coisa boa, a fina flor do rock. Vai aprendendo, Mumm-ra.

— Porra, já vão colocar apelido no moleque? — Hallcox resmungou.

— Bicho, é mais fácil que o nome "Tomando Cachaça". São só duas sílabas. Mumm-ra é muito melhor que Tumumbo Kinsasha.

— Vá à merda. — Hallcox franziu o cenho. — Vamos repassar o que faremos hoje enquanto a internet não volta. E o nome do moleque é Tumumbo.

Mr. Fat confirmou a perda total de comunicação. Olhou para Ponytail com uma cara de poucos amigos e pediu para que Tumumbo verificasse o cabeamento. Ele desceu e, na portaria, acendeu um cigarro sob o olhar reprovador do porteiro. Atravessou a rua e sentou-se no botequim. Afastou um copo com um restinho de café com leite e ainda com o dinheiro deixado no balcão; pediu uma Coca-Cola. Sacou uma pequena luneta do bolso e verificou todo o caminho do cabeamento lançado no mês anterior. Estava cortado e pendurado na lateral do edifício. Ele guardou a luneta. Deixou o dinheiro no balcão e retornou ao apartamento.

— Pessoal, o cabo está cortado e pendurado, o corte foi feito lá no prédio daquela boa senhora!

— Será que alguém do condomínio descobriu? — Hallcox torceu a boca.

— Não podemos ficar sem internet, temos que fazer alguma coisa, senão isto aqui ficará um tédio. — Ponytail suspirou.

— Perguntemos ao Smoke! — sugeriu Tumumbo.

— Ele não atende há dias — foi a resposta do racional Hallcox.

— Me deixa ir logo ver isso. — Chacoalhando a cabeça, Ponytail foi até o quarto, onde vestiu o uniforme de funcionário da companhia de tv a cabo e saiu do apartamento.

Na portaria, acendeu o seu cigarro, para quase desespero do porteiro, e seguiu para o prédio ao lado. Algum tempo depois, apareceu no telhado para verificar o estrago. Pegou o celular e ligou para Tumumbo:

— Mumm-ra, veja se no quarto da empregada ainda tem uma caixa de cabo coaxial, veste um uniforme e traz o cabo aqui pra mim.

– 53 –

— Um instante.

Hallcox, inquieto, sentindo que havia algo errado, abriu a janela e lembrou que não tinha como ver o caminho do cabo. Deixou o ar entrar um pouco. Ele não fumava, assim como Mr. Fat, e só percebia o ar viciado do apartamento quando respirava algum ar puro. Eles passavam as noites derrubando sites, planejando ações e confabulando sobre o misterioso Smoke, aquele personagem que surgira do nada e lhes ensinara tantas estratégias. Hallcox sabia que, pela ordem natural das coisas, cedo ou tarde eles teriam problemas com alguma esfera do governo.

Tumumbo retornou com o cabo em mãos e informou pelo rádio que iria buscar algumas ferramentas para ajudar Ponytail.

10. A PRIMEIRA IDENTIFICAÇÃO

Lynda ainda estava na sacada do corredor da Polícia Federal quando o seu celular tocou.

— Alô?

— Chefe, tem uns caras restabelecendo o cabo que o Monteiro cortou, e te digo que as empresas de internet não são tão rápidas assim.

— Jesus! Faz o seguinte: tenta tirar uma foto deles. Pega o rosto de um desses filhos da puta.

— Deixa comigo, e chego rapidinho à sede. Está perfeito, tem dois candangos pendurados colocando o cabo de volta.

O apoio voltou até a moto estacionada, abriu a caçamba traseira e apanhou a máquina fotográfica. Acoplou nela uma lente objetiva e atravessou a rua. Encostou o ombro no muro para ter mais firmeza e, com a máquina no automático, tirou dezenas de fotos de um descuidado Ponytail e de Tumumbo a ajudá-lo com um cigarro na boca.

Ao baixar o seu equipamento, o apoio observou nas imagens que eles trabalhavam sem conversar e com bastante eficiência. O rapaz de rabo de cavalo parecia um *playboy* da zona sul, mas o outro, não. Tinha uma expressão sofrida e em nada lembrava um *hacker*. Era uma figura curiosa.

Vinte minutos depois, o policial de apoio entrava com a sua moto na sede da Polícia Federal, onde encontrou toda a equipe do furgão, com Monteiro à frente pedindo-lhe o cartão de memória.

A delegada, à porta da sala de operações, deu um passo para o lado, deixando todos entrarem. Por último entrou o apoio. Lynda o fez parar e deu-lhe um abraço.

— Obrigada. Não tenho como agradecer.

Monteiro entregou o cartão a um perito, que de imediato o inseriu em um equipamento de duplicação. Após retirar os dois cartões, guardou o original em uma caixa de plástico, que lacrou, e seguiu com a cópia para um computador que alimentava um projetor. As fotos começaram a aparecer na grande tela com quatro metros de largura por dois de altura, tudo em alta resolução. As luzes se apagaram, e tudo ficou mais nítido. Via-se perfeitamente o rosto dos dois suspeitos. Lynda olhou em volta e, em meio ao grande silêncio, indagou:

— Ninguém conhece?

O silêncio permaneceu até que o perito disse:

— Vou colocar as imagens no sistema de reconhecimento.

— Quanto tempo? — perguntou Monteiro.

— Alguns dias. — O perito deu de ombros.

— Precisamos que seja mais rápido — ordenou Lynda, subindo o tom.

— Filha, não adianta forçar a barra. Vocês já terão a velocidade máxima de que os parcos recursos da Federal dispõem.

No Brasil, os peritos possuem a mesma equivalência hierárquica dos delegados. Assim, o melhor seria deixá-lo trabalhar.

Lynda olhava, atenta, para o rabo de cavalo do rapaz na foto. Instintivamente, levou a mão à nuca, lembrando que, antes de desmaiar na operação, havia rendido alguém com o cabelo amarrado.

. . . .

Era sexta-feira e, naquele momento, quase todos estavam saindo e conversando em pequenos grupos.

Lynda parou em frente à grande tela, que mostrava dezenas de imagens por segundo. O perito já havia feito um breve filtro por gênero, intervalo de idade, cor de cabelo e cútis para que o software pudesse realizar uma busca mais seletiva. As imagens aceleradas iluminavam o rosto de Lynda, que parecia em transe.

O perito, que a observava de longe, viu quando ela começou a sorrir. Com os olhos arregalados e uma enorme expressão de felicidade, ela foi correndo até ele. Foram dois segundos para que o perito entendesse que o sistema congelara na tela a imagem de um rapaz negro e logo abaixo vinha escrito em letras garrafais:

Nome: TUMUMBO KINSASHA
Origem: Angola

O processamento continuou em busca da outra imagem.

11. O DILEMA

Smoke, no seu pequeno quarto na Base, em frente ao computador, olhava para o teclado. Na tela, um formulário de cadastro de candidatos em branco. Estava indeciso quanto a cadastrar ou não os seus iniciados. Eles não estavam prontos e não sabiam de nada. Nenhuma vida permanecia inalterada depois disso.

Na mesa achava-se uma pasta com todos os dados. A primeira folha mostrava uma foto grande de Hallcox. Smoke se lembrou de que ele estava noivo. A sua decisão de levá-lo talvez desfizesse aquela relação. Não tinha esse direito, mas decidiu cadastrar os rapazes como candidatos.

Encarou a tela. Havia três botões: gravar, verificar e submeter. Ele clicou em gravar. O sistema lhe pediu a inserção de uma senha, seu *token* da pulseira e que realizasse a confirmação biométrica no notebook. Logo a seguir, recebeu uma mensagem informando que o registro já estava gravado e associado à sua conta na Base. Restavam-lhe os botões verificar e submeter.

O verificar realizava uma busca completa nos cadastros públicos e privados. Isso não tornaria Hallcox um candidato, mas cada verificação era acompanhada por um grupo interno de auditores. Embora ainda não fosse um candidato, ele deixaria de ser um desconhecido. O botão submeter, por seu lado, direcionava o cadastro para um outro grupo que realizava a verificação, aprovação ou recusa.

Smoke clicou em verificar e, com as mãos na mesa, empurrou a cadeira para trás e cruzou os braços, para acompanhar o processamento. Ele já conhecia esse sistema, o trabalho que ele realizava era admirável: uma busca completa em todas as bases de dados por ordem cronológica.

O primeiro documento a saltar na tela foi uma certidão de nascimento eletrônica, que habilitou uma busca secundária pelos pais e avós. Logo a seguir, dados de um clube da zona norte do Rio de Janeiro, ligado aos comerciários. A foto era de uma criança de aproximadamente três anos; dados escolares; boletins; informações do Diário Oficial com a conclusão das respectivas séries; outros clubes; estágios de trabalho com início e fim de cada um deles; dados médicos de algumas consultas na rede pública e ligadas ao seu plano de saúde; radiografia da arcada dentária.

O sistema começava a montar um mapa com todas as conexões.

Um período curto de trabalho no McDonald's. Smoke sorriu. Vieram dados do serviço militar e sua entrada imediata para a reserva por excesso de contingente. O mapa girou na tela para fazer uma adequação dos resultados, que não paravam de pipocar em forma de ícones.

Uma matrícula trancada na universidade; participação em dois concursos públicos sem sucesso; ingresso na federação como atleta de handebol; outra universidade abandonada; o registro de um automóvel Passat ano 1979; todas as confirmações de votos em eleições; declarações de imposto de renda; todos os endereços em que morou; a confirmação do endereço atual; um passaporte com registros de viagens internacionais e um mandado de prisão.

Smoke voou na tela do computador, arremessando a cadeira contra o fundo do quadro. Seu coração paralisou, e o computador ainda balançava junto com a mesa. O mandado tinha a mesma data do cadastro da Base, e com apenas trinta minutos de expedição. Era sexta-feira, e na segunda-feira ele seria preso. Sua cabeça ameaçou explodir, e Smoke gritou:

— Porra, o que esses merdas fizeram na minha ausência?!

Smoke saiu do quarto e bateu a porta com força. Seguia com passo acelerado pelo corredor com cara de poucos amigos. Entrou no setor de operações; recebeu uma luz verde. A sala continha algumas dezenas de pessoas e grandes telas de monitoramento que cobriam todas as paredes. No centro, uma estrutura alta e redonda, que lembrava uma torre de aeroporto. Era para lá que ele se dirigia.

O cartão na sua calça não permitiu acesso. Smoke tentou várias vezes, e alguns seguranças já atravessavam a sala de operações no mesmo momento em que HAVOC apareceu na porta. Um simples sinal de cabeça fez com que eles se retirassem.

— Comeu merda?! Que porra é essa de vir à sala dessa maneira?! — HAVOC o repreendeu.

— Preciso da sua ajuda urgente. Um dos meus candidatos recebeu mandado de prisão hoje.

— Que candidatos? Você não cadastrou ninguém. Não posso fazer favores particulares.

— Eu estava fazendo o cadastro e o mandado apareceu na verificação.

— Então já era, ele tá fora, não será aprovado.

— Merda, HAVOC, me ajuda, caralho!

— O que você quer que eu faça, mocinha histérica?

— Veja o que aconteceu!

HAVOC pegou Smoke pelo braço e foi andando por entre os operadores. Ele olhou em volta buscando algum que lhe devesse um favor.

— Ali, vamos falar com a Aninha. Você conhece a Aninha?

— Não, quem é?

— Aquela loirinha que está tentando se esconder atrás do monitor.

Chegaram rapidamente até ela.

— Oi, Ana. Por favor, procure pela pessoa cujo nome o HC Smoke lhe fornecerá.

— Qual o CPF? — perguntou Ana.

— Não sei. Entre no meu perfil e veja as pessoas cadastradas. O identificador é o 0223.

— Um segundo... Pronto, aqui tem algumas dezenas. Qual deles procura?

— Veja o mais recente da lista.

— Esse Hallcox?

— Sim, esse mesmo. Verifique o mandado de prisão.

— Um instante. Ele está agendado para segunda-feira no primeiro horário. Aqui estão os dados da operação e todos os recursos. Já estão reservadas equipes e veículos. Todos serão presos pela manhã.

— Todos? Quem são *todos*? Como assim *todos*? Quais são os outros mandados?

— Calma — HAVOC interveio. — Está tudo escrito ali. Leia com calma.

Smoke chegou o rosto para perto do grande monitor e não acreditou no que viu. Estavam todos ali: Hallcox, Ponytail, Mr. Fat e Tumumbo.

— Porra, o que eles fizeram? Puta que pariu! — Smoke levou a mão à cabeça.

— Aqui tem o relatório da operação. Parece que foram fotografados e identificados. Tudo hoje. O primeiro a ser identificado foi esse Tumumbo, por ter o seu registro de entrada no Brasil feito há pouco tempo. Já é eletrônico. Depois, fizeram um cruzamento das pessoas que visitaram a casa com os moradores do quarteirão do local da operação e encontraram o Ponytail, que foi confirmado na foto. O Hallcox estava na lista de visitantes da casa da família do Tumumbo e já foi visto no local da operação. A digital do Mr. Fat coincide com um grupo de digitais encontradas em uma empresa que foi invadida.

— São eles? — HAVOC quis saber.

— Sim... — Smoke não se conformava. — Não sei o que fazer.

— Smoke, eles são os seus escolhidos? Se sim, poderemos fazer alguma coisa. Caso contrário, é babau, tia Chica.

— Eu não posso decidir. Ainda não fiz o convite. A decisão tem que vir deles.

— Então, pergunte logo. Hoje ainda é sexta e a noite vai ser longa.

— Preciso da sua autorização pra sair da Base antes do meu dia.

— Você a tem, vá logo. Vou colocar no sistema. Use um transporte rápido.

— Ei! — gritou Ana, com Smoke já deixando o local. — Cuidado! Tem equipes vigiando as casas de cada um deles!

12. O CARTEIRO

Ponytail foi atender ao interfone e retornou à sala, onde todos já trabalhavam nos seus computadores.

— Ele tá subindo.

Os rapazes se entreolharam, incrédulos.

— O Smoke voltou?!

— Sim, Hallcox, ele tá subindo. — Ponytail não disfarçou o sorriso. — A noite promete.

Pouco depois, um sério Smoke adentrava o recinto, vestido como um funcionário dos Correios, e apertou a mão de cada um deles sem dizer nada, apenas olhos nos olhos. Ele deu a volta na sala, desligou o som e foi se sentar no sofá. Serviu-se de uma boa dose de uísque e bebeu de um gole só.

— Desliguem os computadores, monitores, celulares, modens e switches. Desliguem tudo. Precisamos conversar — disse Smoke, diante de uma plateia atônita.

— Vamos a um baile à fantasia? — Mr. Fat brincou, um tanto sem graça.

— Por favor. Seriedade. — Smoke o encarou, impassível.

Aos poucos, o silêncio foi aumentando, com a parada das ventoinhas de refrigeração dos equipamentos. Hallcox foi o último. Ele fechou a tampa do seu notebook e se recostou no sofá. Tudo estava desligado; o único som era do tilintar das pedras de gelo no copo de Smoke, que as fazia girar sem parar.

Smoke fez um sinal para Tumumbo, que se aproximou, e abriu a mochila dos Correios, de onde retirou cinco envelopes. Então, sussurrou algo que só Tumumbo entendeu. Ele apanhou os envelopes, com o nome de cada um escrito a lápis em letras garrafais, e os distribuiu, ficando com o último.

— Abram — ordenou Smoke.

Ao deparar com o símbolo da República no topo da folha, os rapazes se alarmaram. Mr. Fat apertou o papel contra o rosto. Ponytail ficou boquiaberto. Tumumbo deixou que uma lágrima caísse do seu rosto. Hallcox colocou a folha de volta no envelope e perguntou a Smoke:

— Você é da polícia?

— Não. Nem dos Correios. Esqueçam isso. Apenas tenho acesso privilegiado, como vocês sabem. Não adianta agora eu tentar entender a merda que andaram fazendo. Na segunda-feira, todos vocês estarão presos. Mr. Fat é reincidente; vai ficar um bom tempo. Tumumbo chora com razão: a deportação não é algo de que a mãe dele precise neste momento. Hallcox é réu primário, vai virar ex-funcionário de uma

– 59 –

multinacional. Ponytail só tem dezoito anos, mas o seu carro tem uma longa lista de multas e participações em corridas clandestinas. Vocês são o exército de Brancaleone moderno. Um prato cheio pra imprensa e para políticos que gostam de aparecer. Eu não tinha me dado conta, mas o grupo de vocês é muito heterogêneo. Vai ser uma festa. Não tem como isso não virar notícia. Um criminoso, um exilado, um funcionário de uma multinacional e um *playboy*.

— Eu não posso ser preso! — Mr. Fat tinha o rosto vermelho.

Ponytail andava em torno da mesa, falando sozinho. Tumumbo, sentado no chão, olhava a foto que o mostrava passando um cabo junto com Ponytail.

— Então eles cortaram o cabo e aquilo serviu como uma isca — Ponytail dizia a si mesmo. — E nós caímos na armadilha.

Smoke se mantinha imóvel. À sua frente estava Hallcox. Eles ficaram se encarando. Hallcox estreitou os olhos como se desejasse ver além do que aquele rosto cansado de Smoke podia exprimir. Olhou mais uma vez à sua volta, sem entender como aquelas mentes tão astutas para tecnologia podiam se perder daquela maneira. Ponytail e Mr. Fat tinham iniciado uma discussão, um tentando colocar a culpa no outro. Tumumbo se colocou entre os dois, para evitar que chegassem às vias de fato.

— Ei!!! — Hallcox gritou, capturando a atenção dos amigos. — Sentem-se nos seus lugares. Sejamos racionais. Aqui não tem criança.

Smoke acompanhava tudo, quieto. Admirava Hallcox pela sua liderança e inteligência emocional. Era um cara jovem, mas com um futuro promissor, se moldado da maneira correta. Já era hora de eles terem acesso a algumas informações:

— Senhores, como sei que compreenderam, serão todos presos na segunda-feira. Todos os respectivos mandados já foram expedidos e equipes estão vigiando as residências de cada um de vocês. Caso saiam daqui, serão seguidos por todo o final de semana. Acabou. *Game over*.

— Como será? — Hallcox quis saber.

— Vocês escutarão a campainha tocar e, ao abrirem a porta, um policial com um oficial de justiça e um mandado conduzirão vocês para a Polícia Federal na praça Mauá. Serão interrogados separadamente durante todo o dia. Depois, eles irão cruzar as declarações em busca de inconsistências. Tentarão encaixar vocês na operação do centro da cidade, da qual já possuem a digital do descuidado Mr. Fat e do Ponytail, que trabalhava lá. Se ao final disso tudo confirmarem as suspeitas, vocês passarão algum tempo encarcerados. O Mr. Fat, acredito, não sairá tão cedo. Seu caso anterior ligado a fraudes no sistema financeiro somado ao atual lhe darão uns dez anos, no mínimo. Como eu disse, *game over*.

Mr. Fat afundou no sofá.

— Qual a situação do Ponytail? — Hallcox indagou.

— Crimes na internet, fraudes, roubo de dados governamentais, atropelamento e fuga. Você não é mais menor de idade, garoto, e não terá a mãozinha do Estado pra te proteger. Você é inteligente, mas infantil. Uma namorada resolveria isso tudo, mas você preferiu gastar energia em outras coisas.

— Smoke, estás a tentar nos assustar?

— De maneira alguma, Tumumbo. Essa é a realidade. Posso continuar?

— Sim...

— Tumumbo, você foi recebido de braços abertos em nosso país. Todos sabemos a sua história e respeitamos a sua família. A sua mãe é uma grande mulher, muito correta e consciente das suas obrigações. Contra você não existe praticamente nada além daquela foto. Eles estão muito curiosos de saber o que você fazia em companhia do Ponytail. Na verdade, talvez nem seja preso mesmo. A sua mãe está em situação de exilada. Você tem tido dificuldade em conseguir um emprego e vive com um auxílio e com o dinheiro que o pessoal daqui te paga pra ajudar nas operações. Imagina se eles descobrem isso! Farão de tudo pra que você diga realmente o que sabe. Seria muito difícil devolver a sua mãe à África, mas será muito fácil retirar tudo o que lhe restou: você, o último filho vivo, ao que se sabe, de uma vida inteira de tragédias.

— Não posso fazer isso com a minha mãe...

— Você já fez, e ela saberá disso na próxima semana.

Tumumbo baixou a cabeça entre as pernas. Era impressionante o cuidado que ele tinha com a mãe.

— A culpa é minha. Eu nunca deveria ter envolvido o Tumumbo nisso. — Hallcox não se conformava. — A intenção sempre foi ajudá-lo. Ele mostrou grande valor e até já estava começando a aprender redes. Eu deveria ter arrumado um emprego de verdade pra ele, e só...

— Agora é tarde, Hallcox. Tirando o soco que você deu na nuca da líder da operação de captura, a sua ficha é limpa, mas não levarão dez segundos pra descobrir que você sempre foi o líder. Não por ser o mais velho de todos, mas o seu perfil psicológico dirá isso de maneira eloquente. Veja, esses dois aí são tecnicamente muito bons, mas não conseguiriam tomar conta de duas tartarugas. Uma fugiria e a outra apareceria grávida.

— Tudo bem, eu entendo. Não precisa pisar na turma.

— É a realidade, Hallcox. Cada um de nós tem as próprias aptidões.

— Mas eu quero fazer algumas perguntas. — Hallcox coçou atrás da orelha.

— Fique à vontade, vou te responder tudo. Hoje teremos que tomar uma decisão e vocês precisarão fazer isso conscientemente.

Hallcox queria elucidar cada ponto, como sempre fazia antes das operações. Os outros meninos eram muito emotivos, mas Hallcox, não — era racional e lógico.

— Uma coisa que nunca ficou clara, e agora talvez seja o momento adequado de revelá-la, antes de falarmos desses envelopes, é quem é você e por que está esse tempo todo nos ajudando. — Hallcox usou uma entonação respeitosa, pois nutria uma grande admiração por Smoke.

— Boa! — disse Mr. Fat, do outro canto do sofá.

— Não posso contar ainda, vamos devagar. — Smoke deu de ombros.

— FODEU COM A GENTE E NÃO VAI CONTAR!!! — Ponytail interrompeu aos gritos o que Hallcox ia dizer.

Smoke não respondeu. Hallcox se ajeitou no sofá e virou o corpo na direção dos amigos, deixando bem claro:

— Eu vou conversar com o Smoke, e vocês não vão abrir a PORRA DA BOCA!

Como Hallcox não costumava se dirigir a eles em um volume tão alto, todos se mantiveram calados e nos seus lugares.

13. O CONVITE

— Vamos recapitular. — Hallcox olhou para o teto, respirou fundo e dirigiu-se a Smoke — Sempre fomos agradecidos por tudo o que você nos ensinou. Éramos um grupo de amigos cheios de ideias dispersas e algum conhecimento técnico razoável, até que você apareceu com possibilidades verdadeiras e um conhecimento fantástico de tecnologia. E ajudou a gente nas invasões corretas e contra os objetivos que realmente valiam a pena. Mas, sabe, eu queria que você revelasse os reais motivos que te levaram a nos ajudar. Essa sempre foi uma curiosidade de todos aqui.

— *Brother*, vocês eram um grupo no fórum, fazendo coisas interessantes e da maneira errada. Seriam pegos logo. Eu já fui assim.

— Você também derrubava sites inadequados como ofício noturno?

— Noturno, não; diurno. E sou muito bem remunerado pra isso.

Fez-se silêncio na sala.

— Você é contratado pra fazer isso?

— Não é bem uma contratação. Trata-se de uma escolha de ambos os lados.

— Você ainda não disse por que se aproximou de nós.

— Eu precisava saber se vocês tinham aptidão.

— Aptidão pra quê, Smoke?

— Pra fazerem mais do que já estavam fazendo, Hallcox.

A energia do ambiente era pesada. Hallcox e Smoke trocavam frases com toda a calma. Cada palavra era dita com clareza. Cada pergunta, pensada.

— Com que objetivo?

— Saber se poderia contar com vocês.

— Então sempre foi uma seleção, Smoke?

— Sim, um teste contínuo. As atividades que eu consegui pra vocês subiam em grau de dificuldade.

— E nós conseguimos?

— Até ontem, sim, Hallcox.

Mr. Fat, Tumumbo e Ponytail assistiam ao diálogo, virando a cabeça de um para o outro como espectadores de uma partida de tênis.

— Quer dizer que estamos aprovados?

— Esses envelopes dizem o contrário — respondeu Smoke.

— As nossas ações não eram os únicos testes. Havia outros critérios — deduziu Hallcox.

— Perfeito. Havia outros critérios.

— E quais seriam eles?

— O principal é: a-no-ni-mi-da-de. O benefício de ser um desconhecido do público e da polícia.

— Faz sentido. — Hallcox meneou a cabeça. — Mas imaginemos que esse evento das fotos não tivesse acontecido. Estaríamos aprovados?

— Ainda não.

— O que faltaria, Smoke?

— Maturidade técnica. Vocês entrariam em condições de inferioridade.

— Quer dizer que a sua ajuda nunca foi espontânea.

— Não, mas vocês gostavam.

— Isso é um fato. Entretanto, parece que esses envelopes dizem que tudo isso acabou.

— Talvez.

— Um minuto, deixe-me voltar um pouquinho. Você afirmou que não estaríamos em condições de entrar. Entrar onde?

— Para o meu grupo.

— Você tem um grupo?

— Não. Apenas faço parte de um.

— Quantas pessoas existem nesse grupo, Smoke?

— Ninguém sabe ao certo, mas seria algo em torno de duas mil. Trabalhamos em células.

— CARALHO! Isso é coisa de terrorista!

— Nem tanto, Ponytail, seria mais como um equinodermo. Perdão: uma estrela-do-mar. Todas as partes do corpo trabalham de forma independente. Se você cortar um dos membros, ele irá gerar uma nova estrela-do-mar, com todas as características originais. É o que chamamos de Grupo de Cinco. Um líder coopta quatro pessoas de confiança que, durante um período, não têm acesso a nada além do seu líder.

— Quer dizer que tudo sempre foi um recrutamento e é nesse ponto que estamos!

— Sim, Hallcox, exato.

— O que te fazia acreditar que aceitaríamos?

— É muito parecido com o que vocês fazem hoje, só que com muito mais treinamento e remuneração.

Mr. Fat e Ponytail se mexeram no sofá, um olhando para o outro, e em seguida para Hallcox.

— Mas tudo foi em vão porque vão nos prender na segunda.

— Creio que a prisão seja inevitável, Hallcox. Tem muita gente de olho em vocês. Mas o ingresso na Base pode reverter isso.

— Base? É assim que chamam a sua organização?

— Não temos um nome. Base é apenas o apelido.

— Então você trabalha pro governo?

— Sim e não. Na maior parte do tempo, é contra o governo.

— É confuso e indefinido. Não posso falar por todos. O que vocês acham? — Hallcox se dirigiu aos amigos.

— Eu parei no ponto em que ele falou do dinheiro. — Mr.Fat deu de ombros.

— Eu, no megatreinamento. — Ponytail suspirou.

— E eu quero saber o que acontecerá com a minha mãe. Nada do que vocês estão a dizer me interessa. — Tumumbo baixou a cabeça de novo.

— As coisas estão ficando bem definidas. Parece que só falta a sua decisão, Hallcox. Preciso que o Tumumbo vá embora pra que possamos continuar conversando.

Hallcox olhou para Tumumbo, imóvel no canto da sala. Sentia-se responsável por ele.

— Tumumbo faz parte da nossa equipe. Ele já mostrou o seu valor. Não quero descartá-lo assim. Ele também será preso na segunda-feira. Temos que encontrar uma solução pra ele e para todos.

— Hallcox, vamos facilitar as coisas. A condição de exilado é diferente, e Tumumbo não será preso. Quando for interrogado pela polícia, ele poderá confirmar que conhecia todos vocês, mas que só fazia esse serviço porque você, que era o seu chefe no trabalho, lhe pedia. Se ele focar nesses pontos, estará sempre falando a verdade.

— Mas e as operações? — perguntou Hallcox.

— Ele é capaz de confirmar tudo o que vocês faziam, mas nunca com detalhes técnicos. E, claro, não pode dizer que participou de nenhuma operação. A única evidência é aquela foto. Ele permanecerá no radar da polícia, mas ficará bem. Nós podemos conseguir um emprego pra ele e pra mãe.

— Isso me interessa. — Tumumbo endireitou a coluna. — Estou a sair do apartamento. Eu quero esse emprego pra minha mãe e nenhum interrogatório há de me fazer perder isso.

— Vá. Depois eu mando notícias — disse Smoke.

Tumumbo pegou as suas coisas, apertou a mão de cada um, deu um abraço em Hallcox e foi embora.

— Quer dizer que você está nos convidando, Smoke.

— Eu vou tentar colocá-los pra dentro, Hallcox. Longe da Polícia Federal.

— Ou seja, não temos nada além de uma promessa.

— Sim, mas primeiro preciso saber se vocês aceitarão os termos pro ingresso. Não posso forçá-los a aceitar.

— Quais seriam esses termos?

Smoke sacou um maço de cigarros e um isqueiro. Com movimentos lentos, acendeu um cigarro e tragou profundamente.

— Ao aceitar entrar, vocês estarão fora do alcance de qualquer órgão do governo. Entrarão em um rigoroso programa de treinamento. Esse programa inclui não só a parte técnica e teórica, mas também a parte física. Vocês ficarão lá por dois anos e só poderão sair da Base no fim do primeiro ano e no fim do segundo.

— Um momento. E as nossas famílias? — Hallcox indagou.

— Eu não tenho família. — Mr.Fat tornou a dar de ombros.

— Nem eu. — Ponytail abanou a mão.

— Vocês verão os seus entes queridos uma vez por ano — afirmou Smoke.

— Eu tenho uma noiva e um emprego.

— Só até domingo, Hallcox. Quando a polícia bater na porta da sua casa, já era.

— Mas como eu poderia fazer isso com eles? Sumir assim!?

— Você pode utilizar a desculpa mais comum na Base: um curso no exterior de dois anos em alguma universidade. Isso quase sempre acalma tudo. Vocês não terão de assinar nada. Sigam com as suas vidas normalmente até segunda-feira. Despeçam-se dos seus, que eu consigo o resto. Terminem a operação atual no domingo e durmam todos aqui. Isso vai poupar as famílias do vexame, e na segunda, a polícia pega todos vocês juntos. Vou também orientar o Tumumbo a sair bem cedo de casa, assim a mãe não verá nada.

— 65 —

— Como saberemos que você conseguiu o nosso ingresso?

— Vocês serão presos na segunda, Hallcox, e, se eu conseguir tudo, não acordarão na prisão na quarta. Caso contrário, nunca mais me verão.

— Não temos muitas opções portanto — concluiu Hallcox.

— Pelo contrário. Vocês têm muitas. Podem fugir, lutar ou se entregar. Eu estou apenas propondo a que produz um melhor resultado e com o menor esforço.

A equipe de vigilância teve uma noite tranquila na porta do prédio de Ponytail. O único movimento foi a entrada e saída de um funcionário dos Correios. Tumumbo foi para casa, e Hallcox teve confirmação de chegada ao seu prédio.

14 SÃO ELES

MADRUGADA EM COPACABANA

O alemão, na calçada, admirava o potente vaivém das ondas nos seus intervalos regulares, aguardando a chegada de um táxi que parou junto ao meio-fio. Ele se acomodou no banco de trás, onde encontrou uma pasta de documentos, que colocou no colo, e passou a acompanhar a paisagem. Nunca se cansava da beleza daquele lugar. Era impressionante ver a natureza tão próxima da civilização. O cheiro do mar e a brisa gelada faziam-no esquecer o seu trabalho. Tinha que mandar uma mensagem, mas não queria perder aquele momento.

O táxi virou para a esquerda e deixou a avenida Atlântica entrando na avenida Princesa Isabel em direção ao bairro da Urca. Não havia mais paisagem para admirar. O alemão pegou o celular e enviou a mensagem:

Estou com os dados. Aguardo orientação.

Alguns segundos depois, chegou a resposta:

Traga para mim. Estou na casa da Barra.

O alemão desceu do táxi na Urca e aguardou por instantes até que o carro desaparecesse virando a esquina. Caminhou por alguns minutos e tomou outro táxi em direção ao centro. Desceu diante do prédio do seu escritório. No estacionamento subterrâneo estava o seu BMW 325i. Blindado, confiável e seguro. Na época da Stasi, o seu carro era um Trabant verde-musgo com carroceria de plástico. Aguardou oito anos para recebê-lo. Não tinha saudade.

Ao deixar o estacionamento, pegou o acesso pela zona sul. Iria até a Barra da Tijuca pelo Elevado do Joá, mais uma vez sentindo o cheiro do mar.

No condomínio de casas onde morava seu cliente, identificou-se com um nome falso e aguardou a liberação. Seguiu em frente, passando pelos quebra-molas e observando as mansões do local. Ele nascera em um país de prédios projetados pelo governo. Definitivamente, a liberdade individual produzia residências mais bonitas.

A casa tinha um muro com mais de três metros de altura e todo coberto por trepadeiras que lhe conferiam uma uniforme cor verde; o único ponto sem as plantas eram os portões brancos. Ele parou o veículo, indicando que entraria pela garagem. Duas câmeras vigiavam a entrada. O alemão não só conhecia aquele modelo como sua capacidade de visão noturna. Sabia que naquele momento alguém via perfeitamente o seu rosto em algum monitor. Segundos depois, o portão se abriu dando passagem para a garagem de paredes brancas que continha alguns carros, e o alemão entrou. Tudo estava silencioso. Não havia ninguém naquele lugar.

O alemão pegou a pasta de documentos, saiu do carro e parou ao lado de um Porche Cayenne com os vidros escuros, em cujo reflexo ajeitou a gravata. Uma porta se abriu no canto oposto da garagem, e dois homens de terno escuro se dirigiram ao carro do alemão. Ele pensou em chamá-los, mas achou que seria mais interessante deixá-los falando com o automóvel enquanto entrava na casa. Amadores... A presunção do conhecimento que tinham acerca da profissão que não mereciam era irritante.

Ele fechou a porta sem fazer ruído, prendendo os dois seguranças na garagem. Não conseguiu conter o sorriso.

A casa era linda, grande e com um imponente jardim na frente. A varanda dianteira era suportada por pilares de mármore carrara, assim como a abóboda do telhado cinza-claro, que formava uma larga laje na frente da residência de dois andares, que era bem iluminada. A impressão era de que todos os cômodos estavam acesos. Ele passou ao lado da piscina com queda d'água e iluminação azulada. Uma névoa subia, dançando calmamente pela ausência de vento. Devia ser aquecida.

Ele continuou seguindo em direção à entrada da residência até ficar de frente para a bela porta, com as suas laterais de vidro e o meio de madeira pintada de branco. Podia-se ver o luxo ali dentro. Ele abriu a porta e a deixou escancarada, mas não entrou. Já podia ouvir o som dos seguranças tentando abrir a porta da garagem.

O alemão contornou a casa em direção aos fundos no mesmo momento em que os seguranças pularam o muro da garagem e correram na direção da porta aberta, entrando com as suas pistolas em punho e procurando-o pelos cômodos. O alemão voltou para a frente da residência e entrou também, a tempo de ver os seguranças subindo as escadas à sua procura. A chave estava do lado de dentro, e ele pensou numa maneira de trazê-los de volta para baixo. Então, bateu a porta com força e a trancou, guardando a chave no bolso e indo se esconder no vão sob a escada da sala. Os seguranças passaram correndo — agora eram três, que, embora agitados, agiam em silêncio, como se não desejassem que alguém os flagrasse naquela situação.

Tão logo eles começaram a tentar sair pelas janelas da frente, o alemão subiu calmamente a escadaria para o segundo andar. Ele não tardou em parar diante da única porta fechada. Abriu-a e encontrou o seu cliente deitado em uma espreguiça-deira, acompanhando um conjunto de monitores de segurança.

— Por que está fazendo isso com os meus homens?

— Boa noite, senhor. Não tive a intenção, mas eles criaram a oportunidade.

— Não sei se os aviso ou se espero para ver no que isso vai dar. Estão correndo por toda a propriedade feito loucos. — A voz do cliente soava triste.

— A propósito, aqui está, senhor. — O alemão estendeu a mão e lhe entregou a chave dourada da porta de entrada.

— Ah, que interessante! Quer dizer que estamos trancados?

— Sim, mas eles podem entrar pela janela, tal como pularam para fora.

— Que circo! Diga-me: onde foi que eles erraram?

— Pois não, senhor. Erraram ao não estar à minha espera na garagem. Deram--me acesso a sua casa e me deixaram sozinho na garagem. Eu não só tive tempo de sair do meu carro e me ajeitar no reflexo do seu Cayenne como de danificar os seus veículos ou colocar neles um rastreador, se assim o desejasse. E poderia facilmente ter abatido os dois ali dentro. — Nesse momento, o alemão tirou do tornozelo uma pequena pistola Walther PPK e a colocou na mesinha próxima ao cliente. — Vê-se claramente que eles estão trabalhando sem uma coordenação ao ignorar os monito-res para fazer uma busca correndo pela propriedade. E devem estar cansados por fazerem isso dentro de um terno e nesse calor.

— Estão chegando a casa agora.

O alemão foi abrir a porta e, ao retornar, acomodou-se em uma poltrona.

Ao chegar, os seguranças depararam com o alemão sentado ao lado do seu cliente e com uma pistola sobre a mesa.

—- Não se fazem mais profissionais como antigamente, meu caro amigo nórdico. Aqui, por este paralelo, as coisas estão bem difíceis. — O cliente se ergueu e logo a seguir bateu a porta na cara dos seguranças.

— 68 —

— Existe muita gente boa por aqui, senhor, basta escolhê-las bem — afirmou o alemão.

— Que tal interrompermos esta entrevista de emprego e ver o que você trouxe?

— Aqui está. — O alemão entregou-lhe a pasta com todas as informações da operação que identificou os invasores da empresa.

O cliente passou a folhear as páginas sem nada dizer. Ao final, devolveu a pasta ao alemão e se levantou. Foi até o fim da sala e abriu a tampa de uma pequena jarra redonda de madeira. Pegou um pouco do que parecia ser tabaco e abriu uma gaveta na barriga da jarra, revelando um cachimbo de madeira. Colocou o fumo e o acendeu com um isqueiro apropriado. Deu uma longa tragada e foi andando para o terraço que estava ligado ao ambiente. O cliente virou-se de leve e fez sinal com a cabeça para que o alemão se aproximasse:

— Eles parecem crianças!

— Sim, senhor, mas são hábeis ladrões de dados.

— Faz alguma ideia do que buscavam?

— Nenhuma ainda, mas ninguém realiza tal esforço de invadir fisicamente uma empresa sem esperar um bom retorno dessa operação. Ao que tudo indica, conseguiram o que queriam e desapareceram debaixo do nariz da Polícia Federal. Eles levaram algo de valor. Naturalmente, não físico, mas, na época em que vivemos, existe um outro bem mais valioso: informação.

— A sua teoria é que levaram alguma informação minha?

— Sim, senhor, e planejam utilizá-la em breve ou vendê-la a alguém. Esse é o *modus operandi* dos ladrões de informações.

— Então seria interessante interrompê-los ou fazer com que desistam disso, correto?

— Seria adequado, senhor, mas não será possível por enquanto.

— Algum motivo especial?

— Sim, senhor. Existem equipes da Polícia Federal neste momento vigiando cada um deles. Serão presos na segunda-feira.

— Tem certeza disso, alemão?

— Tenho, senhor. Essa informação está nos documentos e foi atualizada hoje.

— Sendo assim, vamos aguardar a prisão e a investigação para descobrir o que eles queriam. Afinal, agora temos um contato direto nos arquivos daquela instituição, correto?

— Uma decisão acertada.

— Foi um prazer conhecê-lo. Tornaremos a nos falar daqui a exatamente uma semana — o cliente encerrou a conversa, dispensando-o.

Calado, o homem da Stasi pegou a pasta e a pistola e saiu. No corredor, um dos seguranças o esperava. No térreo, outro. Na garagem, o terceiro.

Ele foi acompanhado até o carro pelos três.

15. A DESPEDIDA

Hallcox saiu do apartamento no fim da noite de sexta-feira com a cabeça explodindo em pensamentos de causas e efeitos a partir da sua decisão: entrar para a Base e fugir das consequências de ser pego pela polícia.

Ele se achava em um conflito moral. Acreditava que as pessoas deveriam assumir a responsabilidade pelos seus erros e pagar por isso. Era um discurso difícil de cumprir sem lutar contra a natureza humana de fugir, e nisso estava o real valor de quem conseguia responsabilizar-se e arcar com as consequências.

As invasões, os sites derrubados, os sistemas quebrados, as operações, tudo havia sido feito por uma causa justa: acabar com algo ruim. Hallcox concordava que os meios não eram os tradicionais, mas eram os únicos que eles conheciam.

Assim que chegou em casa, Hallcox pegou uma folha de papel e um lápis. Queria organizar as ações do fim de semana. Ao final de alguns minutos, a lista estava pronta:

Hoje / Sexta

- Escrever carta de demissão;
- Limpar possíveis pistas no apartamento;
- Remotamente, limpar computador do trabalho. Deixar *backup* na internet;
- Programar transferência do dinheiro para a conta da Yasmin;
- Escrever carta de encerramento do aluguel e programar o pagamento dos dias de saldo;
- Conferir o inventário de móveis e eletrodomésticos do apartamento com o contrato;
- Pagar todas as contas e suspender gás e eletricidade;
- Fazer as malas.

Sábado
- Esvaziar geladeira e freezer;
- Doar as comidas do armário;
- Deixar a chave do apartamento com o porteiro;
- Falar com a Yasmin (contar a mentira/terminar);
- Sacar dinheiro; transferir o resto para Yasmin;
- Falar com os pais em Cabo Frio.

Domingo
- Visitar pai e mãe/contar a mentira;
- Deixar as malas;
- Voltar para o Rio;
- Última operação no Ponytail;
- Limpar computadores;
- Destruir celulares.

Segunda
- Prisão.

Hallcox leu a lista algumas vezes e chegou à conclusão de que estava pronta. Se realizada naquela ordem, ele poderia desaparecer tranquilamente. A parte difícil seriam os pontos onde teria que interagir com as pessoas que amava.

Ele digitalizou a lista no celular e em seguida a queimou, para não haver perigo de alguém a encontrar e descobrir que tudo fora planejado.

No sábado de manhã, todas as tarefas da sexta-feira já estavam completas, assim como as de sábado que dependiam apenas dele. Tão logo deixou a chave do apartamento com o porteiro, foi para a casa de sua noiva. A parte difícil iria começar.

Hallcox pegou um táxi e, olhando para trás, se despediu mentalmente do prédio onde morara durante tanto tempo. Criara laços com aquela estrutura de concreto e aço, com a vizinhança calma e com o comércio da região. Sentiria falta daquilo tudo e das relações que construíra.

Vinte minutos depois, o táxi parou. Hallcox pagou a corrida e apanhou a bagagem no porta-malas. Ficou olhando para a casa, estático, enquanto o carro se afastava. Por muitas vezes, ele agradecera a Deus por ter conhecido Yasmin, mas agora abriria mão de tudo que julgava importante em sua vida. Nesse momento, as suas convicções da véspera começaram a fraquejar. Onde quer que a moral estivesse armazenada na sua alma, nesse instante estava vindo à tona, e com muita força.

Ficou muito claro que o seu planejamento havia sido somente para garantir a sua liberdade. Isso estava acima do seu coração e da sua família. Hallcox se sentia um covarde, mas a perspectiva de escapar de toda aquela situação ainda estava mais forte que os seus valores. Ele mesmo concordava que precisava amadurecer, que aquela decisão era errada, porém, o seu tempo ainda não chegara. Era um fraco, mas ninguém poderia perceber isso. Ele teria que ser duro e firme. Tudo acabaria nos próximos minutos.

Tocou a campainha.

Escutou ao longe a sogra dizendo para a sua noiva ir recebê-lo no portão. Elas tinham uma câmera de segurança que mostrava quem estava à entrada.

Antes que o portão se abrisse, Hallcox ouviu Yasmin correndo e soltando gritinhos de alegria. O portão se escancarou, e aquela menina linda voou para abraçá-lo, louca de alegria por vê-lo.

Hallcox deu um passo para trás com o impacto e segurou-a. Aquilo esmagou seu coração. Permaneceu de olhos fechados e sentindo o perfume do seu cabelo. Gostava dela com sinceridade. A sua mente o fez lembrar de todos os sentimentos que o fizeram aceitá-la como a paixão da sua vida. Não se perdoava por tê-los esquecido. A distância era, durante algum tempo, um catalisador de paixões; no entanto, se fosse além da medida, esfriava relacionamentos. O reencontro era sempre uma prova para ambos, e Hallcox não estava indo bem.

Tem de haver outra maneira!, pensava ele.

A sua determinação em acabar com o noivado fora por água abaixo ali no portão da sua noiva. Ele queria entrar para a Base e não perder a sua menina. Desejos incompatíveis de um *hacker* apaixonado. Descobriu que o seu amor era muito mais forte que a sua covardia.

Assim que Yasmin desfez aquele abraço carinhoso e colocou os pés no chão, percebeu a grande mala de roupas que Hallcox segurava. Como toda mulher, carregava um instinto ágil, e também sensibilidade. Respirou fundo e teve vontade de disparar logo uma pergunta inquiridora, mas o olhar triste dele a fez entender que algo estava acontecendo. Assim, ela conteve a curiosidade e gentilmente segurou a mão do noivo, dando a entender que ele deveria entrar.

Hallcox a seguiu, arrastando a mala. Antes de fechar o portão, notou os dois homens dentro de um carro estacionado a cinquenta metros da residência. Agora não fazia diferença se era coincidência ou se era a polícia. Ele tinha que prosseguir.

Adentrando a casa, Hallcox observava o cabelo de Yasmin balançando à sua frente e os seus pés descalços no chão de madeira. Eles entraram no quarto branco com tons de cor-de-rosa-claro nas colunas e nas sancas do teto. Um quarto de menina, sempre impecavelmente arrumado, com tudo no seu devido lugar: bonecas, brinquedos antigos, fotos e livros. O som tocava baixinho *A Viagem*, do grupo Roupa Nova.

Yasmin o fez sentar-se na cama e, empurrando a mala para o lado, se ajoelhou entre as suas pernas. Pôs as mãos no rosto do amado, que não conseguia encará-la. Uma lágrima percorreu as mãos de Yasmin, que carinhosamente perguntou:

— Você vai viajar?

Ele não respondeu. Fechou os olhos e deixou que mais lágrimas caíssem.

Yasmin puxou a cabeça de Hallcox contra o peito. A cena a estava deixando tensa. Ela nunca o vira chorar.

Hallcox ergueu a cabeça e a encarou. Yasmin estava com a boca semiaberta de surpresa e também com lágrimas nos olhos. Ele não sabia o que fazer. Os dois ficaram se olhando por longos minutos, um enxugando as lágrimas do outro. Hallcox se lembrou de algo que o pai lhe dissera certa vez e que na época não fez muito sentido, mas agora aquela frase soava em sua cabeça como se fosse um grito: "Na dúvida, sempre faça a coisa certa".

Yasmin tinha que saber a verdade, e da maneira menos dolorosa possível. Era doce demais para ser magoada. Hallcox respirou fundo, e com o antebraço, enxugou todas as lágrimas que restavam. *Seja o que Deus quiser...* E começou a explicar:

— Meu amor, aconteceu muita coisa, e preciso da sua ajuda. Eu tinha alguma ideia do que fazer antes que aquele portão se abrisse. Mas agora já não posso dizer isso. Você é muito importante para mim. Estamos sem nos ver há semanas por conta do meu trabalho e será dele que vou falar.

Yasmin não estava gostando do rumo daquela conversa. Falar de trabalho ao lado de uma mala significava mais ausência, e ela não queria isso.

— Amor, fica calmo. Me conta o que está havendo pra que eu entenda. Você está me deixando nervosa. — A última palavra soou mais baixo, e Yasmin estreitou os olhos em uma expressão quase de dor.

— Vou explicar, sim.

Yasmin retirou as mãos das pernas dele e se sentou nos calcanhares, esperando o que ele diria a seguir.

— Você sabia que eu estava com aquele grupo de amigos estudando muitas coisas de computadores, noites a fio e durante essas semanas. O nosso trabalho deu resultado, conseguimos derrubar todos aqueles sites escrotos.

— Sim, eu sei disso tudo. Tem alguém querendo pegar vocês?

— Não, calma, me deixa continuar.

— Tudo bem. Fala.

— Depois, conhecemos o Smoke.

— Nunca gostei desse cara. Aposto que ele está envolvido nisso.

— Sim, está, mas não se chateie com ele. O Smoke não é má pessoa. Quando ele chegou, as coisas mudaram de nível. Aprendemos muito sob a sua orientação, e as operações ficaram mais elaboradas. Fizemos coisas inimagináveis até bem pouco tempo, e mudamos o alvo. Saímos de sites ridículos pra ações efetivas contra empresas e pessoas más.

— Tô ficando com medo...

— Não se preocupe, o meu problema não é com essa gente. É com a Polícia Federal.

— Hã?! — Yasmin arregalou os olhos e puxou o ar pela boca, tapando-a com as mãos. — Meu Deus, Hallcox, o que vocês fizeram?!

— Tiramos informações dessas pessoas para usar contra elas mesmas, e parece que a polícia nos identificou no meio desse caminho.

— E agora?

— Ficamos sabendo que na segunda-feira seremos presos logo pela manhã.

— O quê?! Presos?! Como assim?!

— Vai ser às seis horas.

— E agora?

— Existem duas opções: me deixar ser preso na segunda, enfrentar interrogatórios, processos, gastar um dinheiro que não temos com advogados e passar alguns anos na cadeia.

— Ou?

— Ingressar na organização de que o Smoke faz parte, me livrando disso tudo.

Nenhuma das alternativas parecia boa para Yasmin. Ela nada disse, mas pela sua expressão dava para deduzir o que estava pensando.

— Amor, eu compreendi a parte de se foder na mão do governo, mas não entendi como entrar para o grupo do Smoke te livraria disso. Que mágica é essa? E o que essa mala tem a ver com isso?

— Ainda não sei te explicar, mas parece que essa organização do Smoke também faz parte do governo. Ele tem acesso a muitas coisas governamentais, inclusive essa informação de que a Polícia Federal nos pegará na segunda.

— A mala, então, me diz que você já decidiu não encarar a justiça.

— É isso.

— E onde é que eu entro nessa história? — Ela cruzou os braços.

— O motivo das minhas lágrimas é que nos primeiros dois anos nessa organização só é permitida a saída uma vez ao ano — Hallcox terminou a frase e ficou em silêncio para que Yasmin pudesse entender o contexto.

Não levaria muito tempo. Ela sempre fora muito astuta.

— Ou seja, isto é uma despedida. Tipo: "Ei, Yasmin, até o ano que vem!". É isso?

— Infelizmente, sim.

— Hum, então pra que você não se foda com o governo, vamos foder o nosso relacionamento — ela falou pausadamente, sem grosseria, embora as palavras não fossem nada bonitas.

— Não há muito o que dizer, Yasmin, essa situação não me agrada. Acabo de entregar o meu apartamento e pedir demissão do meu emprego. Todo o dinheiro que tenho está programado para ser transferido para a sua conta. Vim aqui porque você é a melhor parte da minha vida. A parte boa, e da qual terei que me afastar. Isso está doendo muito. — Nesse instante, Hallcox se sentiu um canalha, porque até o dia anterior não estava doendo; mas naquele momento, sim.

— Já pensou que, estando preso, eu terei mais possibilidades de te ver do que sumido?

— Eu não tinha pensado nisso...

— Pois é, a prisão não me parece algo tão ruim agora. Ao menos você para de fazer merda com esse tal de Smoke e paga pelos seus erros. É uma situação ruim, mas é o que eu esperaria do meu marido ou do pai dos meus filhos.

Hallcox deixou-se cair para trás na cama, sem forças para responder. As coisas estavam tomando um rumo bem ruim. A melhor escolha sob o seu ponto de vista não era a mesma de Yasmin.

— Façamos o seguinte, querido: vá tomar um banho e no correr do dia nós conversamos mais sobre isso.

— Não posso.

— Por quê?

— Tenho que visitar os meus pais. Preciso me despedir deles, seja qual for a escolha.

— Entendo. O que mais você precisa fazer que eu não estou sabendo?

— Eu queria também pegar as minhas roupas daqui e colocar nessa mala pra deixar na casa dos meus pais.

— É uma despedida?

— Não. Só não queria deixar nada que pudesse servir de pretexto pra uma busca da polícia.

Ao ouvir aquilo, Yasmin resolveu testar Hallcox. Aquela preocupação dele não a convenceu.

— Fica tranquilo. Deixa a mala comigo, querido. — E aguardou a reação dele.

— Você não se incomoda com esse risco?

Vendo-o ceder, Yasmin percebeu que talvez tudo fosse verdade. Desde a mala até os sentimentos dele, e que Hallcox precisava de ajuda. Como negar isso à pessoa que você ama? Assim, ela respondeu:

— De maneira nenhuma. Você também faz parte da minha vida. Vamos encarar isso juntos! Existem também outros fatores que não vale a pena comentar agora.

Hallcox ficou sem palavras. Aquela era a mulher da sua vida. A mesma que instantes atrás ele queria dispensar. Hallcox sentiu vergonha, muita vergonha.

Ele puxou o celular e excluiu os itens da lista; sobrava apenas a tarefa de sacar algum dinheiro para ir a Cabo Frio visitar os pais.

— Preciso pegar uma grana pra viajar, Yasmin.

— Vamos no meu carro. As coisas neste país estão tão loucas que sai mais barato andar de carro que de ônibus. A gasolina é por sua conta.

16. DECEPÇÃO

Não demorou muito e já estavam na estrada. Yasmin, pensativa, mentalmente testava todas as possibilidades lógicas daquela situação. Hallcox a observava olhando a paisagem passar. Era tão bela a visão do seu cabelo voando ao vento... Estranho saber que um carro os seguia.

Após duas horas de viagem, ele adentrou o sítio dos pais e estacionou em frente a casa. Yasmin foi a primeira a descer do carro, afagou as orelhas de Iron, o cachorro da família, que se aproximara, muito alegre, para cumprimentá-los. Assim que Hallcox saiu do automóvel, um homem de cabelo branco surgiu, com um sorriso no rosto, e de imediato recebeu um abraço da nora.

— Olá, minha filha!

— Oi, seu Cláudio! Como tem passado?

— Tá tudo ótimo!

Yasmin deu um beijo nele e foi correndo para dentro da casa, com Iron nos seus calcanhares.

Hallcox estreitou o pai junto ao peito. Sentia um grande respeito pelo seu velho, um homem que dedicara toda a vida à unidade da família. Seria muito difícil mentir para ele.

Cláudio se desvencilhou do filho e o encarou, com um sorriso largo.

— E então, garoto, qual a sensação de saber que você vai ser pai?

— Como assim?! Do que o senhor tá falando?!

— Ora, bolas! Se a Yasmin me telefona e diz que está no quinto mês de gravidez, eu deduzo que em condições normais você seria o pai. Estou errado?

— Quinto mês?! Mas ela nem tem barriga! E a Yasmin não me contou nada, eu não estava sabendo, pai!

— Hum, interessante...

— A Yasmin não deveria ter feito isso. Que absurdo!

Eles olharam para a distante porta da frente da casa, onde Yasmin, muito sorridente, fazia um sinal de coração com as duas mãos próximas do peito, para logo a seguir sumir de novo.

— Filho, sem dúvida ela deveria ter te contato antes, mas vá com calma. Às vezes, ser gentil é mais importante do que estar certo.

Hallcox se afastou do pai para encontrar Yasmin, deixando Cláudio para trás, dando risada.

— O pateta não sabia... Essa é boa. — Ele tentava fazer o sinal de coração com as mãos, tal como Yasmin. Achou interessante pela perfeição e por nunca ter visto aquilo antes.

Hallcox a encontrou na ampla cozinha, sentada no colo da sogra, ambas abraçadas e felizes.

— Parabéns, meu filho! Vem cá dar um beijo na mamãe. Vai virar homenzinho!

Yasmin saiu do colo da sogra para que ele pudesse se aproximar. Hallcox beijou e abraçou a mãe, mas logo pediu licença e levou Yasmin para a sala.

— Por que não me contou, Yasmin?! Grávida de cinco meses?! Como isso é possível?! Cadê a barriga?

— É estranho, eu sei, mas acontece. Só fiquei sabendo no início da semana, acredita? A barriga só inchou um pouquinho. Então, senti uma dor muito forte no abdome e fui ao médico. E decidi te contar pessoalmente. Mas não resisti e acabei falando pro seu pai antes... Desculpa...

Hallcox não conseguia se irritar com aquele sorriso.

Na cozinha, a futura vovó tratou de pegar o telefone e comunicar toda a família, mesmo com os pedidos do filho em contrário.

Após o almoço, seguiu-se o costumeiro ritual. Enquanto a mãe desfazia a mesa junto com Yasmin, Hallcox foi com o pai para a varanda da frente, onde ele fumava o seu cachimbo, esparramado em um largo e espaçoso sofá, com os pés apoiados em uma mesinha branca, e os dois conversavam.

– 77 –

Hallcox preferia deitar-se na rede. Com ambos acomodados de modo a olhar para a frente, parecia que eles se encontravam em um consultório de psicanálise. Faziam aquilo sempre que possível e por horas. Iron, cujo nome era uma homenagem a uma tradicional banda de heavy metal, acompanhava os machos da casa, perto do velho.

Aquela conversa seria diferente, e Hallcox sabia disso. Eles falariam sobre o seu futuro e, ao final, ele deveria contar sobre a Base. Conhecendo o pai como conhecia, talvez a tarde não terminasse bem. Até lá, Hallcox seguiria o ritual com o pai. O filho respeitava esse momento, e deixava o velho à vontade com o seu cachimbo na boca admirando o vazio. Até que ele falou, com a sua voz calma:

— Sabe, meu filho, a vida é um caminho duro. É muito difícil seguir pela estrada certa, fazer as curvas adequadas, pegar os desvios corretos e chegar ao fim. Eu me aproximo do fim, estou ficando velho. Vivo bem aqui com a sua mãe, mas tenho muita saudade do passado. Daquela vida mais intensa, de ter objetivos, sonhos, do vigor da juventude que te permite fazer qualquer coisa. Eu andava até um pouco triste, mas essa notícia da Yasmin me fez ver que estamos neste mundo pra repetir a história dos nossos antepassados. Trabalhar, viver, casar, reproduzir e preparar a nova geração, pra que ela faça tudo de novo, e assim ajudar a humanidade a seguir o seu caminho em direção ao futuro.

— É, pai, já tivemos essa conversa.

— Também sinto saudade de quando você era pequeno. Tinha dias em que eu chegava em casa e encontrava tudo bem; em outros, a sua mãe estava irritada, esbravejando e falando sem parar. Eu ficava em pé, na porta, esperando que ela parasse, pra eu dizer como ela era linda, mesmo que zangada, e ela sorria de volta. A Elaine sempre foi uma grande mulher. Tudo isso faz parte da vida. Essa fase é muito gostosa. Depois, vocês crescem e vão embora.

Após alguns minutos, durante os quais tudo o que se ouvia eram o ranger da rede balançando e o vento nas folhas das árvores, Cláudio concluiu:

— Filhos são como navios em estaleiros. Leva-se muito tempo pra construí-los, mas eles nascem com a função de ir pro mundo, e vão. Alguns retornam pro estaleiro pra algum reparo ou preparação pra outra viagem. É duro, e você vai passar por isso.

— A ficha ainda não caiu, pai.

— Não se preocupe. O instinto te ajudará. Eu mesmo levei uns quatro meses pra entender que seria seu pai. Depois veio a mágica. Eu curti muito. Sabe, ter uma criança adormecida nos braços é um dos momentos mais incríveis que se pode ter. Senti falta disso nas muitas vezes em que sentei aqui pra relaxar depois do almoço.

Mas com essa notícia da Yasmin, parece que poderei fazer isso de novo. Essa menina ilumina a nossa casa.

— Ela é realmente especial, pai.

— Sim, e você deveria tê-la respeitado mais, casando-se antes de engravidá-la. Hallcox coçou a cabeça.

— É, aconteceu...

— Fiquei sabendo, mas ignorar os fatos não os altera. Você deve tratar de resolver isso perante a nossa família, a dela e principalmente perante Deus. — Cláudio falava devagar, mas cada palavra era um soco no estômago do filho, que nem queria imaginar o que viria quando lhe contasse o motivo da visita.

— Pai...

— Um instante, por favor. Deixa o papai concluir.

Hallcox aquietou-se. Seu pai era um professor aposentado que mesclava experiência com uma vasta cultura adquirida no estudo dos clássicos da literatura, fonte de praticamente todas as situações humanas possíveis. Aquele era um momento de aprendizado, e deveria deixá-lo falar à vontade.

— Não foi assim que te criamos, você deve consertar essa situação o quanto antes. Coitada da moça, ter um filho solteira? Onde já se viu isso? Vocês ainda namoram; mal formam um casal, uma criança deve nascer dentro de um núcleo familiar. É a tradição, e por mais que tentem mudar esses conceitos hoje em dia, todo mundo sabe que entre uma grávida solteira e uma grávida casada há uma aura de maior respeito pela moça casada. A grande alegria de uma mãe é ver a filha casando dentro de um cerimonial com um bom marido e seguindo uma vida sem dar-lhe preocupações. Não tire isso da sua futura sogra também. Se o meu pai estivesse vivo, você passaria por maus bocados. É sua função a partir de agora zelar pela felicidade dessa menina e fazer brilhar de tranquilidade o chão que ela pisa.

Hallcox ficou ali, escutando, admirado de como o pai conseguira ter uma vida tão perfeita. Ser tão reto e decente.

— Filho, um dia seremos apenas uma foto na prateleira de alguém. Depois, nem isso. Nem tudo o que construímos ou deixamos é perene. Tudo um dia se perde. A única coisa que podemos entregar para a eternidade é a nossa linhagem. E da mesma maneira que você gostaria que uma pessoa admirasse a sua casa, trate para que o seu filho seja admirável e que leve essa missão adiante. No fim de tudo, o que realmente importa são os nossos filhos, pois eles é que vão levar um pedacinho seu adiante: filhos são mensagens que mandamos pro futuro. Escreva boas mensagens. O resto não vale a pena.

— Você tá certo, pai, vou tratar disso tão logo seja possível.

— Essa frase foi bastante imprecisa, mas é um começo.

— Pai, eu gostaria de falar sobre outro assunto.

— Diga. — Ele soltou um anel de fumaça no ar.

Hallcox ficou olhando para o anel subindo, se dissipando, e lembrando que aquele era o único ato que o fazia sentir inveja dos fumantes. Como conseguiam fazer aquilo?

— Tenho trabalhado bastante nos últimos meses.

— Sim, fiquei sabendo, filho.

— Conheci algumas pessoas que possuíam um nível de competência técnica muito mais elevado que o meu. Estamos trabalhando em várias coisas juntos. Está sendo um período de enriquecimento intelectual como eu jamais imaginei que teria. Trabalhamos em vários projetos, todos com resultados satisfatórios. Pai, posso te fazer uma pergunta?

— Diga.

— Se você encontrasse um site que propaga valores diferentes dos seus... seria lícito derrubá-lo?

— Olha, filho, divergência de valores não é o suficiente pra que você retire algo de alguém. Esse é um princípio que mal aplicado gerou as piores ditaduras deste mundo. Pode-se ver claramente isso na história do nazismo e do comunismo.

— E se essa divergência fosse na verdade um crime? Eu diria que o que eles propagam é algo criminoso.

— Nesse caso, cabe a você denunciar essa página às autoridades competentes.

Hallcox ficou pensativo durante alguns segundos.

— E se as autoridades não fizessem nada?

— Aí você denunciaria para alguma outra instância que pudesse pressionar as autoridades.

— E se mesmo depois disso nada acontecesse?

— Hum... conhecendo a minha prole... sinto cheiro de merda. — Cláudio se ajeitou na cadeira, apagou o cachimbo, cruzou os braços e disse: — Quem perde as suas virtudes acaba se vangloriando dos seus defeitos!

— Calma, papai, me deixa terminar.

— Prossiga.

— Então, eu falo com todos, mas nada acontece. O site ainda está lá, produzindo crimes. Eu pergunto: seria lícito derrubar esse site? Torná-lo inoperante?

— Filho, nessa situação, a primeira medida que se deve tomar diante do mal é interrompê-lo com o menor dano possível. Interrompê-lo simplesmente.

— Quer dizer que o senhor não veria problema caso eu fizesse isso?

— Não, embora ficasse preocupado, pois o mal não aceita facilmente ser interrompido. Nos seus valores distorcidos, uma pessoa má acredita que possui direitos de exercer a maldade ou de colher os frutos desse ato.

— Fizemos isso muitas vezes, e nunca tivemos problemas.

— "Fizemos"? Quer dizer que há outras pessoas envolvidas. Seria um grupo?

— Sim.

— Deixe-me entender. Trata-se de um grupo de pessoas que tem por objetivo atividades consideradas ilegais em determinado ordenamento jurídico e com os seus integrantes compartilhando uma identidade comum?

— Sim! Exato.

— Interessante. Essa é a exata definição de quadrilha.

Hallcox gelou.

— Se o que você faz pode ser considerado crime, filho, isso quer dizer que você é um criminoso, sem tirar nem pôr.

— Entendi o que você disse, mas não posso ficar parado diante do mal.

— Eu também não ficaria, não estou te condenando. O que quero é entender a situação.

— Olha, nunca tivemos problemas com esse tipo de atividade. Fizemos isso todas as noites e com bastante sucesso, até o dia em que conhecemos um cara muito acima do nosso nível técnico.

— E?

— Passamos a montar operações pra prejudicar aqueles que eram donos desses sites.

— Seja mais preciso. Como vocês faziam isso?

— É um jogo de xadrez. Normalmente não sabemos quem eles são, e eles não sabem quem derruba os sites. Quando descobrimos quem realmente é o dono daquela página, nós juntamos evidências e enviamos pra quem possa prejudicá-lo.

— Me dá um exemplo.

— Eu descubro que o dono daquele site é um funcionário público. Ele recebe um aviso pra retirá-lo do ar. Se ele não obedece, nós apagamos a página. Retiramos do ar repetidas vezes e se, ao final disso tudo, ele ainda insiste em restaurar e restaurar e restaurar, nós juntamos as evidências e enviamos pra algum órgão regulador daquela empresa, com cópia para a imprensa e para o acusado. Isso funciona muito bem. É como se fosse uma implosão. O site desaparece pra sempre.

— E se a pessoa descobre quem foi que denunciou?

— Não tem como, pai.

— 81 —

— Quer dizer que vocês descobrem tudo, mas acreditam que ninguém poderá descobri-los. Isso me parece tolo.

— É, pensando dessa forma...

— Se continuarem fazendo isso, serão descobertos um dia. É a ordem natural das coisas.

— É verdade.

— Aconteceu, filho?

— Sim, pai, aconteceu.

— E quem os descobriu?

— Não foi nenhum dos bandidos, foi a Polícia Federal.

— Infelizmente era previsível. Você poderia repetir pro seu pai qual é a definição de quadrilha?

— Ah, é sério?!

— E você acha que eu estou de brincadeira? — Cláudio se ajeitou no sofá para que pudesse ver o rosto do filho, que evitou encará-lo.

— São pessoas que compartilham um mesmo objetivo através de meios ilegais.

— Perfeito. Vocês praticaram atividades ilegais e agora serão presos...

— ... segunda-feira. Eu...

— CALA A BOCA!

Os dois permaneceram em silêncio. O momento que Hallcox tanto temia chegara. Não por medo do pai, mas por tê-lo desapontado.

— Em toda a história da nossa família, nunca tivemos alguém preso.

— Eu serei preso, mas não ficarei preso, pai. Vamos escapar.

— Em toda a história da nossa família, nunca tivemos um fugitivo.

— Vai dar tudo certo.

— Que decepção, meu filho...

Nesse instante, a porta de acesso à varanda se abriu e Yasmin apareceu com Elaine.

— A sua mãe vai adorar essa história. Senta aqui, minha querida, e me deixa compartilhar essa desilusão.

— Eu já contei tudo pra ela — informou Yasmin.

Hallcox se voltou para a mãe, bem como o seu pai, mas a expressão dela não era de revolta. Elaine se desviou das cadeiras da varanda e se acomodou na frente de Hallcox, dizendo:

— Filhos... São capazes de construir um mar de luz e ao mesmo tempo uma montanha de cocô. A Yasmin falou que você vai entrar pra uma organização secreta e sumir por um ano.

— Como é que é?! — Cláudio se levantou de um salto. — Disso eu não sabia. Que porra é essa?!

- 82 -

— Não deu tempo de contar, pai.

— Jesus, isso tá ficando cada vez pior... Termina de uma vez de falar tudo, menino!

Após ouvir todos os detalhes, Cláudio pediu que Yasmin lhe servisse um copo de conhaque, pois precisava relaxar. Era muita informação ao mesmo tempo.

— Portanto, vamos resumir o fim de semana. Eu vou ser avô; ganhei uma nora; o meu filho é um criminoso; vai ser preso; se tornará fugitivo; ingressará em uma organização secreta; abandonará a esposa grávida; e, para coroar a torre de merda, a cereja da torre, ele vai desaparecer! — Virou-se para a esposa e disse: — E a sua tia dizia que não tínhamos artistas na família. Pois veja, aqui, diante de nós, o maior engenheiro sanitário de todos os tempos!

— Calma, querido, agora a besteira já está feita. Eles precisam voltar pro Rio. Vamos ter que aguardar os próximos eventos pra entender melhor como toda essa situação ficará — Elaine ponderava, procurando manter os ânimos sob controle.

A reunião se dissipou, e cada um foi para um canto da casa, para fazer as suas coisas. Cláudio se trancou no quarto e tomou alguns remédios para dormir.

Uma hora depois, Yasmin se despedia carinhosamente da sogra e entrava no carro pelo lado do carona. Hallcox deu um longo abraço na mãe. Ele estava arrasado.

— Mãe, fiquei preocupado com o papai.

— Ele está muito chateado. Fazia anos que eu não o ouvia dizer um palavrão sequer, e você, meu filho, se superou. Nunca vi ninguém fazer tanta besteira ao mesmo tempo, e não estou falando do seu filho e da Yasmin, que ficou grávida sem um marido e corre o risco de ser mãe sem você por perto.

— Acha que um dia o papai me perdoará?

— Creio que sim, amor, ele tem um bom coração.

— É, mãe, o tempo cura tudo.

— Engano seu. O tempo pode ajudar a esquecer, mas o perdão só é possível pelo amor. O seu pai te ama e, na verdade, acho que ele só não te deu umas porradas por conta desse amor.

— Eu sei. Mas ele sempre disse que honrar a família era mais importante do que amá-la, e eu, puta merda... Ele vai me odiar... Nem sei o que dizer.

— Filho, o contrário do amor não é o ódio, é a indiferença. E não tem ninguém interessado no que você vai dizer agora, somente no que fará. Assim, por favor, vê se conserta isso tudo.

Hallcox entrou no carro e se manteve mudo durante o retorno ao Rio de Janeiro. Uma frase de para-choque de caminhão resumiu o seu fim de semana: "Caráter é quando falamos a verdade, mesmo quando não nos beneficia".

17. A ÚLTIMA OPERAÇÃO

O interfone tocou no apartamento de Ponytail. Hallcox estava subindo. Mr. Fat, que o atendeu, deixou a porta da cozinha aberta para que o amigo pudesse entrar. Hallcox saiu do elevador e escutou o som vindo do apartamento. A música estava alta. Ao entrar, viu que todos já estavam presentes, inclusive Smoke. As caras não eram nada boas, e não sem motivo: apenas algumas horas os separavam da prisão.

— Boa noite, pessoal — Hallcox os cumprimentou.

— Pensávamos que você tinha fugido antes do tempo — respondeu Smoke.

— Estive em Cabo Frio pra me despedir dos meus pais.

— Uma boa decisão. — Smoke deu um tapa no ombro dele. — Ao resumo! Vamos entender como aconteceu essa última operação.

Hallcox foi até o quadro, destampou a caneta hidrocor e deu início à explanação, anotando os pontos mais importantes à medida que dava a sua explicação:

— Senhores, era preciso inserir na empresa-alvo um programa construído especificamente para ser invisível e coletar informações trafegadas naquela rede. A estratégia adotada foi contratar algumas garotas de agências de modelos para, através de uma promoção falsa, distribuir pen-drives gratuitamente na rua em frente. Eu preparei cerca de quinhentas unidades de baixa capacidade e mandei para uma empresa de serigrafia, para que fosse feita uma impressão de uma logomarca qualquer. A mesma que estava nas roupas das gostosas. Pouco mais de uma hora depois da distribuição, recebi a notificação no celular de que a rede já estava infectada e transmitindo dados para o nosso servidor na internet.

— Excelente! — Smoke meneou a cabeça.

Pegando o gancho da fala de Hallcox, Mr. Fat assumiu o lugar dele diante do quadro e deu prosseguimento:

— Com a captura de dados, conseguimos obter o usuário e a senha de diversas pessoas, inclusive da secretária do presidente. E agora vem a parte mais complicada. Nós precisaríamos tomar remotamente o equipamento dessa moça para, a partir dele, chegar às pastas reservadas da presidência e do diretor financeiro. Essa usuária tinha permissões para fazer esse acesso, mas, por algum motivo desconhecido, não conseguimos fazer esse acesso diretamente no servidor e através da rede. Depois de algum tempo de estudo, vimos que o compartilhamento havia sido realizado através de uma ferramenta privada que utilizava uma chave criptografada para troca de informações com o outro computador. Só conseguiríamos fazer esse acesso se tivéssemos controle do seu terminal. Física ou remotamente.

— Interessante — disse Smoke. — E como isso foi resolvido?

— Eu não resolvi. Estava além das minhas capacidades. A mulher é meio maníaca. Sempre que sai para almoçar, ela baixa a tampa do notebook. Trabalha o dia inteiro e não se levanta nem para ir ao banheiro. As visitas que ela faz à sala do presidente são muito rápidas. Ficávamos monitorando pela câmera de segurança, mas não dava tempo de fazer muita coisa. Tínhamos que tirá-la da frente do computador sem que baixasse a tampa.

— E como vocês fizeram? — Smoke quis saber.

— Eu passei a encrenca pro Hallcox. Ele é que é bom em lidar com gente doida. — Nesse momento, Mr. Fat devolveu a hidrocor a Hallcox e retornou à sua cadeira.

Hallcox prosseguiu com as explicações:

— Vasculhando a rede social dessa mulher, vimos que, embora tivesse quarenta e cinco anos, ela ainda era solteira; nunca havia se casado e se orgulhava disso. Escrevia com regularidade, explicando como era bom viver de forma independente e ser dona do próprio nariz. Ela viajava constantemente e por todo o mundo. Parecia estar muito bem resolvida e feliz. Tudo falso, pois em mensagens privadas com uma amiga e confidente, ela compartilhava o tamanho da dor que sentia por não ter encontrado um companheiro e ainda estar só. Falava sobre o medo de passar da idade fértil e não poder mais ter filhos. Enfim, a princípio seria uma vítima fácil para um engenheiro social. Eu tracei como objetivo uma aproximação sutil, que nos permitisse conseguir as informações e ao mesmo tempo não magoá-la.

Após essa fala, houve um protesto geral. Todos começaram a falar ao mesmo tempo, exceto Smoke, que observava, calado, com um sorriso no rosto.

— Que se dane, Hallcox, para de frescura! A balzaca é maluca! — Ponytail começou a andar de um lado para o outro.

— Ai, só faltava essa… — Mr. Fat comentou ao mesmo tempo. — O cara, cheio de dedos, e a gente aqui se matando.

— Negativo, senhores, eu não estava me recusando a fazer algo errado, mas apenas procurando a menor quantidade de danos possível. Eu queria que ela saísse da frente do computador sem desativá-lo, e era só isso. Não precisei magoá-la nem nada

– 85 –

parecido. Sempre existe alguma possibilidade se trabalharmos sem pressa e de maneira racional, porra!

— O Hallcox está certo. Se puder segurar um pouco e verificar a chance de alguma solução mais silenciosa, é preferível. Lembrem-se: invisibilidade é a prioridade. — Smoke fez um gesto para que Hallcox seguisse em frente.

— Bem, confesso que nunca vi uma mulher tão impermeável a qualquer tipo de aproximação. Ela simplesmente apagou todos os e-mails que enviei e mensagens no celular. Aí, descobri em que restaurante ela almoçava. Já sabia que ela gostava de homens bem-vestidos. Sabia até qual o perfume masculino que ela dizia ser o melhor de todos. Pois bem, eu a segui até esse restaurante e aguardei na entrada, para poder vê-la escolhendo uma mesa. Assim que ela se acomodou, escolhi a cadeira que ficasse mais próxima e fiz questão de parar de pé à sua frente, e a uma distância pequena, como se estivesse falando ao celular; até que ela notasse a minha presença. Passei atrás da sua cadeira, para ela sentir o perfume, e me sentei. Fiquei a uns dois metros de distância, mas com o corpo virado na sua direção. Ficou claro que ela reparara em mim, porque acompanhou todo o meu percurso até o fim. O tempo estava acabando e eu chamei logo o capeta pra dançar. Fizemos os nossos pratos e no balcão cruzamos olhares. Eu comentei que a comida daquele restaurante era muito boa; ela não respondeu nem mudou sua expressão facial. Foi como se eu fizesse um comentário para um manequim de plástico de uma loja de roupas. Pensei: fodeu!

Após um breve silêncio, Hallcox retomou:

— Terminei rapidamente a minha refeição e fiquei fingindo estar fuçando o celular, mas aguardava apenas que ela se levantasse para ir pagar a conta. Próximo ao caixa, havia uma televisão ligada com os noticiários, e ela assistia com atenção. Fiz alguns comentários sobre a matéria, e ela se manteve como um poste. Pagou a despesa e, na porta do restaurante, encontrou outra mulher que estava entrando. O poste lhe disse que não deveria ter saído do setor antes que ela retornasse. Foi bastante rude. O poste sumiu, e a moça me pediu licença para passar. Trocamos olhares. Voltei para o restaurante e repeti todo o processo. Essa moça era normal. Trocamos telefones após pagarmos a conta no caixa. Minutos depois, eu lhe mandei uma mensagem dizendo que tinha sido um almoço muito agradável e que lhe desejava um bom-dia. Foi uma mensagem informal, sem pretensões, mas que objetivava chamar a atenção. Ela respondeu confirmando que fora muito agradável. Tínhamos agora, inesperadamente, o contato de alguém dentro da sala da presidência: a Luíza.

— Você deu sorte — comentou Smoke.

— Dá pra encurtar essa história? — pediu Ponytail.

— Não, não dá. Cada um com a sua arte. Então. Não me bastava ter o celular da moça, eu precisava ter o ramal, pra aquilo que eu planejava. Tentei com a telefonista

– 86 –

da empresa, mas ela era bem treinada. Não confirmou nada nem passou o número do ramal. Desligou na minha cara várias vezes. Fui até o prédio, e na portaria me identifiquei para a recepcionista, que não faz ligações diretas para os ramais: ela fala com a telefonista... que já me odiava. Eu disse que era o gerente da conta bancária da Luíza e que gostaria de apresentar alguns novos pacotes, mas a telefonista retornou dizendo que a funcionária havia informado que não tinha conta naquele banco e que deveria ser um engano. Vejam, eu não queria subir; só me interessava saber qual era o ramal da Luíza, e a tática de observar a recepcionista do prédio discar não funcionou.

Todos ouviam Hallcox, atentos.

— Liguei de novo para a telefonista, de três telefones diferentes e ao mesmo tempo. Ela atendeu um, e os outros dois ficaram aguardando. Aproveitei para gravar a música de espera do PABX e as suas mensagens corporativas; isso serviria para falsificar a origem. Logo a seguir, telefonei para um ramal qualquer e me apresentei como o novo estagiário do departamento de projetos. Disse que havia derramado café na mesa e que precisava de alguém da limpeza, mas que não sabia o ramal. A pessoa me passou três ramais de serviços gerais e disse que atendiam por segmento do prédio. O primeiro era para atendimento até o oitavo andar, o segundo, até o décimo sexto, e o último, até o terraço e as salas das diretorias. Eu liguei para o primeiro número por volta das quatro da tarde, aquele período em que o almoço já passou, o dia está terminando, e o pessoal da limpeza, contando os minutos para o fim do expediente. Conversei bastante com uma mulher que atendeu na copa de algum dos andares. Eu falei que gostaria de trabalhar naquela empresa e que não sabia como enviar um currículo. Ela me passou o ramal e o nome da pessoa na área de recursos humanos que faz as entrevistas. Naquele momento, eu tinha a música do PABX, o nome e o ramal de um funcionário dos recursos humanos.

— Estou começando a entender aonde você quer chegar. Prossiga com a descrição, está muito interessante. — Smoke arqueou uma sobrancelha.

— Ponytail já havia identificado que os ramais da empresa seguiam uma certa ordenação numérica. O início do ramal era sempre o andar, seguido de mais três algarismos. Ligar para alguém do oitavo andar significava digitar: zero, oito, mais outros três números. Décimo sexto andar: um, seis mais três dígitos; e como a nossa amiga estava no vigésimo segundo, disquei: dois, dois, zero, zero, nove; um número aleatório. Quando fui atendido, informei que era da área de recursos humanos e pedi que esperasse um pouco. Qualquer um se interessa por uma ligação da área de recursos humanos. Coloquei a pessoa para escutar a musiquinha da empresa por dez segundos, como que para comprovar que se tratava de uma ligação interna. Retomei a ligação e perguntei se a pessoa sabia em que ramal trabalhava a Luíza, a nova secretária da diretoria. Ninguém sabia. Na sexta tentativa, quem me atendeu disse que iria perguntar, pois ela estava trabalhando próximo. Eu aguardei um pouco, e logo depois a pessoa retornou com um número: Vinte e dois, oito, oito, três. Telefonei, disfarçando a voz, e ela atendeu. Repeti o procedimento da musiquinha e retornei perguntando quando ela iria trazer a cópia do diploma de segundo grau. Todos que entram nas empresas demoram um pouco para entregar esse tipo de documentação, e certamente ela não entregara. O tempo curto de conversa me ajudou a confirmar que aquela era mesmo a voz da moça que eu conhecera no restaurante. Estava tudo preparado para a nova fase.

Hallcox pausou por um instante, mas logo seguiu em frente:

— No dia seguinte, fiz uma ligação quinze minutos antes do almoço do poste, e eu e a Luíza ficamos conversando ao celular. Pedi que Ponytail e Mr. Fat se mantivessem atentos às câmeras de segurança e que entrassem no computador tão logo eu desse o sinal.

Ponytail o interrompeu:

— Eu fiquei preocupado, porque demora para entrar no servidor de arquivos que armazenam os vídeos de segurança e montar uma sessão de *streaming* oculta. Nós não temos controle sobre as câmeras, apenas assistimos ao que está sendo gravado; então, dá uma diferença de quase trinta segundos. Mas continue, Hallcox.

— Eu concentrei a conversa na cena que testemunhara na porta de entrada do restaurante, e a Luíza fez uma descrição de todas as grosserias que a nova chefe já lhe dirigira. Sim, ela era nova na empresa, e o poste era muito rude. Eu dei todo o apoio em tudo o que ela dizia e mudei o curso da narrativa para falar dos benefícios dos altos funcionários da minha empresa fictícia. Comentei a respeito de planos de viagem, bônus, carros e até de computadores mais potentes. A Luíza confirmou que a sua chefe tinha um notebook, e ela, um simples desktop. Eu expliquei que isso era normal e que ela não deveria se preocupar. Foi quando a Luíza me disse que tinha que desligar, porque a chefe estava se arrumando pra sair, e ela não queria que a visse ao telefone. Ponytail confirmou a saída do poste.

— Qual a sua ação a partir daí? — Smoke quis saber.

— Voltei a telefonar, e pudemos ver nas câmeras um sorriso se abrindo no rosto da Luíza. Eu retomei o assunto dos computadores e perguntei qual modelo ela utilizava. Procurei no Google e fui dizendo todas as vantagens daquele computador, e que provavelmente não seria tão inferior ao da sua chefe. Poderíamos verificar isso facilmente, bastaria que ela me dissesse o modelo do equipamento. A Luíza perguntou como identificá-lo. Eu informei que ela veria acima do teclado. Ela abriu o notebook, que ligou, e sem demora dei a ordem para que Mr. Fat iniciasse a invasão. A Luíza leu o nome do fabricante e do modelo e os passou pra mim. Mr. Fat confirmou ter iniciado o processo de cópia dos arquivos em janela minimizada. Eu pedi que ela ficasse olhando pra tela, que deveria em breve mostrar o número serial do equipamento, e tirasse um print. Eu, atento a Mr. Fat, aguardava o sinal de fim de cópia, enquanto Ponytail observava as câmeras e nos relatava o que via em voz baixa. Pelo celular, perguntei à Luíza se já estava com o papel, e ela disse que estava chegando à sua mesa para pegá-lo. Desliguei o celular e rapidamente liguei para a sua mesa de trabalho. Ela atendeu, e eu, disfarçando a voz, me identifiquei como o rapaz do RH. A Luíza disse que iria trazer a cópia do diploma. Eu perguntei se o poste a tratava bem, porque ela tinha fama de ser muito malvada. Passei a contar toda a vida do poste. Não existe pessoa no planeta que recuse uma cachoeira de informações sobre a sua chefe megera. A Luíza, na ponta da cadeira, me escutou falar das decepções amorosas do poste e antigos problemas na empresa. Todos inventados na hora. O objetivo era segurá-la na linha e longe do computador. Ponytail avisou que a megera havia passado pelas catracas e que agora aguardava o elevador. Mr. Fat, estático, ouvia a minha conversa, parecendo acreditar tanto quanto a Luíza. Eu estalei os dedos na frente dele, despertando-o do transe, e fiz sinal com a mão, perguntando como estava a cópia. Ele informou que havia terminado. Despedi-me da Luíza com um "tchau" afeminado e chamando-a de amiga. Logo a seguir, mandei uma mensagem para o celular dela dizendo que iria entrar em uma reunião e que depois ligava, e avisando que ela não esquecesse de fechar a tampa do notebook. Mr. Fat já havia encerrado os programas, e Ponytail informou que a Luíza passara correndo pela câmera para fechar o notebook. Em minutos, a maluca chegou, e a Luíza saiu para o almoço, rindo sozinha. Em resumo, conseguimos colocar os pen-drives nas máquinas, entrar na rede e copiar os arquivos especiais a partir de um dos três únicos computadores que tinham acesso a esses dados. Desses três usuários, o poste era a única não proprietária dos dados, o que a tornava o ponto mais fraco, pois os outros dois dificilmente possibilitariam uma ação de engenharia social nessa extensão. Então, apareceu a Luíza facilitando tudo.

— Foi uma abordagem engenhosa, meu caro Hallcox — elogiou Smoke.

18. SEM SALDO

Hallcox passou a caneta hidrocor para Ponytail, que aproveitou para apagar o quadro e todos os rabiscos feitos até então.

— Agora que acabou o blá-blá-blá, vamos falar daquilo que faz o sangue correr: tecnologia.

Ele soltou uma risada histérica, que fez o grupo rir um pouco com a cena caricata. Mr. Fat arremessou uma lata de cerveja vazia no quadro branco que provocou uma reação imediata de Ponytail, que o xingou de todos os adjetivos infames que um gordo pode receber. Quando se sentiu satisfeito, deu início ao seu relato:

— Escutem, seres inferiores. Escutem e aprendam. Com a chegada dos arquivos, começamos um trabalho de identificação de cada um deles. Lembrem-se: estávamos atrás dos dados de acesso bancário do diretor dessa estatal, que está ligado ao grande político, e ambos vêm desviando tranquilamente somas estratosféricas de dinheiro. A classificação desses arquivos é importante não só pra essa operação, mas também para futuras, pois existem citações a dezenas de pessoas e operações de todos os tipos.

— Não se preocupe, eu tenho destino pra esses arquivos — Smoke garantiu. — Todos serão estudados com bastante carinho.

— Continuando, depois dessa interrupção do bípede menos atrasado, informo que, dentre todos os arquivos pesquisados, notamos que sempre havia citações de bancos de depósito, mas nunca encontrávamos os dados bancários. Esses eram bancos privados, e os diretórios com esses arquivos seguiam um comportamento curioso. Existia uma planilha de movimentações financeiras; um documento texto com o descritivo dos dados envolvidos e destinos; e uma foto da sede do banco em seu país. Isso mesmo, uma foto da agência bancária no seu respectivo paraíso fiscal.

— Basicamente, cada operação tinha um diretório com esses três arquivos?

— Sim, meu caro Hallcox. E os bancos eram de vários locais do mundo. Belize, Bahamas, Ilhas Cayman, Panamá e até da desconhecida Anguilla. Eu havia deixado passar algo simples, mas relevante. Dos três documentos, o que poderia possuir mais informações era a fotografia. Aquela foto no diretório só poderia ser a portadora da informação que eu queria.

Ponytail estalou os lábios, balançou a cabeça e seguiu em frente:

— Não havia nada nos metadados, e eu resolvi vasculhar os bits menos significativos da imagem em busca de informações. Essa técnica está bastante avançada, ao ponto de podermos inserir uma imagem de média resolução dentro de outra com alta resolução. Você recebe uma imagem de uma paisagem, mas, se considerar o último bit ou os dois ou três últimos bits de cada informação de cor, torna-se possível montar uma nova imagem completamente diferente, tal como o rosto de uma pessoa. Partindo dessa premissa, utilizei alguns softwares, e bingo! O sopro dos deuses da tecnologia nos revelou tudo. As imagens continham uma outra imagem mais simples, que nada mais era do que a digitalização do documento de abertura das contas com o seu titular, o número da conta, o depósito inicial e as senhas. — Ponytail jogou a caneta hidrográfica na mesa e abriu os braços, aguardando os aplausos, que não aconteceram.

– 90 –

— Muito bem, Ponytail, muito obrigado pela sua explicação — disse Smoke. — As coisas estão bem claras. Cada um fez a sua parte, e tudo caminha bem. Só nos resta agora ir pra parte final. Retirar desses senhores tudo o que eles roubaram.

— Precisamos apenas acessar as contas e realizar as transferências?

— Não é bem assim, Hallcox. Mesmo a transferência precisa ser realizada com algum cuidado no que se refere à rastreabilidade. Esse dinheiro vai dar algumas voltas no mundo até chegar ao destino final. Essas contas acabam por financiar outras operações ou fazem o dinheiro retornar ao governo através de meios que ainda não posso revelar. Mas não esqueçamos que, se tudo correr bem esta semana, vocês também terão algumas dessas contas com o respectivo percentual de trabalho que cada um merece. Posso prosseguir?

— Sim, Smoke — responderam todos em uníssono, e se entreolharam de cara feia, achando-se meio ridículos.

— De agora em diante, senhores, a operação sairá das nossas mãos. Em instantes irei transferi-la pra Base, que possui um departamento especializado nessa etapa da operação, todos os dados e arquivos levantados. A transferência sem rastro.

— O que faremos agora?

— Para todos nós, Mr. Fat, a operação acabou.

— E vamos ficar aqui sem fazer nada?

— Claro que não, Ponytail — respondeu Smoke. — Vocês devem ter se esquecido, mas há quatro policiais neste momento observando este prédio. Pela manhã, a federal estará neste apartamento. Nós temos o resto da noite pra apagar todas as evidências desta e de outras operações. Atualizem os seus *backups* na internet e limpem tudo, inclusive celulares. Ligações, fotos, mensagens, contas em redes sociais. Eles levarão todos os computadores, discos, CDs e DVDs que existirem nesta casa e nas outras.

· ·

Sentado em um luxuoso restaurante na rua Barão de Capanema, no bairro Jardins, em São Paulo, o doleiro escutou o *maître* falando em voz baixa e próximo ao seu ouvido:

— Senhor, desculpe importuná-lo, mas o seu cartão de débito não está funcionando.

O doleiro virou-se para o *maître* e, ruborizado, respondeu:

— Mas que ousadia! O que significa isso?

— Verificamos se era algum problema no equipamento, mas está funcionando normalmente. O senhor teria algum outro cartão para que pudéssemos fazer uma nova tentativa?

– 91 –

O político lhe entregou um cartão de crédito e conseguiu pagar a conta. Ele não gostava de utilizar esse tipo de cartão, pois deixava rastros nas operadoras. Aquilo não estava lhe cheirando bem.

Ao sair do restaurante, o doleiro foi recebido pelo seu motorista no seu Bentley Continental Flying Spur branco, no qual ele imediatamente entrou e ativou a videoconferência do carro. Demorou um pouco para aparecer na tela do encosto traseiro do carona a imagem de um homem com a aparência de quem estava dormindo. O político não esperou que ele falasse:

— Eu quero saber por que o meu cartão de débito não está funcionando.

— O do senhor também? A sua filha já me ligou com o mesmo problema. A conta dela estava zerada, e ela disse que ligaria pro senhor amanhã. Não tenho os dados da sua conta aqui comigo. Eles ficam lá na empresa, no meu computador ou com a minha secretária. Eu posso verificar amanhã, mas o senhor pode checar pelo celular que lhe dei. Ele é muito seguro e lhe permite acessar a sua conta pra consultas.

O doleiro desligou a videoconferência sem se despedir. Buscou o celular no bolso interno do paletó e logo estava vendo o extrato da sua conta. Dezenas de transferências haviam reduzido o saldo a zero. Ele sentiu a cabeça pulsar e, boquiaberto, ligou novamente a videoconferência. Dessa vez, a pessoa do outro lado atendeu de imediato.

— A minha conta também está zerada, seu merda! Sugiro que você verifique agora mesmo o que está acontecendo. Acho que fomos roubados!

Ele tornou a desligar a chamada por vídeo com um soco direto na tela, que assustou o motorista. O homem fino, elegante e quase sempre tão calmo mostrou a sua verdadeira natureza em uma explosão de raiva com chutes no banco dianteiro e cotoveladas no vidro blindado. Os seus olhos estavam vidrados, a respiração, acelerada, e os dentes, cerrados, com a saliva já escorrendo pelo queixo.

Ele acionou o celular e gritou uma mensagem de voz para o alemão:

— QUERO VOCÊ NA MINHA CASA AMANHÃ!

19. A PRISÃO

Eram cinco e quarenta da manhã. Um céu sem nuvens começava a tomar tons mais claros, e os postes da rua ainda estavam iluminados. A umidade do ar, seguindo o caminho inverso da evaporação, se condensava em forma de gotas pelo contato com a superfície fria da lataria dos carros. Tudo o mais em volta também recebera a sua camada de orvalho. O silêncio era pleno, somente rompido pelo som de alguns poucos pássaros e o longínquo ruído dos freios envidraçados dos ônibus na rua principal.

Alguns moradores já haviam saído das suas residências. O botequim próximo estava fechado, mas a luz que vazava pela parte inferior da porta e uma aglomeração de poucos homens indicavam a abertura iminente.

Numa van branca estacionada ali perto, quatro homens se alternavam entre a vigília e o sono. O para-brisa dianteiro do veículo não tinha visibilidade por conta do sereno, e o vidro lateral direito, aberto, dava vista direta para o prédio de Ponytail, um típico edifício residencial da antiga alta classe média da zona norte do Rio de Janeiro. Clássico, mas sem muito luxo.

Os agentes dividiam três cobertores. A garrafa de café já estava seca, e a reclamação sobre o frio havia sido interrompida ainda no início da madrugada, quando perceberam um morador de rua encolhido em posição fetal no chão úmido de uma calçada próxima. Embaixo dele, apenas um papelão como colchonete. Mesmo de longe, era possível perceber que ele tremia.

Um carro preto com o símbolo da Polícia Federal parou ao lado da van. O carona acordou o motorista e, com o dedo indicador da mão direita, apontou para que ele olhasse para a janela. Uma pequena bolsa térmica lhe foi passada. O carro seguiu e estacionou mais à frente. O motorista fechou todas as janelas e abriu a bolsa. Um forte cheiro de pão quente invadiu o veículo, fazendo despertar o agente que ainda dormia. Uma nova garrafa de café, um copo de suco de laranja, dois pães com requeijão e presunto para cada um fizeram renascer o espírito daqueles homens.

Outros carros chegaram e foram ocupando todos os espaços possíveis das calçadas. Duas motos se somaram ao grupo. Seus agentes desceram. As motocicletas permaneceram paradas na rua, com os faróis e motores ligados. A porta de um Toyota Corolla preto se abriu, e dele saiu Lynda, que levantou o braço direito e, com a mão espalmada, fez um movimento circular indicando o ponto de reunião. Em questão de segundos, todos os agentes estavam à sua volta.

— Bom dia, senhoras e senhores. Vamos hoje finalmente capturar esses jovens. O relatório da equipe de vigilância aponta que estão todos no apartamento daquele que conhecemos como Ponytail. As suas fotos ficaram expostas na nossa sala de comando desde o último fim de semana, acredito que nenhum dos senhores terá dificuldade em identificá-los. Estou enganada?

A resposta foi em uníssono:

— Não, senhora!

— Atenção: será uma manhã tranquila. Um bufê nos espera na sede para que tomemos um excelente café da manhã. Dispensados.

Os agentes se moveram silenciosamente para as suas posições, aguardando o horário de início da operação. Um dos observadores pediu prioridade no rádio, e Monteiro respondeu:

— Pronto, Zero Seis, prossiga.

— A luz do apartamento se apagou, e vejo movimentação no corredor. Eles deixaram o recinto.

— Atenção, todas as equipes, alvos em movimento — alertou Monteiro.

Lynda correu até o carro e colocou o colete à prova de balas. Nesse instante, já havia uma plateia no botequim disputando cada espaço da porta para ver o que estava acontecendo. Todos segurando os seus copos de café com uma mão e um pão com a outra.

Um agente se aproximou do portão e, através das grades, pediu que o porteiro o deixasse entrar, mostrando-lhe a autorização judicial. Os alvos apareceram na portaria. Os demais agentes se aproximaram, falando ao mesmo tempo que eles parassem e colocassem no chão os seus pertences. O porteiro, sem saber o que fazer, se deitou no chão antes de abrir o portão.

Hallcox, Ponytail e Mr. Fat estacaram com grandes mochilas nas costas e segurando os seus computadores.

— Caramba! O Smoke falou que havia quatro agentes aqui fora, parece que ele errou na conta — comentou Ponytail.

— Uau, nós somos importantes mesmo...

— Para de falar besteira, Mr. Fat, isso não é nada bom. Todos esses agentes à nossa espera significa que temos uma importância maior do que imaginávamos. Talvez eles até saibam de coisas que não suspeitamos, e isso quer dizer que será mais difícil. Não gosto nada do que vejo.

A cinco metros deles, um agente gesticulava com os braços através da grade, empunhando uma pistola, repetindo sem parar que colocassem as coisas no chão, e os garotos obedeceram. Cada computador e mochila continha uma folha de papel A4 com grandes letras impressas com o respectivo nome do seu proprietário. Lia-se "Hallcox", "Ponytail" e "Mr. Fat", assim como "Polícia Federal". Logo abaixo vinham a data e hora da captura, bem como o número interno do processo da Polícia Federal. Os agentes ficaram atônitos. Eles não estavam fugindo, mas se entregando, e já sabiam tudo sobre a missão. Lynda pegou um papel do bolso e conferiu o número do processo: estava correto.

O salto de um agente por sobre as grades fez com que todos despertassem do transe.

O agente apontou o dedo para os rapazes e ordenou:

— Vocês, não se mexam! — Então, sem tirar os olhos dos jovens, ele abriu o portão para que os colegas entrassem.

— 94 —

Os meninos se mantinham parados e com as mãos na cabeça. Monteiro, o primeiro a chegar, pegou Hallcox pelo braço e o virou de costas para algemá-lo. Ele o autuou profissionalmente e sem excessos. Todos foram algemados e permaneceram de pé um ao lado do outro. Ao ver as mochilas e os equipamentos com todos aqueles papéis colados do lado de fora, Monteiro levou as mãos à cintura e balançou a cabeça. Sorrindo, falou para os três:

— Isso é bem inusitado. Vocês vão ter muito o que contar. — Deu dois tapinhas no ombro de Mr. Fat e seguiu prédio adentro rumo ao apartamento.

Um outro agente parou na frente deles com um braço cruzado no peito e uma mão no queixo, zombando:

— Os três ficaram umas gracinhas com essas pulseirinhas prateadas. Mas me digam: algum de vocês tem alergia a manteiga?

Todos se olharam sem entender o sentido da pergunta, e Ponytail respondeu, vacilante:

— Não... Por quê? Não entendi.

— É que pra onde vocês vão tá faltando vaselina!

Foi uma gargalhada geral, com exceção dos três, que não acharam a menor graça na piada. Na verdade, eles nem sabiam se aquilo era uma piada.

Os agentes se dispersaram quando Lynda chegou. Ela parou na frente de cada um deles, olhando-os nos olhos e capturando cada detalhe do rosto. A delegada era um palmo mais alta que Ponytail, e, ao parar diante dele, viu que o garoto não tirava os olhos dos seus seios.

— Algo a declarar, Ponytail?

— Sim, senhora, estou diante de um perfeito exemplo da Curva de Agnesi, que foi estudada por vários matemáticos ao longo dos anos.

Lynda franziu as sobrancelhas.

— Se traçarmos uma reta do ponto mais alto ao mais baixo, formando o seguimento AB... — Antes que Ponytail terminasse de falar, Lynda deu-lhe um tapa na cabeça.

— Abusado! — E ela ajeitou a blusa.

Lynda se virou para falar com os agentes e acabou por ficar de costas para Hallcox, que reconheceu aquela silhueta e o rabo de cavalo. Ele olhava para a nuca da policial quase com certeza de que fora nela que ele acertara um soco durante a invasão do prédio no centro da cidade.

Um agente se aproximou e informou que o apartamento estava limpo. Os policiais colocavam todas as bolsas e os computadores nas malas dos carros, enquanto os presos eram conduzidos para o veículo que os levaria à sede da polícia.

Um mendigo, sentado na calçada do outro lado da rua, se ajeitava no inusitado cobertor com a logomarca da Polícia Federal e dava uma mordida num sanduíche

– 95 –

de presunto com requeijão. Ele colocou o copo com suco de laranja no chão e apoiou o pão em cima. Pôs algo no ouvido com um pequeno ponto azul luminoso e falou:

— Terminou. Três foram levados.

Mais alguns instantes se passaram, e ele respondeu:

— Sim. Estou enviando as fotos agora. — Retirou o fone de ouvido e terminou o lanche. Recolheu as suas tralhas, se espreguiçou, coçou a cabeça demoradamente e desceu a rua, verificando cada lixeira pelo caminho.

20. A DEFESA

Smoke acordou de sobressalto e sentou-se na cama. Olhou em volta com a visão ainda turva e sem reconhecer o local. Passos pelo corredor à frente da sua porta fizeram-no forçar a vista. Lembrou que estava na Base. O relógio digital na parede mostrava ser hora de se levantar, mas o corpo não reagia. A ideia de cair para trás e continuar dormindo parecia muito boa.

O som que vinha do corredor não cessava. A Base estava ativa e funcionando. Muitos já haviam acordado e seguiam em suas tarefas. Smoke coçou a cabeça e esfregou o rosto com as mãos. De súbito, a importância daquele dia eclodiu na sua consciência, e ele se pôs de pé de imediato. Os meninos seriam presos!

HAVOC se aproximava lentamente da entrada do restaurante, conversando com os seus superiores. Ao identificar Smoke parado no corredor, mais adiante, encostado na parede, despediu-se dos seus chefes e foi na direção dele.

— Vai a algum lugar?

— Não sacaneia, HAVOC, quero saber da operação.

— Esse é o menor dos nossos problemas agora, meu caro. Primeiro temos que resolver uma cagadinha que o senhor fez.

— Do que está falando?

— Você vai ver, bonitão.

Smoke, agora preocupado, podia jurar ter visto um sinal de alegria no canto da boca de HAVOC.

Eles continuaram pelos corredores. Na entrada da central de operações, HAVOC realizou o seu acesso biométrico e liberou a entrada para Smoke através de um recurso de responsabilidade digital. Logo a seguir, repetiu o procedimento e entrou.

A atividade era intensa, com vários monitores pelas paredes e pessoas trabalhando. HAVOC, com voz moderada, solicitou:

— *Status*.

— Bom dia, senhor — respondeu um dos operadores. — O grupo da Polícia Federal já esteve no local efetuando a prisão de todos. Obtivemos confirmação do nosso agente de campo, que também enviou as imagens que estão se alternando no monitor oito.

HAVOC sentou-se e passou a analisar cada uma das fotografias demoradamente, sem nada dizer. Smoke, que se acomodou ao seu lado, também se mantinha em silêncio. Um *zoom* em uma das fotos mostrou todos com as mãos atrás da cabeça e com os seus computadores aos pés. Via-se que HAVOC procurava entender o que eram aqueles papéis colados nas laterais dos equipamentos, quando um dos operadores afirmou:

— Já verificamos, senhor, é o número do processo deles na Polícia Federal.

— Mas que interessante! Quem os teria informado? — Debochado, HAVOC arregalou os olhos e se voltou na direção de Smoke, que, sem se desviar da imagem, ergueu o dedo médio para ele. — Que meigo, Smoke. Posso considerar que o seu "dedo obsceno" confirma a minha suspeita. Você foi bastante descuidado nesse caso.

Smoke não se lembrava de ter dado o número do processo aos garotos, mas não duvidava de que o tivessem obtido nos documentos que ele mostrara. Também não gostou nada da ideia de colocar o número do processo na lateral dos gabinetes dos computadores. Isso só podia ter sido coisa de Ponytail em desafio à polícia, além daquela eterna infantilidade de querer provar estar por cima, mesmo numa situação em que se achava dramaticamente por baixo.

— Já que os seus meninos estão presos, o que nos resta agora é entender o que você estava tentando fazer. E quem quer te ouvir é o pessoal lá de cima, sabe? Aqueles que não costumam perdoar erros. A começar pelo Monstro do Vidro.

— Quem diabos é esse?

— Ora, ora… É verdade, você andou afastado e não sabe os novos apelidos de alguns. As duas últimas turmas chamam o supervisor Dietrich de Monstro do Vidro, tudo por conta daquele hábito dele de ficar lá de cima observando todo mundo pelo vidro da sua sala e com aquela cara de buldogue.

— É, *brother*, a turma gosta de um apelido.

— E devo dizer, caro Smoke, que ele te adora. No café da manhã, Dietrich se mostrou bastante empolgado com as várias maneiras de acabar com você. Existe um protocolo criado depois de décadas de operações, mas você, claro, está acima de tudo isso, né, bonitão? E aí? Está prontinho pra ser currado pelo S3?

Smoke não respondeu. Estava imóvel, de olhar perdido, mas com a mente acelerada.

Ao ouvir de HAVOC a menção à sigla S3, Smoke se lembrou da hierarquia, e, portanto, de que o responsável pelas operações da Base era o Monstro do Vidro.

— Sabe o que é pior do que ser enrabado pelo Monstro do Vidro, Smoke?

— Não.

— É que eu estarei lá pra assistir a tudo. Pena não termos pipoca por aqui.

— Ah, vá se foder, HAVOC...

— Acho que você irá primeiro. Que tal me acompanhar até o seu velório?

HAVOC se levantou da cadeira e se dirigiu à porta de saída da sala de operações, fazendo sinal para que Smoke o seguisse.

Smoke não sabia o que esperar daquela reunião. Ele fizera fama na Base pelo resultado do seu trabalho de campo ao longo dos anos, fosse através da seleção de novos integrantes ou de operações relevantes. Smoke sabia que as suas transgressões eram de certa maneira sustentadas por esse resultado. Mas os tempos haviam mudado, e a Base passava por um período crítico de perda de pessoal. Era realmente uma incógnita. A sua permanência poderia ser muito necessária em virtude das suas qualidades e do seu passado; porém, ao mesmo tempo, a sua expulsão também poderia ser um belo recado para todos que achassem que as regras poderiam ser quebradas em virtude de um suposto resultado positivo.

Após percorrerem algumas dezenas de metros de corredores, HAVOC e Smoke entraram em um setor restrito da Base e com um outro nível de segurança. Somente supervisores poderiam ingressar naqueles andares.

Ao entrarem no elevador, o segurança utilizou um leitor biométrico para liberar o acesso ao painel e escolheu o andar de destino. O elevador subiu alguns níveis e parou, abrindo a porta. Eles caminharam por mais alguns corredores vazios e entraram em um amplo salão de paredes brancas, bem iluminado e com várias salas de vidro ao fundo. Seguiram avante até a sala mais à direita, onde um homem, de costas, observava através da parede de vidro as atividades nos níveis inferiores. O segurança abriu a porta de vidro. HAVOC entrou primeiro e se sentou em uma cadeira afastada da mesa. Smoke o seguiu e se acomodou na primeira cadeira que achou. Restava mais uma cadeira vazia.

O segurança permaneceu à soleira. Smoke, vendo Dietrich imóvel na janela, lembrou-se do apelido e esboçou um sorriso com o canto da boca. *Monstro do Vidro... Essa é boa.*

De repente, o supervisor Dietrich disse:

– 98 –

— Vamos aguardar a chegada de mais uma pessoa: o S6.

Após alguns instantes, todos puderam acompanhar a sua chegada. Ele era mais simpático do que o dono da sala, e já entrou sorrindo e cumprimentando:

— Bom dia, senhores.

Todos responderam.

— HAVOC eu já conheço, e você deve ser o famoso Smoke.

— Acertou — confirmou Smoke, com uma entonação neutra.

— Sou conhecido como González, e, assim como o Dietrich, faço parte da equipe de supervisores das operações da Base. Ele... — apontou para Dietrich — ... é o S3, e eu, o S6. Bem, senhores, estamos juntos aqui por um simples motivo. O S3 acredita que o Smoke deveria ser eliminado dos nossos quadros, enquanto eu, o S6, penso que não. Na opinião de alguns caras acima de nós, esta reunião servirá pra nos colocarmos a par de todos os fatos e argumentos pra que possamos tomar uma decisão justa. Vocês podem achar estranho, mas já fizemos uma reunião geral e não houve consenso entre os supervisores. Sendo assim, o pessoal lá de cima nos pediu que reuníssemos todos aqui para melhorar o entendimento.

— Esta reunião está sendo gravada pelos sensores da sala e, eventualmente, alguém com o devido acesso poderá vir a escutá-la — Dietrich disse em voz baixa.

Smoke não esperava ter alguém em sua defesa nessa reunião. Não havia como negar que tinha sido uma boa notícia. HAVOC, que parecia também não ter esperado por aquilo, estava com uma expressão séria.

— Então, recapitulando toda a história, você, meu caro Smoke, vinha trabalhando com um grupo de jovens candidatos a HCs da Base. O problema parece ser que essa sua missão não era oficial e os jovens não se achavam cadastrados na pré-seleção. Esse era um projeto pessoal seu que foi acabar nas celas da praça Mauá. Correto?

— Sim.

— É de fato um problema... Temos que reconhecer que o objetivo da seleção é trazer os garotos pra cá, e não os perder pra polícia. — O S6 arqueou uma sobrancelha.

— Eu tenho uma visão diferente — comentou o S3, fleumático. — Não consigo ver que existe algum problema pra Base em nenhum desses eventos, simplesmente porque não era uma operação oficial. Pra nós, nada disso aconteceu, e nada temos que fazer além de punir o Smoke pelas suas atividades pessoais. Tanta dedicação em fazer merda tem que ser premiada com uma total indisponibilidade pra futuras operações, ou seja, deveríamos lhe dar um pé na bunda por ter decidido não mais trabalhar conosco.

— Mas eu não tomei essa decisão!

— Tomou sim, Smoke! — respondeu o S3, falando mais alto que o normal. — Quando resolveu que era dono do seu nariz e que poderia fazer as coisas a seu modo.

Agora há três babacas presos na federal... — O tom de voz continuava subindo. — ... com a possibilidade de revelar um pouco sobre você e a Base, aquela sobre a qual, pelo que me consta, você abriu a PORRA DO BOCÃO PRA FALAR PARA UM BANDO DE IDIOTAS QUE ESTAVAM PRESTES A SER PRESOS!!!

Ao fim da explanação, via-se um Dietrich soltando espuma de saliva pelo canto da boca.

— HAVOC, qual o *status*? — indagou o S6.

— Porra... está uma merda só... Os garotos foram presos pela manhã e estão, neste momento, passando pelos protocolos normais de exame de corpo de delito. Provavelmente esta tarde já estarão sob interrogatório. O Smoke pretende inscrever os três, mas o grupo era composto por quatro garotos.

O S6 se dirigiu a Smoke:

— Por que preteriu um deles?

— É o Tumumbo. Ele era o nosso "serviços gerais" e cabista. Um menino muito bom no trabalho de campo, mas está longe de ter o nível que a Base exige. Precisaria de mais estudos, mas isso é normal. Ele começou há dois anos, quando Hallcox lhe conseguiu um trabalho. Tem potencial, é disciplinado e obediente, mas não havia como trazê-lo agora.

— Tá, vamos fazer de conta que o dia de hoje ainda não aconteceu. Qual era o seu plano? — O S6 cruzou os braços.

— Trazer todos pra cá, mas eu não contava com a prisão deles. Isso foi bastante inesperado. As coisas estavam todas alinhadas, eles já haviam demonstrado a capacidade técnica, embora tivessem os seus defeitos, que seriam corrigidos pelo processo normal de treinamento da Base. *Brother*, os meninos são bons em campo, engenharia social e tecnologias. Fizemos muitas coisas juntos, e eles não paravam de evoluir. Com a informação de que seriam presos, cagou tudo, e fiquei sem opção. Ou eu os abandonava à própria sorte, e isso não evitaria o surgimento do personagem Smoke, ou os convidava para este inferno. Aí, resolvi fazer logo o convite e explicar o que era aquilo tudo que vínhamos realizando. Vocês sabem: teste, seleção etc.

— Que maravilha de opção você deixou para os garotos — ironizou o S3. — O supositório azul ou o vermelho. E ainda tem um que será abandonado.

— O Tumumbo não tem ligação com nada. Ele só apareceu numa foto instalando um cabo. Dirá que era pago pra fazer aquilo.

Era dura a responsabilidade de seguir a disciplina na Base, tentar salvar os meninos e não reagir contra o S3 mais agressivamente. Se Smoke quisesse resolver tudo, precisaria dele, portanto, teria que manter a calma.

— Senhores, embora não fosse oficial, eu estava recrutando. É isso o que faço pra vocês há anos, e os garotos foram presos dentro do processo de seleção. E, claro, com a Base envolvida, maiores seriam os recursos disponíveis pra resolver a situação. Temos de ajudá-los o quanto antes.

— Smoke — disse o S3 —, está mais do que claro que você fez o recrutamento pessoal e, quando deu merda, resolveu envolver a Base. Eu não mudo a minha opinião. Aqueles garotos vão se foder por sua culpa, e não poderíamos deixá-lo impune, pois contornar essa situação pra que a Base saia ilesa vai ter um custo operacional desnecessário.

— Se fossem candidatos oficiais, essa não seria uma situação nova — argumentou o S6.

— É verdade — concordou o S3.

— Então, poderíamos resumir todo esse assunto a uma simples decisão: eram eles candidatos oficiais ou não? O fato de o Smoke erroneamente não ter cadastrado todos pode ser suficiente pra não considerá-los candidatos? Se o Smoke é um dos nossos recrutadores e até treinador de sala e campo, poderíamos considerar que todo o trabalho dele nesse sentido seria um trabalho a serviço da Base? Poderíamos? — o S6 insistiu com o S3.

Smoke gostou do que ouviu. Ele percebeu que, se possível, seria melhor deixar o S6 falar sem parar, pois, além de melhor argumentar, ele estava claramente a seu favor.

— Há exatos treze anos, a obrigatoriedade de registro foi criada. Vocês se esqueceram dos motivos que levaram a isso? — O S3 encarou um por um. — Estão é de sacanagem... Esta merda desta Base não funciona através da boa vontade ou de altruísmo. As regras foram criadas a partir das experiências acumuladas ao longo dos anos. Pessoas morreram pela falta dessas regras, e outras foram salvas pelo cumprimento delas.

Nesse momento, soou uma voz monótona nos alto-falantes:

— Senhores, em nada avançamos desde a nossa reunião. Os argumentos são os mesmos de ambos os lados. O senhor Smoke não está nos ajudando a tomar uma decisão. Ele não nos trouxe nada de novo, nada do que já não soubéssemos.

— Você tem algo novo, seu bosta? — perguntou o S3.

— Não. Creio que não — Smoke confirmou.

— Talvez vocês não estejam a par — o S6 interveio —, mas antes de entrar nesta sala eu recebi a informação de que a última operação realizada pela célula do Smoke, essa dos Lost Boys... podemos chamar assim?

Smoke resmungou algo parecido com um palavrão.

— Então, fiquei sabendo que o seu último alvo, Smoke, aquele figurão, ativou um investigador que possui um risco nível cinco; ou seja, pra quem não é familiarizado com o tema, qualquer nível acima de três é um risco pra célula, e qualquer nível

– 101 –

acima de cinco é um risco pra Base. Presos ou soltos, os Lost Boys não possuem um futuro muito promissor com esse cara na cola deles.

— Quem é o cara? — HAVOC quis saber.

— Não lembro o nome, mas é um alemão oriental com uma longa rede de contatos por aqui.

— E como o identificaram tão rapidamente? — Smoke franziu a testa.

— Embora ele não saiba, já o contratamos pra alguns serviços. Sabemos exatamente o que ele representa, e o que me preocupa é que ele vai, sem dúvida, achá-los, e até com certa facilidade depois da prisão. Agora todos possuem o mesmo endereço na carceragem da polícia, e, é claro, as suas fichas. Isso é um complicador.

— Posso fazer uma pergunta? — disse Smoke, um tanto aflito.

O S6 consultou com o olhar o S3, que deu de ombros.

— Pergunte!

— O que foi feito com a grana do figurão? Aquela derivada da operação com os meninos.

— Procedimento padrão.

— Ou seja, a Base se beneficiou da minha seleção!

— Sim, claro, você nos ofereceu livremente. Fizemos todas as transferências.

— E, óbvio, a minha comissão foi depositada.

— Como sempre.

— E caso os meninos sejam aceitos, eles receberão as suas devidas partes, conforme protocolo de distribuição. Resta apenas o cadastro no banco de dados e a devida associação com a operação, correto?

— Suponho que sim.

— Quantas vezes a Base resolveu não remunerar uma operação bem-sucedida?

Nesse momento, uma voz retornou aos alto-falantes da sala. Uma pessoa com notória autoridade sobre todos que ali estavam respondeu diretamente à questão de Smoke:

— Isso nunca aconteceu, e eu entendo aonde quer chegar, senhor Smoke. Pode parecer lógico o que você diz, mas infelizmente não vamos considerar dessa maneira. Como explicado pelo nosso S3, a regra de inscrição não foi seguida e o fato de a operação ter tido sucesso não pode ser considerado, como não seria, caso a operação tivesse sido um fracasso. Não são esses elementos que determinam a legalidade de uma inscrição.

— Mas...

— Diante de todos os fatos e o que foi apresentado aqui, tomamos de forma não unânime a decisão de que a Base não irá interferir na questão da prisão desses jovens e o senhor Smoke deverá deixar as nossas instalações no primeiro transporte

– 102 –

de amanhã. Iremos deliberar se o senhor continuará ou não como um HC nas nossas operações. Faremos chegar ao senhor o resultado dessa decisão. Mantenha-nos informados da sua localização através dos canais normais do pessoal de campo. Esta reunião está encerrada.

Smoke sentiu as têmporas pulsarem. Não esperava uma decisão tão rápida. Ponderou sobre a situação dos garotos e a completa falta de opções. A sua respiração acelerou, e ele precisou se controlar para não gritar ou bater em alguém.

HAVOC, dando-se conta da situação de Smoke, que em resumo lutava para exercer a sua lealdade para com aqueles meninos, não pôde deixar de se incomodar. Ele acompanhou Smoke por todo o trajeto de volta, durante o qual eles não trocaram palavras.

Smoke entrou no seu quarto e fechou a porta devagar.

HAVOC ficou olhando, em silêncio. Saiu então do local, pensativo, coçando a cabeça, lembrando que participara da decisão da entrada de Smoke na Base. Além disso, ele ajudara na operação que gerara a rebelião e o resgate de Smoke do presídio em que cumpria pena.

· ·

Smoke, deitado no chão com os olhos fechados e o cérebro a mil, processava todas as informações e pesava as suas opções. Bem ou mal, os garotos estavam com a polícia. Ele tinha que proteger Tumumbo e a sua mãe a qualquer custo. Pensou em alojá-los na casa dos seus avós.

Ele se levantou de súbito, com uma expressão de espanto e ambas as mãos na cabeça. Soltou uma enxurrada de palavrões, andando de um lado para o outro, até se jogar de costas na cama.

Tenho que fazer com que a mãe de Tumumbo aceite trabalhar na casa dos meus avós. Isso envolve contar pra ela tudo o que está acontecendo. Preciso achar uma maneira de convencer os meus avós a contratar uma empregada residente e a fazer uma nova casa nos fundos do terreno. Deus, isso será difícil, eles nem sabem que estou vivo! Vou falar com o Tumumbo. Ele terá que concordar com tudo isso. E eu só poderei sair amanhã. Jesus do céu, preciso de uma bebida!

Smoke deixou o quarto e foi em direção ao alojamento dos carcaças. Lá sempre havia uma bebida e alguns bons amigos para trocar ideia, e quem sabe conseguir alguma ajuda.

– 103 –

21 O KRAKEN

A van estacionou no pátio interno do Instituto Médico Legal, uma construção ampla, de dois andares, com o térreo simples e burocrático e o segundo andar composto de vidros espelhados, o que lhe dava um ar de modernidade. Infelizmente, de perto era possível notar a sua má conservação.

Ponytail leu as letras garrafais na entrada do instituto, e não entendeu o que fazia ali. Era nítida a inquietude dele, que olhava para todos os lados. Um agente segurou o seu ombro e lhe pediu para ficar calmo.

— Segura a onda, *playboy*. Vocês só vão fazer o exame de corpo de delito. É o trâmite.

Ponytail virou a cabeça para a direita e sussurrou para Hallcox:

— Você está tranquilo com essa parada, Hall?

— Esse é um exame que sempre é feito quando alguém é preso, ou quando sai da prisão. Ele serve pra ver se você foi maltratado durante a prisão ou no transporte. Assim podemos processar o Estado em caso de condução fora da lei.

— Pois é... — comentou o agente mais próximo. — Vocês vêm fazendo merda há anos e agora se preocupam com leis. Vocês são os *hackers* metidos a malandros que colam papel no gabinete para zoar com a polícia. Já pararam pra pensar que nós podemos ser os *hackers* da lei? Que podemos usar o nosso conhecimento técnico contra vocês? Por mim, eu socava um mouse dentro do rabo de cada um, pra aprenderem que não são tão espertos. E tinha que ser aquele de luz vermelhinha, pra vocês pagarem de vaga-lumes. Sabiam que não existe exame de corpo de delito depois que você sai do exame de corpo de delito? Eu posso deixar vocês mais quebrados do que arroz de terceira.

— Para com essa porra, Zero Meia — ordenou um agente sentado no banco da frente da viatura.

— Isso vai demorar — Hallcox suspirou, olhando Lynda ao longe caminhando em direção ao prédio com um monte de papéis.

— Que nada! — contradisse o policial. — A delegada já está com tudo alinhado. Ela tá doida para trocar um dedo de prosa com os senhores. E tratem de ficar quietinhos. Boquinha de siri. *Saporra* já tá virando palestra.

— Qual o seu nome, agente? — Ponytail quis saber.

— É Cinderela, ô babaca. Tá querendo arrumar confusão antes do exame? Cala a boca e fica manso, que o seu tá guardado. Acabou. Estão grampeados, e se insistir, vou colocar você miudinho, sentado no meu colo até chegar lá na sede.

Nesse momento, os agentes abriram as portas quase ao mesmo tempo, motivados por Lynda, que de longe fazia sinal para que trouxessem todos.

Cerca de uma hora depois, estavam na sede da polícia. Os agentes trataram de levá-los rapidamente para a carceragem enquanto Lynda acertava a papelada.

— Coloque os caras em celas separadas e sem contato — a delegada ordenou ao policial que os conduzia.

Lynda revisou mentalmente a sua agenda e achou que não conseguiria falar com eles no mesmo dia. Já estava na hora do almoço, e ela ainda teria duas grandes reuniões à tarde.

Ao final do expediente, Lynda passou na carceragem para ver se tudo corria bem. Hallcox, deitado, mirava o teto, e Ponytail andava de um lado para o outro, falando sozinho. Mr. Fat, sentado num canto, no chão, parecia ter chorado.

Ela falou pelas grades brevemente com cada um deles e em separado. Sempre a mesma coisa:

— Espero que tenha tido um dia agradável. Amanhã iniciaremos os interrogatórios individuais pra amarrar as pontas que estão soltas. Acredito que o senhor será colaborativo e que tudo poderá ser resolvido rapidamente. Sugiro que não tente inventar nada, pois sabemos muita coisa. Até amanhã.

Pouco depois, Lynda entrou no carro com a agradável sensação do dever cumprido. Ligou o motor, pôs o veículo em movimento e aproveitou o momento para refletir sobre tudo o que acontecera no dia e repensar os procedimentos do dia seguinte. O seu envolvimento com o trabalho era total. Lynda nunca se desligava dele.

Estava tão relaxada que conduzia o automóvel lentamente pelas ruas com destino ao seu prédio. Que sensação boa... A sua vontade era de abrir a janela e dizer ao mundo que conseguira.

Assim que destrancou a porta do apartamento, um cheiro agradável de casa limpa entrou pelas suas narinas. Aquele fora o dia de faxina, e a diarista não falhava. O sofá da sala estava repleto de roupas em cabides, assim como em todas as cadeiras da mesa de jantar. A moça que passava as suas roupas semanalmente deixara tudo com a faxineira. Lynda fazia questão de ela mesma colocar os cabides nos armários.

Na cozinha, Lynda ergueu as tampas das panelas, e o delicioso aroma da comida ainda quente escapou pelo ar. Com o estômago roncando de fome, ela se apressou até a banheira, que deixou enchendo de água, e se despiu, voltando à cozinha. Ainda nua, Lynda montou um belo prato com arroz à piamontese e uma fatia de carne

– 105 –

assada com linguiça calabresa. Pegou uma taça de cristal e o resto de uma garrafa de vinho que estava na geladeira. Colocou a garrafa debaixo do braço para poder equilibrar tudo rumo ao banheiro, e percebeu que não havia sido uma boa ideia, pois a garrafa estava gelada e querendo escorregar. Uma rápida manobra e um chute circense fizeram com que a mesinha especial para refeições fosse deslizando até a lateral da banheira, e Lynda pôde deixar ali taça, prato, talheres e, enfim, retirar a garrafa, que gelava o seio esquerdo. Ela riu de si, como todas as pessoas de bom espírito que acham graça dos próprios erros.

Entrou na água: perfeita. Colocou um belo pedaço de carne na boca e agradeceu aos céus por ser carnívora. Mastigou devagar, saboreando aquela maravilha. Bebeu um belo gole de vinho e não pôde deixar de lembrar o quanto era bom usufruir da civilização. Comida, água quente, vinho, seu apartamento, casa limpa, roupas lavadas e paz. Como era bom ser independente...

Mas como não recordar a eterna discussão com a sua mãe, que dizia que a filha, que não abria mão de empregada, passadeira e cozinheira, só seria independente, como afirmava ser, quando não mais precisasse de ninguém: "Para ser uma moderna mulher do século XXI você conta com uma turma de mulheres tradicionais do século XX", a mãe costumava falar.

Embora discutissem conceitos e Lynda tratasse o tema com humor mesmo sabendo que a mãe falava sério, ela tinha plena consciência de que a sua juventude estava em pleno processo de namoro com o passado, e que um dia não haveria mais volta. A possibilidade de ser mãe era uma dádiva com data de validade imposta pela natureza. Lynda não via a menor possibilidade de inserir um relacionamento na sua vida naquele momento, e, por conta disso, constituir família estava mais distante ainda. Ela era relativamente feliz com a sua independência, porém, sabia que dentro do seu corpo vivia uma perfeita matrona italiana adormecida na forma de um Kraken preso pelas correntes da solidão. E isso a assustava.

22. A SOMBRA QUE AVANÇA

O alemão chegou ao condomínio juntamente com o nascer do sol. De longe, viu os três seguranças do lado de fora da casa e uma pessoa de roupão andando de um lado para o outro falando ao telefone. O seu contratante aparentava estar muito nervoso.

Parou o carro na frente da residência e ficou ali, encostado na lataria. Não gostava nada de vê-lo a céu aberto dando o seu show particular. Tinha certo desprezo por aqueles que reagiam visceralmente aos problemas pertencentes ao campo racional.

O cliente desligou o celular, seguiu na sua direção com passos rápidos e se aproximou, gritando coisas desconexas de maneira agressiva. O alemão, com a mão espalmada, disse:

— Recomendo que se acalme.

— Acalmar o cacete, alemão! Porra! Me levaram tudo!

— Não sou seu inimigo, nem tive responsabilidade pelo que aconteceu. Estou aqui pra ajudá-lo, portanto, sejamos práticos e objetivos. Acalme-se! — O alemão elevou o tom de voz, e podiam-se ver as suas veias saltadas no pescoço. — Vamos entrar pra conversar?

— Sim, vamos. Claro, Jürgen, desculpe. — Esfregando os cabelos, muito tenso, o contratante pegou o alemão pelo braço e, caminhando ao seu lado para dentro de casa, confessou num sussurro: — Agora sabemos o que eles procuravam. Aqueles filhos da puta levaram todo o meu dinheiro! Estou até com medo de ver as outras contas. As principais estão todas vazias. Um desastre, meu amigo, pois eu sou apenas uma das peças do sistema.

— O correto é verificar todas as contas pra ter uma perfeita ideia do que lhe foi subtraído. A partir dessa informação, poderemos tirar algumas conclusões, como a relação entre esse movimento e a invasão na sua empresa. Preciso do seu contador aqui e agora.

— Ele já está a caminho. A minha grande preocupação é que nem todo o dinheiro dessas contas era meu. Tenho compromissos mensais que não podem falhar, e com muita gente. Isso tem que ser revertido, e rápido. São contas de transição. Os números lá não me pertencem.

— Terei de montar uma cronologia dos saques. Eu sei o exato momento em que os garotos foram presos. Se tiver havido algum saque posterior a esse movimento será porque eles não estavam sozinhos, ou foram ações programadas. O saque teria sido realizado por outras pessoas, e isso nos ajudará a entender. Dê-me uma sala isolada. E também um quadro branco e canetas.

— O meu escritório tem isso tudo, além do computador; você pode ficar lá enquanto eu recebo esses manés que trabalham pra mim.

— Irei para o escritório. Daqui a pouco, alguns membros da minha equipe chegarão. Traga-os imediatamente.

— Que equipe, alemão? Você não trabalha sozinho?

— Trata-se de um contador, um advogado e dois especialistas em tecnologia. Você paga bem, e nunca ninguém nesse ramo trabalhou sozinho.

Pouco depois, todos estavam dentro do escritório. O alemão desenhou no quadro branco uma linha do tempo de cada um dos incidentes, anotando hora, minuto e segundo da realização da primeira transferência de cada conta. Logo a seguir, muitas outras transferências menores eram feitas e para diferentes destinos, o que dificultava demais o processo de rastreamento. Não havia dúvida de que era um movimento orquestrado. Ao final de algumas horas, os contadores concluíram que nem todas as contas pertencentes ao contratante estavam vazias.

— Terminamos a primeira investigação e já temos um número, senhor — afirmou o contador do contratante.

— Quanto? — o contratante quis saber.

— Arredondado?

— Não fode, porra!

— Calma, Alberto, esse é um número inicial. Se for mudar, será pra pior, pois esse é o confirmado — o contador explicou. — O montante alcançou noventa e oito milhões de dólares.

Alberto, o contratante, levou ambas as mãos à testa e jogou a cabeça para trás, com uma expressão de dor.

— Quanto eu tenho nas minhas contas no exterior?

O alemão arqueou uma sobrancelha com um nítido interesse pela garantia do seu pagamento.

— Até ontem, vi cento e dez milhões de dólares.

O alemão agora levantou as duas sobrancelhas e olhou para a sua equipe, muito atenta à conversa.

— Estão fora desse ataque. As contas movimentadas estão todas no Brasil. As suas contas brasileiras e as que administramos.

— De quem são essas contas, Zé? — perguntou Alberto para seu contador.

— A maior parte de Brasília, mas também temos Rio de Janeiro, algumas empresas, uma do pessoal da carne, a turma da arte e a que mais me preocupa: a Rota Caipira.

Alberto ficou de queixo caído, com uma expressão de medo. O alemão nunca soube como eram as operações do seu cliente, embora suspeitasse. Aquela seria uma boa oportunidade de se aprofundar no tema. Bastaria continuar ouvindo.

— Quanto tinha lá, Zé?

— Onze milhões.

— Putaquiuspariu, Zé! Caralho! Porra! Porra! PORRA! — Alberto começou a gritar feito louco e a chutar as coisas da sala.

O alemão e a sua equipe se afastaram. Estavam acostumados a lidar com aquele tipo de gente.

— 108 —

— Calma, Alberto!

— Calma o caralho, Zé! A bunda que está na seringa é a minha, porra! Levei anos pra conseguir a confiança desses caras pra agora fazer um papelão desses? Vão colocar o meu saco no ácido assim como o teu, seu merda! Você bem sabe que temos uma operação em andamento, e eu deixei uma garantia muito valiosa. Nada pode dar errado!

Alberto se virou para o alemão e começou a explicar, em voz baixa:

— Nessa operação, eu abro empresas, recebo a grana da Rota, transfiro, contrato outras empresas minhas pra movimentar a grana de um lado pro outro; faço doações para os institutos que me pedem; pago as obras que me pedem; compro carros em nome de outras pessoas; faço finam e dólar-cabo até embaralhar tudo; e no fim, o dinheiro fica com a Rota Caipira ou a turma de terno, longe dos holofotes, nas contas de destino. E esses moleques filhos da puta pegaram as contas de destino!

Rota Caipira. O alemão não conhecia aquele termo, e falou baixinho para o seu advogado:

— Finam eu sei que é carro roubado no Brasil e esquentado no Paraguai, mas o que é essa rota?

— É o corredor do tráfico de drogas no interior do Brasil. Gente da pior espécie.

O alemão, mais uma vez com as sobrancelhas erguidas, voltou a olhar para Alberto, que continuava falando:

— Zé, transfira o meu dinheiro pra conta deles. Não deixe faltar um centavo. Mude as senhas e os outros códigos já. Não posso perder essa garantia de maneira alguma.

— Qual foi a garantia? — o alemão quis saber.

— Tedesco, você não vai querer nem saber... Esses caras pedem umas coisas muito loucas, mas a gente depois entende que são sinucas de bico sem solução. Ou você faz a operação direito ou vai se foder feio.

O alemão, em silêncio, encarava o contratante como que aguardando uma resposta. O contador olhou para o chefe e deu de ombros, como que dizendo que já não faria mais diferença.

Alberto suspirou e, com um olhar triste, disse:

— Instalei a minha amante no melhor spa da região do quartel-general da quadrilha. Ela acha que ganhou na loteria e está tirando férias nababescas, mas na verdade encontra-se numa prisão e com a vida em risco. Se algo der errado na operação, eles vão querer o dinheiro integral e ainda acabam com ela. Acontece que nunca deu errado, que merda!

— 109 —

— Mas por que eles não acabam com você?

— Porque sabem que sou peça fundamental de outras pessoas poderosas. Eles não precisam me bater, basta garantir que arrancarão a cabeça da minha mãe com um alicate de unha. Tudo tem que fluir muito bem. Então eu te pergunto: nunca deu errado? Problemas irão acontecer? Atrasos ocorrerão? Claro! Eles sabem que sim, e não esquentam se você resolver os problemas. O importante não é só fazer a operação financeira. Isso qualquer um consegue. O importante é a capacidade de reação diante do cheiro da merda. Subiu o cheiro, você atua. A operação pode terminar com cheiro de merda, mas nunca como uma merda em si. O dinheiro cai perfumado lá na conta de destino, e eu administro todas as cracas que podem aparecer no dia da operação, assim como um ano depois. Esse é um serviço caro e com poucas pessoas disponíveis pra fazê-lo. Captou, tedesco? Sacou o lance?

— Você quer que resgatemos a sua garantia?

— Não se preocupe com isso, vou repor o dinheiro e eles nem saberão o que houve.

— Eles poderão ver esse movimento no extrato — o contador interveio.

— Traficante não olha extrato bancário, não enche o saco!

— Ele não, mas essa gente também possui um contador, e ele olha o extrato, porque eu sei que olha. Os caras vão te pedir uma compensação, e você perderá mais algum dinheiro ou a sua garantia.

— Mais dinheiro?! Eu já perdi onze milhões só nesse cliente! Você enlouqueceu?

— Meu caro, eles estão com a sua garantia.

— A Ritinha que se foda, ela não vale essa grana.

— Esqueceu alguns detalhes, né? — disse o contador. — Você bolou a tal "solução perfeita", que eu recusei, e fui voto vencido.

Alberto sentou-se na cadeira, desolado, e levou as mãos ao rosto, fincando os cotovelos nos joelhos. O alemão cruzou os braços, observando o seu cliente, curioso pelo que estaria por vir daquela tal solução perfeita.

— Caralho, esqueci! Esqueci completamente. A Ritinha está grávida, e eu dei essa viagem a ela como presente, por conta da notícia. Ela falou que não faria mais sexo durante a gravidez, e eu estava subindo pelas paredes, louco pra pegar uma ratinha daqui. Sabe como é, né? Eu ia muito bem até que ela falou que não transaria mais; aí, pensar em mandá-la pra longe casou perfeitamente com a ideia da garantia, e ao mesmo tempo deitar o cabelo por aqui sozinho. Meu Deus, por que bocetas são artigos tão caros?!

— Porque você paga, Alberto, e eu sei de cada centavo. O planeta está cheio delas à procura dos seus pares numa outra moeda que você não tem, e...

— Ah, vai tomar no cu, seu mórmon filho da puta, e não me azucrina! — Alberto interrompeu o contador aos gritos. — E você, alemão, vai fazer o quê? Essa porra dessa empresa existe desde o tempo do meu avô e sempre fazendo a mesma coisa!

O alemão decidiu que ali estava um bom momento para interromper aquela sandice. Diante de tamanha encrenca e tamanha cifra, teriam que agir rápido, e o show particular de Alberto só atrapalhava. Ele se determinara a tomar as rédeas da situação:

— A partir do levantamento cronológico que fizemos, constatamos que as operações de transferência aconteceram de maneira contínua e automática, ou seja, não tivemos uma pessoa sentada na frente do *home banking* fazendo isso. Aconteceram transferências no mesmo segundo e em bancos diferentes. O nome disso é automatismo, e automatismo bancário não é coisa disponível pra qualquer mortal.

— Então... — Alberto iniciava a fala quando o alemão o interrompeu.

— Deixe-me concluir, por favor.

O rosto de Alberto ficou vermelho, e a veia de seu pescoço saltou.

— Tá, vai! — Alberto se jogou no sofá e acendeu um charuto, que logo em seguida atirou longe.

O alemão, com toda a calma, pegou o charuto do chão e o colocou no cinzeiro da mesa.

— De acordo com as contas atingidas, esse evento parece estar ligado à invasão daquela corretora no Centro do Rio, causa e origem do início da minha participação aqui. Até então, não tinha ficado muito claro o que eles haviam feito por lá, mas agora, sabendo que aquela empresa faz parte desse *pool* de transações, como em qualquer corrente, torna-se evidente que eles encontraram o elo mais fraco. Entraram na sua rede e conseguiram meios para obter essa informação.

— Desculpe-me, mas essa empresa, à época, não estava operando ainda — o contador informou.

— Sim, sabemos disso. O meu consultor de T.I. diz que eles queriam apenas a chave digital desse cofre. Percebam, essa é uma operação com um longo planejamento, com ações eletrônicas, ações de campo e ações bancárias. Não estamos lidando com qualquer um. Há inteligência e disciplina acima do que se espera de um bando de garotos.

— Foda-se, alemão! Eu quero pegar esses caras!

— Os "caras", no momento do saque, estavam presos, ou seja, mesmo que tenham participado de uma parte, não foram eles que fizeram a operação bancária. Ainda estão encarcerados e dificilmente conseguiremos chegar à origem sem que eles digam algo. Os moleques são a única esperança que temos de entender isso tudo e recuperar o dinheiro desviado.

— Presos ou não, eu consigo contratar gente pra acabar com eles.

— Calma, Alberto, esse trabalho é meu, e não pode ser feito de qualquer jeito. Não é possível tocar neles agora, mas podemos fazer com que mensagens sejam entregues.

— Alemão, não tenho tempo pra sutilezas, temos que meter o pé na porta.

— Não são sutilezas, e sim, técnicas que funcionam há milênios.

— O que você pretende fazer, tedesco?

— A minha investigação sobre todos os meninos me levou a montar a vida educacional, profissional e os laços familiares de cada um deles. Esse último é o mais importante. O tal do Ponytail e o Mr. Fat não possuem ninguém em primeiro grau. Porém, o que parece ser o líder deles, o Hallcox, possui uma noiva, e seus pais são vivos. Inclusive esteve com todos os três um dia antes de ser preso. O quarto elemento não foi preso, apenas prestou depoimento. Não parece ter uma grande função no grupo, mas está solto e mora com a mãe. Ambos são refugiados africanos no Rio de Janeiro. O seu nome é Tumumbo. Podemos, através dessas pessoas, chegar ao coração deles.

— Como você pretende fazer isso, alemão?

— Em breve, eles serão visitados pelos familiares na cadeia. Se antes disso deixarmos a nossa mensagem, saberão o que os espera aqui fora. Ou nos contam tudo e como recuperamos esse dinheiro ou deverão se despedir dos seus parentes e amigos. É simples. Sempre funcionou.

— Vou deixar por sua conta então.

- -

Jürgen saiu da casa de Alberto junto com a sua equipe. Naquele momento, dirigindo de volta para o seu escritório, pensava em cada detalhe. Ao mesmo tempo, sentia que teria, cedo ou tarde, que quebrar promessas sobre hábitos antigos e abandonados. Acreditava que o universo gostava de brincar com ele, e que a vida, cirurgicamente, não lhe permitia cumprir o que prometia.

23. A BASE DESPERTA

O rapaz que vinha correndo pelos corredores da Base, com alguns papéis na mão, entrou numa sala, esbaforido. Ao deparar com a recepcionista, indagou:

— Este é o escritório do HAVOC, certo?

— Sim. O que deseja?

— Me diga uma coisa... Como ele é?

— Ele é idêntico ao senhor que está logo atrás de você.

O rapaz se virou. Ali estava uma pessoa de meia-idade segurando um copo de café e com uma expressão séria no rosto.

— Você é da central financeira, não é?

— Sim, sou eu mesmo, seu HAVOC.

— Deu merda na operação?

— Não, a operação seguiu normalmente. O problema é outro. Fazendo as transferências da operação K41L112 e as suas reais titularidades, encontramos um conjunto de empresas que pertencem a pessoas poderosas e que fazem parte do trabalho de outras equipes.

— Explique melhor.

— Veja esta conta aqui. — O rapaz folheou e parou numa página. — É uma empresa em um paraíso fiscal, mas ela pertence a uma outra operação nossa que identificou o proprietário como traficante de drogas. Esta outra conta é de um político que está numa outra operação, com codinome e tudo. Todas as contas acabam por bater em alguma outra operação da Base ou em gente graúda no governo que desconhecíamos. Tem empresas grandes. Vocês acertaram no operador financeiro dessa turma toda.

HAVOC pediu que a secretária chamasse Smoke, que não demorou a aparecer na sua sala.

— Smoke, estive olhando o perfil das empresas que fazem parte daquela operação dos garotos que você trouxe pra cá e gostaria de lhe perguntar algo.

— Diga.

— Mas que caralho de operação foi essa?

— *Brother*, tudo começou lá no projeto CX. Era uma tarefa sem muito valor, mas eu vi um barbantinho e o puxei; veio uma corda, e puxei; veio um elefante, e eu aproveitei a molecada pra cutucar. Por quê? O que houve?

— Elefante o cacete, isso é uma porra de uma manada gigante!

— Mas não é disso que a Base gosta? De chutar a bunda de gente graúda?

– 113 –

— Caralho, Smoke, você só pode chutar a bunda de quem é mais fraco ou está distraído. Se você dá um tapa numa casa de marimbondo, não pode fazer isso de qualquer jeito; tem que estar ligado, porque sempre tem reação. Quando essa manada de elefantes começar a se movimentar, uma porrada de gente nossa vai estar em risco. Será acionada a Polícia Federal; os bancos vão contratar empresas pra rastrear o que foi feito; pode ter imprensa, e cada um desses marimbondos vai querer um pedaço de pele pra atacar. Tenho que subir agora, porque o corneteiro deu o toque de "fodeu". A turma lá de cima está com o sovaco molhado, e agora eu é que vou colocar o meu furingo no baile. Fique na porra do seu quarto, porque eu posso precisar de você.

— Porra, *brother*, não vai rolar. Tenho de sair urgente. Um dos garotos ficou lá fora, e o alemão vai atrás dele. Quero que o Monstro do Vidro se foda. Eu tenho um compromisso com esses meninos. Se a Base caiu fora, eu não vou deixar os caras na mão.

— Smoke, fica na porra do quarto. — HAVOC bateu com o dedo indicador no peito de Smoke de maneira quase fraternal, com voz baixa e lenta. — Não se comporte como uma colegial histérica. Venha pro mundo dos adultos. Você conhece as regras.

HAVOC saiu da sala, e Smoke ficou por ali, andando em círculos. Olhou para a secretária, que o observava com atenção.

— Estou vendo no sistema que o senhor ainda não chegou ao quarto.

— Já está se achando a vice-presidente?

— "Entre pro mundo dos adultos." Eu guardaria essa frase pro meu filho, caso tivesse um — a secretária zombou de Smoke.

Ele saiu resmungando algo sobre chupar alguma coisa, enquanto a secretária fazia sinais com os dedos. Smoke decidiu utilizar esse tempo incontornável para escrever a carta para seus avós.

24. AVISOS

A mãe de Hallcox lavava a louça do café da manhã quando escutou a campainha tocar. Ela enxugou as mãos no pano de prato preso à cintura e foi para a frente da casa, levando a chave do portão e esticando o pescoço para ver quem era. Pelos pequenos espaçamentos entre as tábuas, Elaine avistou uma senhora. Antes de chegar ao portão, já deu início a um diálogo:

— Bom dia — Elaine cumprimentou.

— Bom dia, senhora, desculpe incomodar.

— Sim, o que deseja?

— Eu queria falar com a senhora.

— Desculpe, mas não te conheço.

— Eu sei, mas eu conheço o seu filho.

Elaine interrompeu a caminhada, entrando em modo atenção.

— O que você quer?

— O seu filho em breve deve lhe telefonar da prisão. Então, apenas diga pra ele que nós queremos algumas informações. Pouca coisa.

— Você é da polícia?

— Não, senhora. Nesta idade, como eu seria da polícia?

— Quer dizer que é bandida. Não tem vergonha nessa cara, não? Depois de velha se prestando a esse tipo de coisa!

— A senhora é que não está entendendo, pois é uma dona de casa muito burra.

— Burro é o teu passado! Eu vou abrir esse portão e quebrar a sua cara!

Num segundo, Elaine escancarou o portão e avançou para pegar pelo cabelo a outra senhora, que se esquivava com alguma agilidade, mas, mesmo assim, não conseguiu escapar de um soco certeiro no nariz, que a fez cair sentada na calçada. Dois homens saíram de um carro próximo, sacando as pistolas. Diante daquilo, Elaine conteve o ímpeto. Um dos homens auxiliou a senhora a se levantar.

— Isso foi bem inesperado. Agora as coisas vão ficar feias. Preciso deixar um recado para o seu menino.

Nesse momento, Cláudio apareceu no portão apontando uma enorme arma de caça na direção do trio.

— Vejam, eu trouxe uma caneta pra anotar recados. — E balançou a ponta da arma. Ele havia visto a confusão e pensou se tratar de algum assalto.

Houve um longo momento de silêncio. Elaine lentamente se deslocou para trás do marido.

— Eu já liguei pra polícia. Acho melhor vocês caírem fora.

Os três foram andando para trás em direção ao carro. Em instantes, fizeram o retorno e partiram sob a mira da arma de cano longo.

— Querido, eles me ameaçaram por causa de alguma coisa que o nosso filho fez.

— Conheço esse tipo de gente. Eles vão voltar.

— Pena que a polícia não chegou.

— Temos que ligar pra eles agora.

— De novo?

— Eu não liguei pra ninguém. Foi um blefe.

— Quer dizer que deu pra mentir agora, é?

— Foi necessário. Deus perdoa. Agora, entre e vamos pensar no que fazer.

Cláudio notificou a polícia civil, a militar, e até a Polícia Federal.

Elaine foi à cozinha para começar a preparar o almoço, com um .38 na cintura. Não tendo para onde ir, o casal resolveu se defender.

Algumas viaturas policiais alteraram a ronda para passar por aquela rua. Somente na primeira semana.

A cento e sessenta quilômetros dali, no bairro de Santa Teresa, um jovem negro e atlético, de aproximadamente dezoito anos, entrou numa favela da região. Ele caminhava com determinação e utilizava o uniforme de uma empresa de entrega de gás, levando um botijão nas costas. Parou em frente a uma porta e, na ausência de campainha, bateu na madeira três vezes. Viu um movimento nas cortinas da janela da sala. Alguns sons de fechadura e a porta se abriu. Apareceu uma belíssima senhora negra, alta e esguia, uma compleição bem diferente daquela das cariocas, não só pelo corpo, mas também pelo cabelo curto e de trançado artístico.

— Bom dia, senhora.

— Bom dia. Não pedi gás — ela respondeu, com um sotaque português.

— A senhora é a dona Niara?

— Sim. — Ela franziu as sobrancelhas.

— Mãe do Tumumbo?

— Isso mesmo.

— Tenho um recado pro seu filho. — Ele colocou o botijão de gás no chão e começou a falar, enquanto limpava as mãos: — Diga ao Tumumbo que pessoas foram prejudicadas e que ele tem que ajudar a desfazer esse erro. Os amigos dele estão presos, mas ele está solto.

Nesse momento, Niara arrastou o pé direito um pouco mais para trás, tomando lentamente uma base para que pudesse reagir a algum ataque rápido. Começou a sentir as têmporas pulsando e já não escutava o que estava sendo dito. Aquilo era uma ameaça, e Niara desconhecia qualquer participação de Tumumbo em algo que pudesse ter provocado aquilo. O mensageiro percebeu que houve uma mudança de postura, a mulher pareceu mais alta, o queixo estava mais levantado do que o normal, o rosto, firme, e o branco dos olhos ajudava a montar uma expressão de superioridade e orgulho.

O recado estava dado, mas não fora bem recebido, e antes que o mensageiro terminasse, sentiu uma forte pancada vinda por trás que lhe atingiu a perna direita, obrigando-o a dobrar os joelhos. Numa olhada rápida, ele viu um jovem negro de punhos cerrados. Lembrou-se da foto que vira antes daquela missão e reconheceu Tumumbo, que pelo jeito não gostara nada de ver a mãe sendo ameaçada.

O mensageiro tentou se reerguer, para então receber um outro chute, mas ele conseguiu segurar o pé de Tumumbo. Apoiou uma das mãos no chão e projetou o quadril para o alto, abrindo a perna em tesoura e acertando a cabeça do oponente com o pé. Nitidamente, era um capoeirista, que gingou e depois parou ereto. Tumumbo se preparava para investir quando sentiu a mão da mãe no ombro. Ele parou. A família Kinsasha já havia participado de muitas lutas.

O mensageiro foi embora com o seu botijão de gás, e Tumumbo contou tudo para a mãe.

25. A DECISÃO

HAVOC entrou na famosa sala de reuniões dos supervisores conhecida como "A Catedral", por conta da altura do seu pé-direito e das janelas com vitrais coloridos simbolizando cada uma das especialidades, além de, evidentemente, uma luz artificial que vinha de fora lhes dando vida e a impressão de não se estar no subsolo. Era uma sala muito bonita, limpa, lisa, redonda, com paredes de pedras brancas, mas com diversas linhas e finos veios coloridos. Logo no chão da entrada e recortada em letras góticas e com preenchimento em resina azul, via-se a expressão lema dos que ali ingressam: *"Ultima ratio"* — a última razão.

Havia uma grande mesa redonda acompanhada por treze cadeiras. Cada oficial tinha a inscrição da sua designação no encosto de cabeça. O S1 era o responsável pelo pessoal e pela administração; o S2, informações, inteligência e segurança; o S3, operações; o S4, logística; o S5, planejamento; o S6, comunicações e sistemas de informação; o S7, instrução; o S8, finanças; o S9, cooperações externas. As outras quatro cadeiras eram maiores e mais bonitas. Embora sem identificações, pareciam sempre reservadas a autoridades que nunca estavam presentes. Eram mais conservadas que as demais, e os seus espaldares, mantidos colados à mesa. Visitantes, secretárias e outros auxiliares utilizavam assentos que ficavam próximos das paredes, e por ali aguardavam pela solicitação da sua participação. Muitos eram os equipamentos eletrônicos que davam suporte ao interior de uma das mais importantes salas da Base. Havia três telas retráteis com equipamentos modernos de projeção. Cada cadeira tinha ao seu dispor um computador completo, telefone e os controles remotos dos equipamentos da sala, todos embutidos na grande mesa ao dispor do seu usuário.

Uma secretária se ergueu e apertou um botão num canto da mesa, que fez se levantarem suavemente um teclado e um pequeno monitor de dez polegadas. Após digitar os comandos necessários, ela informou dia, data e hora, e também que a reunião já estava configurada para gravação. Então, uma haste escura e fina, com aproximadamente vinte centímetros, surgiu na frente de cada participante: eram microfones individuais. Em duas das cadeiras vazias surgiram caixas de som, voltadas para o interior da mesa. O fato de as outras caixas permanecerem ocultas significava que haveria apenas dois participantes remotos. Uma luz verde se acendeu na lateral das caixas de som, indicando que os participantes remotos estavam *on-line* e na escuta. Tudo era feito para que as reuniões fossem rápidas e objetivas. Conforme o protocolo de gravação, cada supervisor se anunciou.

— S1, presente.

— S2, presente.

E assim até o último. Ao final, a secretária anunciou em seu microfone a presença de todos os outros auxiliares, inclusive HAVOC.

O S3 se aproximou do microfone e esclareceu o motivo da reunião:

— Pois bem, estamos todos aqui para tomarmos algumas decisões sobre as consequências da operação K41L112. O resumo está disponível nas suas telas. Independentemente de estarem a par ou não, é mandatória a leitura com os últimos fatos. Temos três minutos.

Sem demora, cada um aproximou de si o próprio monitor. A secretária entregou um tablet a HAVOC e anunciou que restavam dois minutos. E logo a seguir, que restava um. Todos recolocaram os monitores no lugar. As expressões não eram boas.

O S3 continuou:

— *Status questionis* realizado, temos uma série de decisões a tomar. Como ficou claro e em diferentes níveis, cada uma das atividades dos senhores será afetada. Sofreremos essa turbulência como de costume. É preciso que cada um esmiúce com as suas equipes as medidas necessárias para que se mantenha a normalidade. Os senhores receberão a lista de alvos que foram subtraídos na operação K41L112, juntamente com o cruzamento feito pelos nossos computadores para cada uma das equipes e operações em andamento, ou finalizadas.

Ele prosseguiu, após uma pequena pausa:

— A origem de toda essa turbulência no fluxo operacional da Base, como vocês leram, ocorre de uma ação não cadastrada de um HC conhecido como Smoke, que estava fora da Base num período de férias. As pessoas que nos ajudaram a dar esse pontapé involuntário no Systema não têm ligações conosco, mas sabem da

– 118 –

existência da Base e do HC citado, pois ele os convidou para ingresso antes de cadastrá-los, e deveremos deliberar sobre alguma possível punição. Smoke se encontra em seu alojamento aguardando por isso, portanto, esta é a questão que deveremos decidir: qual será a posição dos supervisores da Base no que tange ao HC e aos supostos candidatos, que estão presos na Polícia Federal? Ouçamos o que tem a dizer o senhor HAVOC, coordenador provisório do HC. Qual é a posição do seu departamento?

HAVOC sabia que, cedo ou tarde, teria problemas quando lhe disseram que seria o coordenador temporário de um outro conjunto de células e que dentro desse conjunto estava Smoke, um antigo membro da sua equipe de muitas boas operações e alguns contratempos. Ele se encontrava agora diante do que poderia chamar de dilema. Mas esse dilema já havia sido resolvido na sua mente muito tempo atrás. A formação sólida da Base, que é dada em todos os sentidos, além da tecnologia, os leva a colocar a inteligência no centro da personalidade, e não a costumeira falha do mundo moderno de colocar a vontade no centro da personalidade. Sendo assim, HAVOC sabia que não lhe restava nada além de fazer o que era certo, não importando o seu desejo de que Smoke respondesse pelos seus erros. Sim, ele teria que realizar uma defesa simples e curta, conforme o protocolo de reuniões:

— Bom dia, senhores. Devo lembrar que estamos recrutando. E com urgência. Esses jovens demonstraram que estão no nível inicial que a Base exige para ingresso. Eles demonstraram trabalhar bem seguindo a coordenação realizada dentro dos nossos protocolos que o HC lhes impôs. Esses jovens, na realidade, fizeram fora da Base o mesmo que fariam aqui dentro. Eles nos favoreceram operacional e financeiramente. E em nenhuma das suas ações eles tinham consciência do perigo que corriam. Esses rapazes aceitaram a proposta do HC de ingressar na Base, mas não sabem que o convite foi feito de forma irregular. Todos eles são inocentes em tudo isso e precisam da nossa ajuda. Quanto ao HC, por melhores que tenham sido as suas intenções, acredito que não deva sair ileso de tal conduta, e deixo isso a cargo dos senhores. Eu termino aqui.

Seguiu o S3, perguntando a HAVOC:

— O senhor tinha conhecimento dessa operação?

— O HC estava gozando de férias e não reportou nada. Descobri recentemente.

— Pois bem, a partir da colocação do senhor HAVOC, os senhores têm dois minutos pra refletir sobre o tema e decidi-lo. Ao final, começando pelo S1, pronunciem-se.

Os microfones retráteis surgiram novamente diante de cada supervisor, para o início da votação:

— S1, voto pela soltura por *habeas corpus* e ingresso de todos na Base. Voto pela punição nível dois para o HC.

— S2, voto pelo abandono de todos e punição nível três para o HC.

– 119 –

— S3, sigo o voto do S1.

— S4, sigo o voto do S1.

— S5, voto pelo ingresso dos meninos e punição nível três para o HC.

— S6, voto pela eliminação de todos e punição nível quatro para o HC.

HAVOC arqueou as sobrancelhas.

— S7, sigo o voto do S6.

— S8, sigo o voto do S5.

— S9, sigo o voto do S6.

HAVOC ficou confuso. A palavra "eliminação", embora utilizada esporadicamente pela Base, desviou a sua atenção da contagem dos votos. Ele olhou fixo para a secretária, que anunciaria a decisão final. O processo era rápido. Ela anotou num sistema específico durante a declaração dos votos, que apareciam em todos os terminais, para confirmação.

— Pois bem, senhores, que fique registrada a decisão: será realizado procedimento de soltura e ingresso na Base para todos os que estão na carceragem da Polícia Federal, assim como a aplicação de punição nível três para o HC de codinome Smoke. Que cada supervisor responsável pela aplicação dessa deliberação inicie os procedimentos. Declaro a reunião encerrada e a interrupção das gravações a partir deste momento.

HAVOC precisou de um tempo para entender o que havia sido decidido. Ele só poderia sair depois que todos tivessem deixado o andar. Assim, permaneceu sentado, pensando nas consequências daquela decisão inevitável. Ele tinha de descer para falar com Smoke em seu quarto.

Quando a secretária se levantou, sinalizou com a cabeça que HAVOC podia sair. Eles seguiram em direções diferentes, acompanhando a iluminação indicadora de cada um.

HAVOC saiu do elevador no seu andar e passou na sua sala para realizar algumas tarefas no seu terminal. Ele liberou as informações que seriam pertinentes para a sua equipe administrativa; verificou se havia algo novo nos e-mails; passou pelo seu encarregado de operações para se atualizar sobre o *status* das suas células e, enfim, se dirigiu para o quarto de Smoke.

Ao passar na porta do refeitório, entrou e pegou duas latas grandes de cerveja. Ele sabia a marca predileta de Smoke. Os dois haviam sido bons amigos no passado. Um tempo sem retorno.

— É, vamos precisar de um pouco disto… — murmurou HAVOC, retornando ao corredor.

Ele usou a lata para bater, e quase imediatamente a porta se abriu. HAVOC atirou a cerveja para Smoke, que a agarrou no ar com uma expressão de dúvida. HAVOC fez-lhe um sinal com a cabeça para que entrasse, e Smoke sentou-se no chão, com as costas apoiadas na parede.

HAVOC, ainda com a porta aberta, puxou a cadeira do computador e se acomodou. Os dois tomaram longos goles. HAVOC terminou com um leve sorriso no canto da boca. Smoke não acreditava que HAVOC seria sarcástico com um assunto tão caro para ele.

— Notícias da reunião, Smoke. Fui convidado a prestar alguns esclarecimentos e acabei tendo que bancar o advogado de defesa dos meninos.

— Ih… Fodeu!

— É, você sempre foi um homem de pouca fé…

— Para com essa porra agora e não me venha dar sermão! Nada disso me interessa, só quero saber o que foi decidido. Vai, anda, fala logo sem dar voltas.

— Pois bem, você quer a notícia boa ou a ruim?

— Que inferno! — Smoke colocou a lata no chão e levou ambas as mãos ao rosto. — A boa. Me diz a boa.

— A Base vai incorporar os meninos.

Smoke explodiu em alegria num salto digno de gol em fim de copa do mundo.

— Antes da notícia ruim, devo te avisar que o Tumumbo não entra na decisão da Base. Ele está só e por conta própria.

— Mas vão pegá-lo!

— Sim, podem pegá-lo, e a todos os parentes dos meninos. É por isso que costumamos selecionar pessoas com poucas ligações familiares: não temos como proteger toda a árvore genealógica dos que entram aqui. Por esse motivo é fundamental o sigilo. Eles já são procurados.

— Péssima notícia… Terminamos, então?

— Claro que não. Ainda não falei sobre a notícia ruim.

— É verdade. Eu devo ter algum tipo de punição. Qual foi o nível?

— Três.

— Puta merda! — Smoke tornou a se sentar no chão. — Estou fora!

— Sim, você está fora e deve sair imediatamente. Mas não sem antes passar no pessoal do S1 pra devida instrução. Esse é o único caminho habilitado a partir do seu quarto, conforme o protocolo.

— *Brother*, ao menos os meninos foram salvos, e eu agora tenho realmente que ir ajudar o Tumumbo, que não faz a menor ideia do que está se aproximando dele.

— Isso aê, meu amigo, pensamento positivo. É o que te resta. Tchau pra você e boa sorte na vida. — HAVOC lhe deu as costas e saiu do recinto.

– 121 –

Um transporte deixou-o num bairro da zona norte. O motorista lhe entregou uma mochila, que Smoke sabia conter os seus pertences. Ele vasculhou o conteúdo, apanhou o seu celular pessoal e ligou-o. Havia uma mensagem de HAVOC de uma hora atrás: "O Systema visitou a família do Tumumbo e a do Hallcox. Ameaças. A do Tumumbo é problema seu. A do Hallcox é problema nosso".

26. A PRECIPITAÇÃO

O alemão dirigia o seu BMW pelas ruas da zona sul quando o seu celular vibrou. No aparelho, uma mensagem de Alberto, seu contratante: "Preciso de notícias. Não estou gostando da demora".

Ele respondeu com um endereço e pediu que Alberto fosse até lá. Pegou o primeiro retorno e voltou para o local onde concentrara as operações de busca: uma casa alugada numa rua simples na zona norte. Local de fácil acesso, próximo a um grande shopping, metrô e grandes avenidas que podiam rapidamente levar a qualquer lugar.

As paredes já não estavam mais lisas. Nelas havia uma grande quantidade de fotos, diagramas incompletos e textos de jornais, revistas e impressos. Várias pessoas também faziam parte da organização montada pelo alemão. Nem todas eram brasileiras. O trabalho era metódico, e os telefones tocavam sem parar.

Algum tempo depois, as câmeras de segurança da casa mostraram um Porche Cayene parado em frente ao portão. O alemão saiu e abriu a porta. Alberto já estava fora do carro.

— Venha, senhor, preciso lhe mostrar o que já conseguimos e o que estamos fazendo.

Alberto entrou e foi caminhando, em silêncio, entre as ilhas de trabalho e o som de telefones, teclados, impressoras e aparelhos de fax. Ele, que a tudo observava, dissipou no mesmo instante a dúvida que tinha sobre a efetividade do alemão. Era nítido que estava fazendo a coisa de maneira profissional e meticulosa.

Numa das paredes, viam-se as fotos de todos os rapazes e as suas respectivas árvores genealógicas. Abaixo das fotografias de todos que não tinham descendência, havia uma fita crepe branca com a inscrição "Não possui". A exceção era Hallcox, que tinha uma noiva com uma ramificação para um filho ainda não identificado.

Uma anotação a lápis dizia: "Grávida até agosto", o que indicava o possível mês do nascimento. Acima estavam os seus pais.

— Então esses são os familiares daqueles filhos da puta que pegaram o meu dinheiro.

— Sim, senhor, identificamos todos.

— E o que estão fazendo com essa informação?

— Já ativei duas equipes que foram a esses locais pra conversar com eles. Deixamos o recado de que queremos informações, senão haverá consequências.

— E onde eles moram?

— Senhor, veja que ao lado da foto tem um número. Naquela outra parede, temos o que sabemos de cada um.

Alberto olhou a ascendência de Hallcox, memorizou o número de sua mãe e se encaminhou à parede de dados. Constatou algumas informações biográficas e um endereço de um município da Região dos Lagos. Ele sacou o celular e passou a tirar fotos de cada um dos dossiês da parede.

O alemão não gostou nada daquilo e teve vontade de pedir que ele parasse. O brilho do *flash* chamou a atenção dos operadores, mas o alemão ergueu a mão, indicando que eles não se manifestassem. Por fim, Alberto tirou foto das árvores.

— O que pretende fazer com isso? — o alemão quis saber.

— Por enquanto, nada. Só curiosidade. Algum problema?

— Sim. Eu te peço que não faça nada, não interfira, nem passe isso para ninguém.

— Ah, claro, não se preocupe. Gostei de vir aqui e ver o que está fazendo com o meu dinheiro.

— É bom ouvir isso, senhor.

— Sabe qual é o meu problema, alemão? Recebi a informação de que a minha garota, que estava naquele hotel como garantia, está desaparecida. Não consigo mais contato, nem com ela nem com ninguém daquela operação. Assim como o meu contador previu... aquele urubu filho da puta... eles descobriram a movimentação de saque e reposição e não gostaram nem um pouquinho. Eu escutei um monte de desaforos ao telefone e acho que eles sacaram a garantia. Aquela menina me dava uma baita despesa, mas ela ia ser a mãe do meu filho, e agora... Sei lá. Todos sumiram, e essas paredes estão cheias de gente que pode pagar por isso. Essa porra vai ter que andar mais rápido, porque eu acho que esses caras virão pra cima de mim e do resto da minha família. Não posso avisar nada para os meus clientes, senão eles tiram tudo de mim. Tenho de recuperar o meu dinheiro e a minha reputação, alemão. Se o meu rabo explodir, o seu vai junto, viu?

— Senhor, preciso que confirme que não fará nada.

– 123 –

— Vou confirmar é o caralho, alemão! Eu quero a cabeça deles!

Ao ouvir Alberto berrando, todos os operadores desligaram os telefones — se algum dos aparelhos estivesse grampeado, seria gravada a histeria de Alberto — e saíram da sala.

— Essa porra está demorando muito, e eu não quero ficar brincando de colocar papelzinho na parede, caralho! — Alberto estava visivelmente alterado, com o rosto vermelho e os olhos arregalados.

— Acho melhor chamar o seu motorista para levá-lo. Não há muito mais o que ver por aqui. — O alemão não disfarçava a sua insatisfação com aquela cena.

Em dois minutos, o alemão olhava o carro sumir na curva, pensando sobre todas as implicações possíveis daquela visita e que tipo de ações Alberto poderia tomar. Isso o preocupava. Tudo poderia ruir se Alberto se precipitasse — e ele se precipitaria. O seu desejo era sumir com Alberto, mas o problema era que ele era o contratante.

27. DATA VENIA

O sol brilhava no céu azul sem nuvens de mais um dia no centro da cidade, mas o calor não prejudicava o caminhar ereto e decidido de uma jovem advogada que agora aguardava num sinal de trânsito da rua Primeiro de Março. O destino dessa pedestre, que trabalhava num dos inúmeros escritórios de advocacia acionados indiretamente pela Base, era o fórum local.

O S_3 acionara os seus especialistas jurídicos para que estudassem o caso dos meninos presos. O processo em si não interessava; o objetivo era a libertação por qualquer período e com a menor quantidade possível de esforço, para que pudessem embarcá-los num transporte e desaparecer com eles.

O instrumento legal escolhido foi o *habeas corpus*, que visa cessar a restrição à liberdade decorrente de ilegalidade ou abuso de poder. Trata-se de um recurso antigo, que remonta ao direito romano, a partir do qual qualquer cidadão poderia reclamar a exibição de uma pessoa livre que fora detida ilegalmente. Séculos de lutas, sangue, sofrimento, política, literatura, discursos e a evolução natural do ser humano rumo ao justo e correto permitiam que agora uma advogada entrasse livremente num templo da justiça e entregasse uma solicitação em caráter liminar de *habeas corpus*.

A máquina jurídica, quando movimentada, era uma das poucas coisas azeitadas no serviço público. A responsabilidade profissional e também o temor faziam com que a autoridade coautora acatasse imediatamente a ordem concedida. Qualquer atitude diferente seria considerada desobediência, e o juiz poderia determinar a prisão do detentor ou requisitar a força para execução da sua ordem, e isso arruinaria carreiras, algo que nenhum concursado quer.

28. SALVANDO INOCENTES

Smoke matava a fome numa modesta pensão no bairro de Bonsucesso, um estabelecimento típico das regiões mais pobres da cidade e de menu restrito, mas de preço honesto e excelente qualidade. Enquanto comia, ele pensava nos próximos passos. Deveria decidir se primeiro iria falar com Tumumbo e sua mãe, ou se com os seus avós. A parte mais difícil seria conversar com os avós, que, além do susto de rever o neto supostamente morto, poderiam concordar ou não com a sugestão de ter uma pessoa ajudando-os na casa.

Smoke pagou pela refeição, dirigiu-se a um telefone público e discou o número de Tumumbo, que atendeu:

— Alô?

Smoke respondeu, pausadamente:

— Preciso que você apenas escute e não diga o meu nome, valeu?

— Tá.

— Meu camarada, o seu telefone talvez esteja grampeado. Você e a sua mãe podem estar correndo perigo.

— Disso já sabemos. O que fazer?

— Você se lembra da roupa que eu usei na última vez em que nos vimos?

— Sim, um uniforme.

— Isso mesmo. Não fale o nome da empresa, ok?

— Certo.

— Perto daquele lugar em que você estava tem um local de atendimento dessa empresa. Você conhece?

— Sim, sei onde é.

— Logo em frente há um estabelecimento que vende comida.

— Percebi.

— Encontre-me lá em uma hora. Pode ser?

— Pode, sim.

Smoke desligou e consultou as horas. A distância não era grande, mas o trânsito no Rio era bastante imprevisível. Assim preferiu pegar um táxi. Ele sabia que Tumumbo iria de metrô e deduziu o trajeto de caminhada do garoto até o local.

Em menos de vinte minutos, Smoke chegou ao ponto marcado. Entretanto, em vez de ficar ali, ele continuou avante até um posto de gasolina e entrou na área de conveniência.

Comprou um jornal e uma lata de cerveja e sentou-se de frente para a área envidraçada com visada para o local de encontro. Pouco depois, quase no horário marcado, Smoke avistou Tumumbo vindo pela rua e parando em frente aos Correios, para logo a seguir entrar no estabelecimento combinado. Smoke continuou observando por mais alguns instantes, para confirmar se ninguém o havia seguido até ali.

Smoke dobrou o jornal, colocou-o embaixo do braço, saiu do posto de gasolina e foi até Tumumbo, que se acomodara a uma mesa. Ele se levantou, e os dois apertaram as mãos respeitosamente. Smoke se sentou de frente para a porta principal do estabelecimento.

— Primeiro, desculpe-me pelo que aconteceu com a sua mãe. Já fui informado. Estou aqui pra resolver isso.

— Seu Smoke, o que aconteceu com a rapaziada?

— Todos foram presos, mas deverão ser soltos a qualquer momento. Tem gente trabalhando nisso.

— E o que acontecerá depois?

— Esse é outro assunto. Vamos focar no seu caso. — Smoke sabia que Tumumbo, embora fizesse ideia da existência da Base, nada sabia do acordo firmado com os meninos.

— Tudo bem.

— Você lembra que no dia em que entreguei os envelopes eu te prometi tentar arranjar um trabalho pra sua mãe?

— Sim, claro! Eu concordei na hora.

— Então, a parada é essa. Preciso proteger vocês dois, mas ao mesmo tempo darei um emprego pra ela.

— Ela há de gostar muito. No entanto, como o senhor pensa em fazer isso?

— Um casal de idosos está precisando de alguém pra ajudar nos afazeres domésticos. E nos fundos da casa deles existe uma meia-água que servirá como uma residência exclusiva pra vocês. A sua mãe não precisará mais morar na favela nem receber auxílio financeiro. Ela terá um teto e um emprego ao mesmo tempo. O que me diz, *brother*?

— Nossa, seu Smoke, isso seria um sonho...

— E é o que estou te propondo. Você acha que ela aceitaria?

Tumumbo, em vez de responder, mudou radicalmente de assunto:

— Por que recebemos uma ameaça?

Smoke sabia que essa parte da conversa seria inevitável.

— Aconteceu algo imprevisto, e a culpa foi minha.

Tumumbo arqueou as sobrancelhas.

— Antes de saber sobre a prisão de todos, o meu plano era continuar passando várias coisas pra vocês até que chegassem a um ponto ideal de conhecimento. Porém, a ação dos federais quebrou as minhas pernas. Eu sozinho não tinha como resolver aquilo e a minha única opção foi pedir pra Base intervir. Só que para os caras fazerem isso eu teria de provar que vocês eram bons, e assim tive de mostrar os dados da última operação, meu único trunfo. A Base recebeu os dados, deliberou e decidiu que mesmo assim aquilo não estava certo, e num determinado momento eu fiquei num desespero sinistro. Perdi vocês e o trunfo. Foi tudo pras picas.

Tumumbo não piscava.

— Aí eles começaram a processar os dados e fazer as transferências. Quando identificaram que os dados eram de gente graúda, acendeu-se o alerta amarelo. Essa turma graúda começou a reagir e acabou por descobrir informações sobre todos vocês; o que os levou à sua porta.

— É, eu deduzi essa parte — Tumumbo afirmou, triste.

— A Base não protegerá você e a sua mãe. Agora vocês são minha responsabilidade.

— Coisa pessoal, seu Smoke? Quero dizer... com os seus recursos?

— Isso mesmo. Estou aqui mais como o pagador de uma dívida moral, pois fui eu quem colocou você e a sua mãe nessa furada.

— Eu entendo e lhe agradeço.

— Será que a sua mãe aceitará a proposta?

— Creio que sim, mas vou ter que contar a ela os fatos. Acredita que seria algum problema?

— Ah, Tumumbo, o que é um peido para quem já está cagado?

— Nesse caso, conversarei com ela. Como poderei achá-lo?

Smoke fez sinal para o atendente e lhe pediu uma caneta. Num guardanapo, anotou um número e o passou a Tumumbo.

— Aqui está. Registre como meu contato, mas com um nome diferente do meu. Preciso que você fale logo com a sua mãe e me diga o que resolveram. Se ela concordar, prepare imediatamente as malas. Agora, vá. Depois nos falamos.

– 127 –

Passados alguns minutos, Smoke saiu do estabelecimento e mais uma vez realizou todo o protocolo para saber se ele ou Tumumbo estavam sendo seguidos. Nada foi revelado.

Sentia-se de certa maneira aliviado pela boa conversa que tivera com Tumumbo. Não saberia o que fazer caso o rapaz recusasse. Mas teria que esperar a resposta para falar com os seus avós.

No dia seguinte, na casa do alemão, alguém posicionava uma fotografia na parede — já coberta com todos os diagramas de relacionamentos e fotos dos investigados — mostrando duas pessoas conversando numa mesa de bar. Uma delas recebeu um pequeno adesivo com o seu número de cadastro. Era Tumumbo. O adesivo da outra, ainda não identificada, tinha apenas um ponto de interrogação.

O alemão observava, intrigado, aquele novo personagem diante de si.

29 A LONGA ESPERA

Ponytail, deitado no chão, olhava para a cama de concreto armado que se conectava à parede. Ele tentava entender a sua construção e a quantidade de ferro para que fosse tão firme sem sucumbir ao próprio peso. O sanitário era um engenhoso buraco no chão, com um mínimo de conforto. Em frente e do outro lado da cela ficava o lavatório e a bancada para objetos pessoais. Ponytail achou tudo muito funcional, o que o fez refletir sobre a enorme quantidade de coisas inúteis que colocamos à nossa volta.

Mr. Fat andava e falava sozinho o dia inteiro. Por vezes, ria alto. Sabia que a sua situação criminal era agravada pelos seus antecedentes.

Hallcox conversava com Mr. Fat e sabia que Ponytail também escutava. Pedia para que tivessem calma e lembrassem do que Smoke dissera: eles não estavam sozinhos, e as coisas se ajustariam. Gostava de lembrar que havia uma boa grana à sua espera. Todavia, mesmo ele já não acreditava no que dizia — tudo o que pretendia era confortar os amigos. Pensava na sua noiva grávida e no desgosto que proporcionara aos pais. Se pudesse voltar atrás, teria feito as coisas de maneira diferente.

Hallcox se manteve completamente mudo nos interrogatórios, mas, diante das promessas de afrouxamento e liberdade condicional, começava a achar que devia revelar o que sabia sobre a Base. Hallcox seria capaz de se sacrificar para melhorar a situação dos seus amigos e da família. O que o movia não era a possibilidade de obter vantagens pessoais. Já se sacrificara inúmeras vezes em favor de outras pessoas. Fazia de tudo para vencer, mas não se incomodava em não receber o prêmio. Desde cedo, o pai dizia que a sua vocação estava entre a medicina e o seminário, mas a compra de um microcomputador nos anos 1990 para o jovem filho despertou o caminho pela área da tecnologia.

Hallcox rememorava tudo isso. Ele, apenas um pouco mais alto que o balcão, na loja com o pai. Um vendedor indo buscar uma grande caixa cinza, que colocou no balcão. As letras garrafais vermelhas anunciando o seu conteúdo. O desenho futurista estampado e a mágica de andar pela rua abraçado com um sonho ofertado pelo pai — a recompensa por um fim de ano com notas altas na escola. Apenas na vida adulta Hallcox teve condições de reconhecer todo o amor com que fora criado. Ele se sentia agora um náufrago que, à deriva, não tinha dúvida sobre o que realmente importava. Aquilo contribuía para a sua dor. O silêncio e a solidão da sua cela ajudavam-no a abrir mão da postura de homem forte. As lágrimas eram a sua única companhia.

30. OLHO-GRANDE

O alemão estava ao telefone quando foi interrompido por uma das suas funcionárias. Ela apontou para um monitor de TV que mostrava a entrada da residência, onde se encontrava um segurança de Alberto. O alemão fez um sinal com a cabeça, e ela retornou às suas atividades; ele se voltou de novo para o telefone, sem tirar os olhos do monitor. Pouco depois, abriu o portão da casa. O som chamou a atenção do distraído segurança, que jogou uma guimba de cigarro no chão e prontamente foi na sua direção.

— O seu Alberto pediu pra buscar o senhor.

— Você sabe o motivo?

— Devo levar o senhor ao escritório do contador.

O alemão ficou em silêncio. Ocorreu-lhe por um instante que talvez Alberto fosse matá-lo, ou demiti-lo. Mas por que Alberto não telefonara para ele? Era uma situação estranha. Podia ser que houvesse mais algum elemento nas finanças do doleiro… Algum fato novo dentro da investigação.

— Aguarde-me um instante, vou buscar a minha carteira. Vá manobrando o carro pro outro sentido da rua.

— Sim, senhor. — E o segurança se dirigiu ao veículo.

Alberto colocou uma pequena Glock 30 no coldre na sua canela, a Glock 21 na parte posterior da cintura e uma Sig Sauer P210 na lateral do tórax. Apanhou no seu sempre bem abastecido cofre um belo maço de dinheiro, que costumava deixar ao alcance para qualquer problema que pudesse vir a ter com as autoridades, e saiu.

A viagem até o escritório do contador foi rápida. O alemão não sabia o que esperar. Mas lembrava-se de não ter gostado da última visita de Alberto à casa que centraliza as investigações, e que talvez esse chamado tivesse alguma relação com isso.

O corredor do andar do contador estava cheio de seguranças em vários pontos. A porta do escritório se encontrava aberta. Jürgen se manteve alerta sem demonstrar preocupação. Ao parar diante da porta, avistou Alberto sentado num sofá, fumando, e de frente para a entrada. Ao seu lado, e de costas para a porta, um homem, em uma poltrona de encosto alto, se arqueava para o lado como se conversasse com Alberto, que fez um sinal para que o alemão se aproximasse.

— Sabe, eu vou precisar de um novo contador... — Alberto suspirou.

Sem entender o comentário, o alemão se aproximou.

De imediato, sentiu as têmporas pulsarem. O contador estava imóvel na cadeira, com a boca aberta e os dois olhos grosseiramente perfurados. O seu rosto, queixo, pescoço, peito e barriga estavam cobertos de sangue coagulado. Já era possível sentir um cheiro acre de morte em meio ao característico odor de fezes. O alemão deduziu que houvera medo durante a execução, bem como o tempo da morte pelo estado da coagulação do sangue: ela ocorrera nas últimas vinte e quatro horas.

Olhou ao redor e viu que Alberto parecia dizer algo, mas ele já não ouvia. A sua pulsação estava acelerada, e a atenção, focada na cena do crime. Como ex-investigador da Stasi, instintivamente buscava algo no local que pudesse dialogar com os seus antigos conhecimentos forenses.

A mesa tinha dois cinzeiros repletos de guimbas de cigarro; um copo de água pela metade; uma garrafa de uísque vazia e sem copos à vista. O tapete se achava num ângulo não paralelo com a parede e com uma das pontas dobrada; havia uma ondulação em outro canto; as cortinas estavam abertas; a posição da poltrona do contador não parecia natural, de frente e próxima a janela. As outras poltronas se dispunham voltadas para o centro da sala. Não havia nada na paisagem além de uma curva de um viaduto próximo; quem estivesse parado naquele viaduto poderia ter assistido a toda a cena.

Jürgen começou a atentar para o que Alberto falava. A sua audição foi sendo retomada, assim como os batimentos cardíacos.

— Alberto, quem foi o primeiro a chegar à cena do crime?

— O quê? Que porra de pergunta é essa, alemão?

— Preciso que você me ajude. Quem foi o primeiro a chegar aqui?

— Não sei, porra! Só mandei alguém vir buscar esse filho da puta, que não atendia ao telefone.

Ao se virar para a porta, Jürgen viu muitas cabeças curiosas olhando para o lado de dentro. Ele indagou de novo, falando alto:

— Quem foi o primeiro a chegar aqui?

Depois de algum silêncio e olhares vagos entre os seguranças, um deles se aproximou.

— Fui eu, senhor.

— Me diga exatamente o que você viu.

— Eu entrei e ele estava assim. — O segurança arrumou a ondulação do carpete com os pés, diante dos olhos espantados do alemão.

— Não! — O alemão se achava visivelmente alterado. — Esse não é o tipo de descrição que quero, de jeito nenhum. O senhor recebeu a ordem de vir aqui por quem?

— Pelo Antônio, o chefe da segurança.

— O Antônio está presente?

— Estou aqui.

— Quem lhe deu a ordem?

— Foi o seu Alberto.

— E por que o senhor não veio?

— Está querendo me acusar de alguma coisa?

O alemão começou a se irritar. Aquelas pessoas estavam na área de segurança, mas eram extremamente amadoras. Só havia uma maneira de lidar com aquilo, e não era com suavidade.

— Atenção! Estou iniciando o processo de entendimento do que aconteceu neste local. — O alemão tirou o paletó e deixou à mostra o coldre. Quando se virou de costas para colocar o paletó num espaldar, todos puderam ver a outra arma na sua cintura. Ele avistou um copo de uísque no chão ao lado da mesa e uma marca de umidade na parede próxima. — Pois bem. Refaço a pergunta: por que o Antônio não veio?

— Eu liguei pra ele... — Antônio apontou para o homem que chegara primeiro — ... que estava como segurança na portaria do prédio.

— Qual o seu nome?

– 131 –

— É Ivan, senhor.

— Tudo bem. Ivan, você tinha a chave da porta?

— Não, senhor. Quando o chefe me pediu pra verificar, bati na porta, e ele não atendeu. Eu sabia que ele não tinha saído, pois eu estava com o porteiro que abre e fecha a garagem. O prédio não tem tanto movimento, e nós não vimos o contador saindo à noite. Então, ele estava dentro do escritório. Talvez dormindo... mas eu bati muito forte. Era pra ter escutado.

— E o que você fez a seguir?

— Perguntei ao porteiro se ele tinha a chave.

— Mas por que o porteiro teria a chave da sala?

— É pra diarista. A moça que faz a faxina. Quando era dia dela, o contador deixava a chave pra dona limpar a sala.

— E estava no dia?

— Sim, senhor, ontem foi o dia dela. Ela veio pro trabalho, mas o porteiro não achou a chave. Ele ligou pro porteiro do outro turno, que disse ter deixado a chave no claviculário, mas o porteiro diurno não a encontrava. Ele pediu pra diarista esperar e ligou para a sala, mas ninguém atendeu, e ela não pôde trabalhar. Quando ele me falou isso, senti que tinha algo estranho, senhor, e vim correndo aqui. Meti o pé na porta e achei o coitado morto. Aí, eu avisei.

— Pare nesse ponto. Já sabemos que alguém esteve aqui e a chave sumiu do claviculário. Diga-me com exatidão. Calmamente. Você abriu a porta com o pé. Ok! Mas, antes de entrar na sala, o que viu?

— Não entendi, senhor.

— Porra! Caralho! Deus te deu um cérebro! Use-o, cacete! — O alemão gritava apenas para impactar o rapaz.

— Não sei o que vi, senhor. Calma.

— Você viu a minha piroca? Viu o rabo da sua mãe sobre a mesa?

— Lógico que não, senhor. Calma...

— Muito bem. Agora que sabemos o que você não viu, façamos um esforço pra saber o que você viu, certo?

— Sim, senhor. — O homem franziu a testa, num esforço para se lembrar. — Eu vi a mesa assim como está. Os cinzeiros, o copo de uísque e o de água. E não vi o contador.

— Um instante. O copo de uísque estava na mesa?

— Sim, senhor.

— E agora está lá no canto.

— Fui eu quem o jogou.

— Parabéns, Alberto, você alterou a cena do crime.

- 132 -

— Ah, não fode, alemão!

— Continue, meu filho — Jürgen pediu ao segurança. — Descreva o resto. Você está indo bem, mas lembre-se: tem que ser um passo de cada vez, sem pressa.

— Sim, senhor. Posso sentar?

— Não. Prossiga.

— A janela estava aberta iluminando tudo aqui, era bem cedo. Verifiquei os demais cômodos e, quando voltei pra sala, avistei os pés dele de longe. Pensei que estivesse dormindo, bêbado. Eu me aproximei e levei um susto, senhor. Ali estava o homem, todo estragado, e eu comecei a tremer de nervoso. Foi horrível, né? Então, saí da sala e liguei pro chefe. Não deixei ninguém entrar até ele chegar.

— Me diga uma coisa, meu jovem, você disse que viu os cinzeiros na mesa, certo?

— Sim, senhor.

— Eu olho agora para os cinzeiros e eles estão entupidos de guimbas. Quase desmoronando. Eles estavam assim?

— Não, senhor. Tinha alguma coisa, mas era pouca.

— Então de quem são essas guimbas?

— Ah, são do seu Alberto e dos seguranças... Mas os cinzeiros já tinham sido esvaziados antes, ali na lixeira. Afinal, com todo mundo fumando, nervoso...

— Puta que pariu! — O alemão não se conformava. — Vocês conseguiram estragar toda a cena do crime! Espero que ninguém tenha mexido no corpo.

— Deus me livre, senhor, isso ninguém fez, não. Ah, o síndico ainda não chegou. O porteiro diz que ele está atrasado e que isso é bem raro de acontecer.

— Tudo bem, agora vamos focar no cadáver. Essa é uma morte bem estranha. Os dois olhos perfurados. A minha experiência com quadrilhas me diz que isso deve significar algo, pois é mais fácil dar logo um tiro. Alguém faz ideia do que seja?

Um outro segurança ergueu o dedo, pedindo licença para falar. A cena capturou a atenção do alemão e de Alberto.

— Senhor, com licença. Bem... Eu não vi o moço morto ali na poltrona e nem quero ver, mas lá na favela onde moro, quando isso acontece, é como o senhor falou. Um recado. O pessoal entende, né?

— E qual seria esse recado?

— Tem a ver com "olho-grande". Gente que pegou o que não devia ou o que não era dele.

O alemão imediatamente entendeu o contexto, assim como Alberto, que pulou do sofá, falando sem parar. O alemão pediu que todos os seguranças saíssem e encostou a porta.

— 133 —

— Alberto, o recado, então, era pra você. Já não temos dúvida de que existe relação com o caso do desvio de dinheiro feito supostamente por aqueles meninos. Esse assunto não foi esclarecido com eles? O dinheiro não foi reposto?

— Alemão, a Rota Caipira não é um grupo único. São muitos traficantes usando o mesmo fluxo, é baixa a probabilidade de saber qual deles foi. Aquele contador deles é que nos entregou. Pode ser só um recado mesmo e que mais nada aconteça, ou talvez seja só o início. Não sei. Não consigo falar com eles, nem com a minha ratinha, que ficou de garantia lá. O que que eu faço?! Estou perdido...

— E quanto às suas outras operações, aquelas que estavam com o morto?

— Ele documentava bem. Tenho tudo ali no cofre, com as contas e senhas. Guardei também aquelas fotos que tirei da sua investigação.

— Você já conferiu o cofre?

— Sim, já. Foi a primeira coisa. Está tudo lá. Vou entregar pro próximo contador, que nem vai estar no Brasil. Ele operará de longe com uma outra equipe aqui. Já estava alinhando isso desde o início de tudo. Mas é bom que você esteja conosco. Sei que você não quer estragar a sua investigação, mas eu quero o couro daqueles meninos. Alemão, já deu. Chega. Isso vai ter que acontecer.

— Senhor, recebi a notícia de que eles serão soltos em breve. Poderei terminar isso rapidamente. Consigo fazer com que eles falem. Dê-me mais um tempo.

— Tempo? Até quando? Até pegarem as minhas filhas? Até me pegarem? Este país de merda não tem justiça, você não tem garantias de nada, alemão.

Essas últimas afirmações soaram bem estranhas para Jürgen. Ele esperava tudo, menos que o cara que lavava dinheiro para toda a corrupção nacional e o tráfico de drogas clamasse por ordem e justiça.

Recuperado do susto, o alemão pediu que Alberto não fizesse nada, pois a situação poderia piorar e eles perderiam o melhor elemento, que eram os meninos. Ele precisava voltar para a sua central de trabalho. Tinha de acompanhar de perto o andamento da soltura.

Não foi difícil para o alemão convencer o seu cliente a aceitar que a sua segurança passasse a ser feita pelos seus homens, mais preparados e experientes.

— Alberto, os seus seguranças vão conduzi-lo até a sua residência. Peço que não saia de lá até a chegada da nova equipe. Atenção: só realize a dispensa da equipe atual quando a nova chegar. Eles irão te explicar os novos procedimentos de proteção. Por favor, seja paciente, pois é pro seu próprio bem, o das suas filhas e dos seus negócios.

Alberto concordou, sem falar muito.

O alemão deixou o local apenas quando um dos seus homens chegou, não sem antes passar-lhe as instruções sobre como deveria lidar com a polícia, e pegou com o porteiro o endereço do síndico.

31. O QUE VOCÊ FEZ?

Mais tarde, naquele mesmo dia, o alemão recebeu uma ligação de um dos seus homens e na sua língua natal:

— Senhor, encontrei o síndico acuado em casa com a família. Todos em pânico.

— Imaginei algo do gênero, com o sumiço da chave e dele próprio.

— O síndico disse que a casa dele foi invadida ontem, e a família, sequestrada. Os sequestradores o obrigaram a ir até o prédio comercial e pegar a chave da sala do contador no claviculário. Ao retornar, ele a entregou a um dos bandidos, e todos, menos um, saíram imediatamente. Aquele que permaneceu na casa ficou até o meio da madrugada. Quando o celular do homem tocou, ele foi embora na hora.

— O síndico te perguntou do contador?

— Sim, e conforme combinado, informei que ele havia falecido de causas naturais e que ninguém esteve no prédio do escritório. Disse pra ele não se preocupar, pois fosse lá quem tivesse roubado a chave da sala iria encontrá-la vazia. Chegaria atrasado.

— Diga que você fará a segurança da casa dele por um tempo.

— Mais alguma coisa, chefe?

— Acalme-o. Informe que nós, da polícia, estamos acompanhando o caso e que ele não deve se preocupar.

Não muito longe dali, Alberto, a caminho de casa, recebeu uma ligação de número desconhecido. Ele hesitou, mas não resistiu. Poderia ser qualquer coisa. Assim, levou o celular ao ouvido, e uma voz límpida e clara falou:

— Alô, seu Alberto?

— Quem fala?

— Ora, seu Alberto… Este não é o número que utilizamos para os nossos contatos?

Era a Rota Caipira, mas Alberto não sabia quem exatamente.

— Sim, é esse o número. Porém, não reconheço a sua voz. Quem está falando?

— O meu nome não importa, né? Estou ligando a mando do Jorginho. Ele quer saber se você entendeu o recado.

— Que recado?

— Ah, o senhor quer outro?

— Não! Não! Eu entendi o recado, sim.

— Tem uma pessoa querendo falar com o senhor.

— Tem? Quem? A minha ratinha?

— Quem? Ratinha? Que porra é essa, doutor?

— Ah, não fode... Vai sacanear o caralho, porra!

— Ah, então o famoso Alberto voltou ao normal. — O homem riu. — Façamos o seguinte. Nós sabemos que você está agora na Linha Amarela, você pedirá ao seu motorista que dê uma parada no endereço que vou te passar. Lá, o Jorginho te espera pra trocar um dedo de prosa. Ele quer normalizar essa situação, pra que a operação continue acontecendo.

Alberto sentiu um enorme alívio.

Chegando ao local, informou aos seus seguranças que seguiria a orientação de subir sozinho. Levou apenas uma pequena pasta de documentos que retirara do cofre do contador.

Logo que a porta do elevador se abriu, dois seguranças já o aguardavam. Alberto foi conduzido a um enorme apartamento com vista para o mar. Jorginho, segurando um copo de uísque, recebeu-o de braços abertos, com o seu característico sotaque do interior:

— Alberto, Alberto, que situação, meu amigo...

Alberto se manteve calado, tenso.

— Eu resolvi te chamar aqui pra terminar esse assunto. Já entendi tudo o que aconteceu e queria te dizer que o tal aviso não foi ideia minha. Eu fui voto vencido, mas sabe como é, Alberto, sempre existem forças maiores que as nossas, e, quando a Mãe decide, já era.

— Jorginho, cadê a minha menina?

— Ela está bem, meu amigo. Nunca faríamos algo de ruim com ela sem motivo. Fique tranquilo.

— Quando eu a terei de volta? — A voz de Alberto falhou, evidenciando o seu nervosismo.

— É disso que quero falar com você.

— Então, vamos resolver logo isso e terminar com essa gastura danada. Não estou conseguindo nem dormir, meu filho. — Alberto falseou um sotaque.

— Beleza, Alberto. Senta aê. Pega uma aguinha desta. — Jorginho ergueu o copo de uísque.

Alberto se serviu da bebida e se acomodou no sofá em frente.

— Meu amigo, a Mãe já mandou o seu recado, agora eu quero te devolver a sua garota, que ficou de garantia. A operação foi toda perfeita e, claro, a garantia tem que ser liberada. Afinal, somos todos negociantes e não fica bem não cumprir os acordos. Precisamos avançar, e existem mais negócios pela frente. Você me entende, né?

– 136 –

— Entendo, sim. Mas eu sinto que vocês ainda querem mais alguma coisa. — Alberto acariciava a pasta de documentos no seu colo.

— Lógico. Nós sabemos que você acertou as coisas nas nossas contas e que ficou tudo ligeiro. Acontece que queremos esses meninos de que o seu contador falou. Parece que você já sabe quem são, mas não os pegou.

— Sim, eles estão presos na Polícia Federal, enquanto estiverem lá, não podemos pegá-los.

— Mas quem são eles? Diz aqui pra mim. Eles mexeram nas nossas contas, e isso é chato, né?

— Eu já tenho uma pessoa focada neles. Um cara bom. Um gringo.

— É, a gente sabe de um tal alemão. O seu contador falava bastante dele. No entanto, meu amigo, pra que eu possa te ajudar, preciso que você me ajude. Me dá alguma coisa bacana que o meu pessoal te entrega a moça e tudo fica tranquilo. Alberto, me ajuda a te ajudar, vai... A turma gosta de resolver os seus problemas diretamente. Eles querem dar uma palavrinha com os garotos. Diz aí o que você sabe.

Alberto pensou no que o alemão lhe pedira e se assustou ao concluir que, ao atendê-lo, estaria protegendo os meninos, mas expondo a si mesmo e a sua família. Assim, jogou a pasta de documentos na mesa, e alguns papéis e fotos deslizaram pela superfície lisa.

— Quero é que se foda! Você vai encontrar nesses documentos os nomes de todos, assim como fotos e quem são os parentes conhecidos.

Jorginho fez um sinal com a cabeça, e um segurança pegou a pasta, levando-a até ele, que passou alguns segundos folheando e analisando o conteúdo. Abriu um sorriso.

— Porra, Alberto, tá tudo aqui. Por que fazer esse joguinho, filho?

— Não tem joguinho, não, Jorginho. Acabei de pegar isso com o alemão. Ele vai foder com esses caras.

— Vai não, filho. Diz pro alemão ficar sossegado que agora é com a gente. Eu sabia que poderia contar contigo, amigo velho. — Sorrindo largo, Jorginho passou a pasta para outro segurança. — Márcio, leva isto agora pra casa da Mãe.

Márcio deixou o local imediatamente para atender a ordem.

Jorginho andou na direção de Alberto, que também ficou de pé, e deu-lhe um abraço.

— Relaxa, cara. Amanhã a tua garotinha chega ao aeroporto, a gente a leva até a sua casa. Inteirinha. Ela tá numa saudade só. Deixa com a gente. O Rio anda meio perigoso, sabe como é... Não queremos que nada aconteça com a moça e com o seu filho.

— Filho? Como vocês sabem disso?

— Alberto, o seu contador era uma matraca. Já te disse. Contrata um mais caladinho. Olha que eu acho que até te ajudamos. É bom renovar os quadros de vez em quando. E antes que eu me esqueça, toma aqui esta maletinha 007; nós temos uma série de novas operações acontecendo que precisam da sua ajuda. Leva logo a papelada, que eu vou mandar aquele meu fera pra te explicar como é que a gente tá desenrolando essas. Ok?

— Tá tudo zerado?

— Tá, sim. Sossega, meu rei. Esses papeizinhos que você nos deu vão lá pra cima. Era isso o que os cabeças queriam.

Alberto foi embora, aliviadíssimo. Ele só se deu conta do que enfrentara quando sentiu a liberdade de volta. Seguiu para casa, radiante. Seria capaz de entregar a própria mãe se isso representasse salvar o seu couro. Não havia nenhum remorso pelo que poderia acontecer aos inocentes que estavam naquela pasta.

No dia seguinte, enquanto o alemão lia uma pequena nota no jornal que falava sobre o infarto fulminante de um contador, o seu telefone tocou.

— Bom dia, chefe.

— Bom dia.

— A equipe já está toda posicionada na casa do Alberto. Repassamos com ele os novos protocolos. Estamos alterando algumas coisas nos circuitos de TV e sensores. Mas tem algo estranho.

— Explique!

— Para um homem que acaba de ter o contador executado e está sob ameaça do tráfico, ele parece muito feliz.

— Feliz? Como assim?

— O Alberto passa o dia com música alta, cantando e bebendo. E hoje chegou uma moça que, pelo jeito, não o via fazia muito tempo.

Ao desligar, o alemão se recostou na cadeira. Passou as mãos no rosto e lembrou-se de uma frase muito apropriada que ouvira de um renomado tomista: "**O impaciente está sempre a um passo da ingratidão, a dois da injustiça e a três da traição. Todo cuidado é pouco com quem não sabe sofrer à espera dos bens que almeja**".

— Alberto, Alberto! *Was hast du gemacht*, Alberto? — Jürgen indagou, balançando a cabeça. — O que foi que você fez?!

32. DUAS BATIDAS DUPLAS

Smoke degustava o seu café favorito em uma cafeteria na sobreloja do Edifício Garagem Menezes Côrtes, no Centro do Rio, quando o seu celular começou a vibrar insistentemente no bolso. Ele decidiu que só atenderia quando terminasse. A lembrança de Tumumbo, porém, o fez mudar de ideia, com um sobressalto. Assim que abriu o aparelho com a sua senha, passou o dedo para baixo, para que pudesse ver as notificações. Era, de fato, uma mensagem de Tumumbo.

Para grande alívio de Smoke, Tumumbo informava que a mãe concordara com a transferência para a nova casa e que aguardava novas instruções. Smoke respondeu pedindo que ele fizesse as malas. Enviaria o endereço no dia seguinte.

Agora teria que fazer algo que vinha adiando havia muito tempo: falar com os seus avós, que o julgavam morto. E isso teria de ser feito de um modo que os pais, por enquanto, ainda não soubessem que ele estava vivo. Seu pai, um dos responsáveis pela sua prisão, poderia entregá-lo novamente às autoridades. Portanto, não seria uma tarefa fácil conversar com os velhos, convencê-los a aceitar a mãe de Tumumbo e ainda não avisar o filho. Smoke começou a imaginar que o seu plano não era tão bom quanto supusera no início. Morar próximo aos avós, sem poder abraçá-los e conversar com eles sobre as coisas da vida, já tinha sido um grande desafio.

Ele nunca teve problemas com a mãe, mas tivera todos com o pai.

Em menos de vinte e quatro horas, Smoke deveria resolver toda a situação, e não existiam garantias de que isso fosse acontecer. Caso a sua avó recusasse, ele deveria ter uma outra solução para o problema de Tumumbo e a mãe. E qual seria?

Duas horas depois, lá estava Smoke, em pé na calçada, de frente para a casa dos avós. Ele hesitava entre bater na porta e tocar a campainha. Parecia uma decisão dificílima. Pensou em sair dali, por temer a reação dos avós, quando uma lembrança lhe ocorreu. A sua família tinha uma batida padrão de porta. Bastavam aquelas duas duplas batidas curtas para todos saberem que um parente chegara. Isso reacendeu a sua esperança.

Por mais que tivesse andado pelo mundo e conhecido muita gente, a magia com aqueles do seu sangue era especial demais. Eles compartilharam muitos natais e aniversários. Sabiam qual era a sua comida preferida. Sua cor predileta. Eles conheceram o Smoke bebê, a criança, o adolescente, o jovem imaturo e o homem perdido.

– 139 –

Assim, ele bateu na porta. A tradicional dupla batida curta. O seu coração acelerou. Era um caminho sem volta. As suas mãos suavam. A tensão nada mais era do que a culpa por toda a estupidez acumulada nos últimos anos. Smoke ajeitava a roupa, como se os avós fossem se importar com isso. Corrigiu uma mecha de cabelo; não sabia o que fazer com as mãos.

Ouviu passos vindo em direção à porta. Escutou o mecanismo da fechadura e ela se abrindo. Havia uma corrente de segurança. Smoke reconheceu o rosto do avô. Ele estava sério e com ainda mais rugas no rosto.

Os dois ficaram se olhando por instantes. Smoke não sabia o que falar, só balançava as mãos junto ao corpo. Os lábios do avô foram se erguendo num sorriso, e a cabeça, fazendo que sim. Ele fechou a porta para poder retirar a corrente, e então a escancarou. O velho Oscar, sentindo a emoção do neto, abriu os braços o máximo que pôde e o recebeu, com lágrimas nos olhos. Smoke só conseguiu expressar numa voz trêmula a palavra "saudade".

— Não precisa dizer nada, não, meu neto. Nós também sentimos muito a sua falta. Vamos lá falar com a sua avó. Ela vai gostar de te ver.

— Cuidado, vô, ela pode levar um susto.

— Que nada, ela vai gostar.

— O senhor não se assustou?

— Eu? Não. Já estava te vendo na câmera de segurança da porta desde que chegou. O bairro anda meio perigoso, e o seu pai mandou instalar. Assim ele fica mais tranquilo e pode acompanhar o movimento.

— O papai vê tudo o que se passa na sua porta?

— Vê, sim. Deverá ver você mais tarde.

Smoke fez uma careta. Eram as suas sinapses dizendo que o sinal de emergência estava tocando. Nesse momento, a sua avó entrou na sala, pronta para um forte abraço. Smoke se esquecera de como a vó era pequena e parecida com a Dona Benta, do "Sítio do Picapau Amarelo". Com ela junto ao peito, Smoke experimentou uma alegria como há muito não sentia. A avó segurou o seu rosto entre as mãos e o olhou no fundo dos olhos.

Smoke já conseguia falar com a voz mais firme, mas não deixou de notar a presença de uma câmera no teto da sala.

— Vó, que saudade! Tive medo de a senhora levar um susto e empacotar quando soubesse que eu estava vivo.

— Ah, filho, eu já sabia. O seu pai me contou.

— Como assim?!

Então o avô completou:

— É, foi o seu pai que nos contou, e também avisou que você estava morando aqui perto, mas que não era pra falar com você. Ele disse que cedo ou tarde você tomaria uma atitude de homem.

O sorriso de Smoke se desfez.

— Eu sei que você é um bom rapaz, mas o meu filho é foda, né? Afinal, fui eu quem o criou. — O avô riu com vontade, e a dentadura desencaixou.

— Coloque essa dentadura no lugar, homem, e pare de perder tempo. Vem, filho, você chegou na hora do café.

Smoke se esqueceu de como era o café na casa da avó. Pães, bolos, cuscuz, café, leite quente e frio, manteiga e até um tablete de banha de porco.

— Vô, o senhor ainda come pão com banha de porco?

— Ora, e você não? E ainda tomo um copo de vinho antes de dormir. Deveria experimentar, garoto. Você comia quando era pequeno e tinha uma aparência mais saudável.

E eles passaram horas àquela mesa, conversando sobre o tempo em que não estiveram juntos, pondo em dia toda a saudade. Smoke contou tudo o que fazia, detalhadamente, e então fez o pedido pela mãe de Tumumbo. Para sua decepção, porém, a avó disse que não queria uma pessoa para ajudá-la. Negou categoricamente. Não desejava ninguém na sua casa, porque, segundo ela, ainda tinha saúde para fazer tudo de que precisava.

Smoke ficou muito desanimado. Ele não tinha um plano B.

33. DESAPARECERAM

Hallcox se surpreendeu ao ver dois agentes se aproximando da sua cela. Enquanto um deles a abria, o outro informava o motivo de eles estarem ali:

— Vou te levar pra sala de entrevistas. A sua advogada o espera.

O rapaz pensou em dizer que não tinha advogada, mas resolveu ficar quieto. Ao sair da cela, viu o rosto de Ponytail nas grades, próximo ao chão. Ele o fitava com curiosidade, e Hallcox deu-lhe uma piscadela com o olho direito.

Hallcox foi conduzido a uma sala onde uma bela e muito bem-vestida mulher o aguardava. Ela fez sinal para que ele ficasse em silêncio. Os policiais se retiraram logo a seguir.

— Bom dia, senhor Hallcox, o meu nome é...

Ele não estava prestando atenção. Perdeu toda a explicação do que ela representava, empresa, nome, e só retomou a concentração quando ela disse a palavra "processo".

— Esqueça o processo, senhor Hallcox, o que precisa saber agora é que será solto ainda hoje e que deverá comparecer a este endereço que está escrito aqui. Toma, pode ficar com esta cópia.

— E os outros?

— Eu ainda vou falar com eles. Não se preocupe.

— Eles também vão sair?

— Sim, todos.

— Então, serei solto e terei de ir direto para este endereço.

— Isso.

— O que tem lá?

— Acredito que sejam as pessoas que o estão ajudando.

— Da Base?

— Não sei o nome do escritório deles.

Hallcox começou a achar que talvez ela não fosse da Base.

— Não te incomoda trabalhar assim às cegas, sem conhecer o seu cliente?

— O bom advogado luta pelo direito, mas se esse direito conflita com a justiça, ele tem que lutar pela justiça. Bem, muito obrigada e adeus, senhor Hallcox.

- -

Algumas horas depois, os três estavam em pé na saída da sede da Polícia Federal, sem acreditar que estavam livres. Atrás deles, Monteiro observava, de braços cruzados, ainda indignado, como toda a equipe, com a libertação a partir de um suposto erro no processo. Infelizmente, a legislação brasileira permite esse tipo de coisa.

- -

— Caralho, Hall! Que perrengue! — Ponytail procurava nos bolsos um cigarro inexistente.

— É, foi duro. Imagine esse pessoal que pega décadas de cana...

— E aqui ainda é uma carceragem decente. Tem muito chiqueiro por aí. E eu estava me pelando de medo. Já tenho passagem. A advogada disse que foi muita sorte.

— E agora, senhores, o que nos resta é ir pro endereço e ver se o tal do pessoal da Base aparece, como o Smoke falou.

— Caramba, Hall, estou com uma fome danada... Vamos comer alguma coisa antes, no McDonald's, KFC, sei lá. O meu corpo tá pedindo gordura.

— Mr. Fat, o seu corpo tá pedindo uma dieta, isso sim. — Hallcox meneou a cabeça. — Deixa ver se tenho dinheiro pra isso.

Consultando a carteira, Hallcox percebeu que Monteiro estava próximo, observando o que faziam. Então, fez um gesto discreto para os companheiros, e os três se foram.

Monteiro apanhou o celular e fez uma chamada:

— Zé, agora segue pra ver aonde esses caras vão.

— Copiado. Estou na moto azul. Se precisar rastrear, é a azul.

Ao desligar, Monteiro viu Lynda chegando. Ele acenou com a mão, e ela veio na sua direção.

— Cadê eles, Monteiro?

— Acabaram de sair. Dobraram a esquina dizendo que iriam ao McDonald's. Deixei um agente na cola dos moleques.

— Eu corri, mas não cheguei a tempo...

— Também não iria adiantar. Não temos como descumprir um *habeas corpus*.

Lynda seguiu em passo acelerado e em poucos instantes conseguiu ver ao longe a moto do agente parada na calçada. Ele estava em pé ao lado. A delegada caminhou até ele.

— Estão lá dentro?

— Sim, senhora. Na fila da direita, no caixa. Veja. — O agente apontou.

Os meninos pagaram pelos seus lanches e se afastaram, para aguardar que o painel mostrasse os números dos seus pedidos. Não demorou muito para que fossem chamados. Como a lanchonete era toda envidraçada, os policiais puderam ver de longe os três subindo a escada com as suas bandejas e escolhendo uma mesa do segundo andar. E, óbvio, de dentro era possível ver claramente o lado de fora.

Assim, em dado momento, Ponytail reparou na dupla que os observava e alertou:

— Hall, aquela ali não é a Bruxa de Agnesi que grampeou a gente?

Hallcox olhou, sem movimentos bruscos.

— Sim. É ela mesma, e um dos agentes do dia da prisão. Estão nos observando. Terminem os seus lanches com calma que eu vou pensar em algo.

— Tenho uma sugestão. — Mr. Fat se arqueou para a frente. — O centro da cidade está repleto de cafeterias. A gente vai até alguma delas e, durante a caminhada, verifica se eles nos seguem.

– 143 –

Todos se levantaram das suas cadeiras. Hallcox pegou a sua bandeja para colocar o conteúdo no lixo, enquanto os outros já se encaminhavam para a saída. Com um leve assobio e uma indicação de cabeça, Hallcox indicou aos dois que também deveriam fazer a sua parte para limpar a mesa.

Lynda acompanhava tudo da calçada quando Monteiro se aproximou.

— Eu não te disse, Monteiro? O Hallcox é o líder deles. Até pra tirar o lixo da mesa ele tem que chamar a atenção dos outros dois. Eles podem ser bons na parte técnica, mas são duas toupeiras. Jamais conseguiriam o que fizeram sem ajuda. Tenho certeza disso.

— Eu tive a impressão de que eles foram pegos de surpresa pelo *habeas corpus*. Sem dúvida tem gente por trás desses garotos. Talvez nem eles saibam direito no que estão metidos.

— Monteiro, eu preciso voltar. Tenho que passar no jurídico e ver o que eles estão fazendo para contornar esse HC. Não podemos perder esses garotos. São as únicas pistas que temos. Tem coisa grande acontecendo. A área de inteligência percebeu um movimento estranho esses dias. Tem muito bandido e gente graúda vindo pro Rio de Janeiro. Há um ruído nas escutas falando sobre alguma coisa que aconteceu no Rio. O submundo do crime está agitado, e nós não temos a menor ideia do que seja.

— Lynda, se for isso mesmo, não iríamos conseguir muita coisa com esses garotos. Cedo ou tarde alguém sumiria com eles.

— Veja, eles estão indo embora. Temos que segui-los.

— Não podemos fazer isso, Lynda.

— É, eu sei. Mas dê só mais uma olhada. Preciso voltar. Vou pedir para o agente me dar uma carona, e você, veja para onde eles vão. Só isso. Faça-me esse favor, mesmo que pareça inútil.

— Tá bom. — Monteiro esboçou um sorriso afetuoso.

Lynda gostava muito dos cuidados que Monteiro sempre lhe reservava. No início, ela achou que havia algum interesse dele, até que conheceu as suas filhas e viu que ele as tratava da mesma maneira. Era um grande pai e excelente amigo.

Os meninos saíram e caminharam pela calçada no sentido do trânsito, procurando alguma cafeteria. Eles andaram um bom tempo, distraindo-se com as vitrines e as belas transeuntes. Se impressionaram com a quantidade de gente no centro da cidade. Logo acharam uma cafeteria e entraram.

Hallcox levantou o braço e fez de longe o sinal do número três com os dedos. O barista sorriu e devolveu um sinal de positivo com o polegar. Quando os rapazes

– 144 –

chegaram ao balcão, o barista já dispunha as xícaras. Todos beberam os seus cafés, e Hallcox perguntou a um dos atendentes se conseguiria um carregador de celular.

— Todas as mesas têm um, amigo — foi a resposta.

Pouco depois, estavam os três ligando os seus aparelhos. Hallcox queria falar com a família e com Yasmin; Ponytail precisava verificar os seus e-mails; e Mr. Fat, embora tivesse se esforçado para dar carga no seu celular, já não estava mais com os amigos. Ele conseguira uma poltrona vazia e bebia um novo café sozinho. Algum tempo depois, Hallcox o avistou ao longe e se aproximou.

— Consegui falar com os meus pais e a Yasmin. Estão todos bem, mas preocupados, claro. E você?

— Hall, eu não tenho ninguém pra ligar. Até dei uma carga...

Hallcox percebeu a gravidade daquilo e a tristeza na voz de Mr. Fat. Toda uma vida de erros resumida ao vazio da sua agenda de contatos do celular. Confissão e sentença em tão poucas palavras. Nada mais poderia ser dito. Como amigo, ele tentou contornar a cena deprimente:

— Gordo, quer mais um café? Vou pegar um pra mim.

— Não, está bom. Se eu bebo muito, aumenta a minha pressão e dá taquicardia.

— Nesse caso, não termina esse, não. Me deixa pegar o meu.

Ponytail retornou com uma expressão de poucos amigos. Hallcox chegou segurando uma xícara e reparou no rosto do garoto.

— O que foi, moleque?

— Tem uma parada estranha no celular, Hall.

— Fala logo, anão de jardim. Arrombado. Filho da puta — exigiu Mr. Fat, na tradicional maneira de se dirigir a Ponytail.

Aqueles dois gostavam de se tratar assim. Hallcox se deu conta de que Ponytail talvez fosse a única família de Mr. Fat.

— Vá se foder, gordo!

— Quer me ver amassar essa sua cabecinha de formiga?

— Ah, tá! Duvido que essa bunda de jubarte consiga sair dessa poltrona baixinha... — Ponytail ia se afastando um pouco, como quem pede para ser perseguido.

— Ei, parem com isso, pelo amor de Deus! O que tinha no seu celular, Ponytail?

— Bicho, recebi uma mensagem de remetente desconhecido falando que sabe quem somos nós e que querem o dinheiro de volta. Diz que virão atrás da gente.

— Me deixa ver. — Hallcox tomou o celular da mão dele. Na sequência, viu que no próprio aparelho havia a mesma mensagem.

— 145 —

Mr. Fat não verificou o seu. Estava novamente sem carga.

— Isso me soa como uma ameaça — comentou Mr. Fat.

— Claro como uma sirene de bombeiro.

— Hall, isso me lembra que nós temos que chegar ao endereço que a advogada entregou. Eu, você e o gordo precisamos ir pra lá o mais rápido possível. Pelo que o Smoke disse, a Base poderá nos ajudar.

— Acho que já estão ajudando, Ponytail. Estamos soltos, como o Smoke disse que aconteceria, e agora temos um ponto de encontro.

— Vamos pegar um táxi agora. Temos que resolver logo isso e entender no que nos metemos.

Próximo deles, Monteiro, que terminava o seu café olhando para o chão, mantinha os ouvidos atentos e anotava o que entendia num papel. Rápido, ele pagou a conta, e, chegando à rua, viu o táxi em que os rapazes embarcaram. Anotou a placa. Pouco depois, estava na sede contando a Lynda tudo o que escutara: "Base. Smoke. Ajuda. Endereço. Ponto de encontro". Sem demora, Lynda mandou um agente em busca do taxista para descobrir o endereço onde eles desceram.

O local era uma rua bastante movimentada do bairro do Méier. O taxista parou em frente ao número. Hallcox andou em direção ao portão e, antes de tocar a campainha, viu um papel grudado com durex na altura do seu rosto com a seguinte frase: "Aguardem na calçada. Uma van virá buscá-los".

Hallcox indicou com o dedo que os amigos também lessem. Quase imediatamente, uma van branca de transporte escolar com os vidros pretos parou perto deles. O motorista, um senhor de mais de setenta anos, abriu a porta e deu a volta no veículo. Em seguida, ele abriu a porta do carona e pegou três sacos plásticos no porta luvas.

— Boa tarde, senhores. Fui informado de que é a sua primeira viagem.

— Pra Base? — perguntou Ponytail.

— Base? Não sei nada sobre isso. Tomem aqui. Um saquinho pra cada um. Por favor, retirem a bateria dos seus celulares e coloquem tudo aí dentro. Carteira, chaves, tudo.

Os três obedeceram. O senhor guardou os saquinhos e abriu a porta lateral da van.

— Podem entrar e relaxar. Durmam, se quiserem. Só não podem encher o saco. Não dá pra olhar pelas janelas, e o banco reclina bastante.

Eles entraram, e a van partiu. O taxista, ainda no local, aguardando algum chamado pelo rádio, observou tudo pelo retrovisor. O seu celular tocou e ele atendeu. A pessoa se identificou como sendo da polícia e pediu informações sobre a viagem que acabara de fazer. O taxista informou sobre a van que os havia recolhido, mas que não anotara a placa. Sabendo o horário e o local, o agente poderia vasculhar nas câmeras de trânsito para tentar identificar o veículo, mas não havia integração entre a prefeitura e a Polícia Federal. Eles deveriam disparar uma série de ofícios e pedidos com muitas explicações até conseguir a primeira imagem. Não havia tempo para isso, nem meios de justificar tudo. A polícia apanhava mais da burocracia do que dos bandidos. Ser policial era, antes de mais nada, um ato de teimosia.

Três dias depois, Lynda obteve a confirmação dos seus agentes de campo de que nenhum dos garotos visitara os respectivos parentes. As suas antigas residências continuavam vazias. Eles estavam oficialmente desaparecidos. Nenhum dos rapazes tinha passaporte. Achavam-se no Brasil, mas ninguém sabia a localização. A Polícia Federal clonara os celulares deles durante a sua estada na prisão. Assim, foi possível entrar nas contas de e-mail e confirmar a informação de Monteiro sobre a ameaça.

O contato do alemão na Polícia Federal passou-lhe a informação de que os meninos tinham sumido. Sem demora, Jürgen ligou para Alberto, que teve mais um dos seus ataques histéricos de fúria. Ele cortou todos os recursos e demitiu o alemão, que recolheu todo o material da casa e dispensou os funcionários, inclusive os seguranças que colocara na casa do agora indefeso Alberto.

34. A HIDRA DESPERTA

Dois dias depois do encontro no escritório de Alberto, Márcio desembarcou no Aeroporto Internacional de Brasília carregando apenas um envelope. Vestia um terno escuro, sem gravata, e camisa branca com os botões abertos, deixando à mostra um grosso cordão de ouro. Um BMW X6 branco o aguardava. Márcio se acomodou no banco de trás, sem cumprimentar o motorista, e o veículo seguiu pelas longas avenidas da cidade em direção à região do Lago Sul. Quanto mais próximo do destino, mais belas eram as residências.

O portão estava aberto e com dois seguranças na rua. O BMW entrou e estacionou ao lado de um chafariz. Márcio e o motorista desembarcaram e seguiram por um caminho de colunas romanas até a entrada da residência, que era guardada por outros três seguranças. O motorista indicou que Márcio ficasse sentado na varanda,

– 147 –

abriu a enorme porta de quatro metros de altura e seguiu pelos cômodos até o que parecia ser um escritório. No centro de uma mesa, um telefone solitário repousava sobre um outro equipamento eletrônico. O motorista apertou alguns botões, e uma luz verde se acendeu no telefone. Ele retirou o fone do gancho e apertou um dos botões de memória. Uma voz feminina atendeu:

— Pronto.

— Mãe, ele está em casa te aguardando — informou o motorista.

— Houve um imprevisto. Não poderei retornar agora. Vou enviar o meu carro para buscá-lo.

— Sim, senhora. — O motorista desligou e seguiu até uma sala próxima, onde ficavam os monitores de segurança da residência. Passou a informação para o operador, que informou aos colegas que um carro buscaria Márcio.

Pouco depois, o portão eletrônico tornou a se abrir, e um sedã preto entrou na residência, estacionando ao lado do BMW. O veículo possuía uma placa com um brasão da República. Márcio embarcou no banco de trás. Durante o trajeto, o motorista lhe entregou o crachá que deveria utilizar para entrar no edifício de destino. Márcio perguntou:

— Para onde estamos indo?

O motorista apontou para o vidro da frente, mostrando uma construção ainda pequena pela distância, mas de contornos conhecidos. O Congresso Nacional. Márcio nunca estivera lá.

Em instantes, Márcio se encontrava em um dos gabinetes, colocando cada uma das folhas do envelope sobre a mesa, lado a lado. Ele dava a explicação detalhada de tudo o que se sabia até então e as conexões de cada uma daquelas fotos. A sua interlocutora, conhecida como Mãe, de braços cruzados, ouvia em silêncio.

— Xará, isso é tudo o que sabemos?

— Sim, dona Márcia. Até o momento, sim.

— Nós assumimos daqui. Você sabe o que isso significa?

— Sim, Mãe. Estamos fora. Vou avisar o Jorginho. Mas e o doleiro?

— O Alberto? Não se preocupe. O Alberto não é um problema. Ele é uma peça que funciona bem. Deixe-o em paz. E, por favor, não se esqueça de devolver o crachá para o motorista.

Márcio deixou o local, aliviado. A Mãe era muito temida dentro do grupo. Nem sempre os encontros terminavam tranquilos como esse. Embora fosse uma balzaquiana bem cuidada e de curvas insinuantes, ela causava mais medo do que atração.

Tão logo Márcio deixou o gabinete, a Mãe juntou todas as folhas, tirou uma foto de cada, fez duas cópias completas em uma máquina de xerox, deixou o envelope com os originais na sua mesa e saiu com as cópias debaixo do braço. À medida que caminhava pelos longos corredores, enviava pelo celular as fotos para o seu contato no Ministério da Justiça, pedindo informações. Entrou num elevador. Alguns andares acima, passou por um grupo de senhores e olhou fixo para um deles, que não pôde deixar de notá-la. A Mãe parou mais adiante, observando um quadro na parede. O senhor terminou a conversa com os seus interlocutores e foi na sua direção. Nada foi dito. Ela abandonou o seu falso momento contemplativo e passou a andar ao lado do senhor, que, distraído, cheirava um charuto durante o trajeto.

A Mãe abriu uma porta para que ele entrasse, e os dois se dirigiram para o que parecia ser uma sala pessoal. Ela mais uma vez se adiantou para abrir a porta. Ele entrou, contornou a mesa e se acomodou. A Mãe caminhou até o outro canto e pegou uma bandeja com alguns acessórios para fumantes, que colocou no centro da mesa. Ele esticou o braço e apanhou o cortador. Habilmente retirou uma das pontas do charuto e o acendeu com outro acessório da bandeja.

— Mãe, este é um Partagas Lusitânias. Conhece?

— Não, senhor.

— Óbvio que não. Você é uma máquina nascida para trabalhar, só isso. — O desgosto estava nítido no seu tom de voz. — Este é um cubano tradicional. Bem raro por aqui. Acabo de ganhar de um amigo que, acredito, será a sua próxima visita tão logo eu termine. — Ele a olhou por cima dos óculos, que estavam na ponta do nariz.

— Sim, senhor.

Após um longo momento a contemplar o movimento da fumaça em direção ao teto, ele retomou a fala:

— A história deste charuto começa com Don Jaime Partagas, um catalão. Aos catorze anos de idade, Jaime desembarcou em uma colônia espanhola, atualmente conhecida como Cuba, e estudou com os tabaqueiros locais todas as etapas de fabricação de um bom charuto. Estudou muito mesmo. Até que, em 1845, ele abriu a sua própria fábrica em Havana. Com o tempo, Jaime foi adquirindo as melhores plantações de tabaco da ilha. Era um tremendo mulherengo, e não muito honesto. Essa combinação nunca dá muito certo, e o homem acabou assassinado uns anos depois. Embora a sua fábrica tenha passado pelas mãos do seu filho e posteriormente de outros donos, a qualidade do seu produto sempre foi mantida. Não pelos donos, mas por gerações sucessivas de tabaqueiros da melhor qualidade. Veja, quando eu falo em gerações, me refiro a muitas gerações. O cultivo do fumo no Caribe remonta ao tempo dos maias, que depois foi incorporado pelos índios taínos, que por sua vez se incorporaram à nova sociedade que surgia, naturalmente tornando-se cubanos.

— Que interessante, senhor. Mas… qual seria o ponto? — A Mãe já estava ficando impaciente com aquela história sem sentido.

— Para resumir, como sabemos, a civilização maia ruiu, os índios desapareceram, o império espanhol foi pro vinagre, os ditadores surgiram. Mas ninguém toca

– 149 –

na galinha dos ovos de ouro. Os tabaqueiros estão há milênios fazendo o seu trabalho e entregando um produto de alta qualidade. Tudo isso porque o mundo quer comprar. Eu tenho aqui, queimando na minha mão, dois mil anos de trabalho acumulado. Dois mil anos de técnica e de estudos. E dois mil anos de demanda. Pode me dizer o que acontece quando a demanda não é atendida?

— Sim, o cliente busca outro fornecedor.

— Exato, minha cara. Estamos todos atentos ao que aconteceu no Rio, porque, embora o deslize financeiro tenha sido logo reparado, não foi rápido o suficiente. Havia um agendamento de uma transação que não foi realizada por falta de saldo. Uma semana depois, quando o meu cliente europeu não apareceu para um encontro marcado, fomos tentar descobrir o que acontecera. Uma semana depois e nós não sabíamos ainda!

— É o tal contador.

— Sim, ele já não está mais entre nós, mas deixe-me continuar. A nossa movimentação para encontrar o cliente acionou a sua rede de proteção, e um emissário dele informou para o nosso contato tudo o que ocorrera. Tentamos explicar o fato, mas já não dava mais tempo. O que a senhora acha que aconteceu?

— Ele conseguiu outro fornecedor.

— Exato!

— E por que ele fez isso?

— Porque ele também tinha uma demanda para atender.

— Perfeito. É isso mesmo. A demanda só termina quando o feliz usuário está viajando com o seu nariz entupido. — Ela se levantou e foi em direção à janela. — Esse simples fato derrubou trinta por cento da nossa operação na Europa. Eu até mandei o pagamento e um pedido de desculpas pra ver se poderíamos retomar a operação, mas não obtive resposta.

Márcia franziu de leve o cenho.

— Talvez você não saiba, mas mesmo eu presto contas a alguém, e esse alguém, idem. Não tem ninguém satisfeito. Não sei o que teria acontecido comigo se não estivesse nesta posição privilegiada. — Ele abriu os braços, mostrando o seu gabinete. — Soube que vocês encontraram as pessoas que fizeram isso.

— Sim, senhor. Estão aqui. — A Mãe abriu o envelope e distribuiu as folhas na mesa, da mesma maneira como Márcio fizera, e passou a repetir o que escutara.

Ele analisou uma por uma, enquanto terminava o seu charuto.

— Mas são meninos...

— Sim.

— E quem são estes aqui?

— Os parentes mais próximos de alguns deles.

— Este mais velho não está com nome. — Ele apontava para Smoke.

— Não foi identificado, senhor.

Nesse momento, a Mãe sentiu o celular vibrar, e como o seu superior ainda observava as fotos, ela aproveitou para dar uma olhada rápida. Era o seu contato no Ministério da Justiça. "Eles foram liberados por um HC. Já são dados como desaparecidos."

Ela não gostou do que viu.

— Mãe, me diga, o que vocês irão fazer?

— Acabo de receber a informação de que os garotos foram liberados por um *habeas corpus*.

— Sabemos onde estão?

— Não, senhor. Já foram dados como desaparecidos.

— Hum... Interessante. Ficamos sem opções.

— O que o senhor quer que eu faça?

— Que atenda a minha demanda. Você sabe o que acontece com as pessoas que não atendem demandas?

— Sim, senhor, são substituídas.

— No nosso caso, é mais do que isso, né, Márcia? Também deixamos de existir. E, lógico, ninguém quer isso.

A Mãe engoliu em seco e sentiu os batimentos cardíacos acelerarem.

— Por favor, veja se os parentes sabem de alguma coisa, e depois suma com essa gente toda. Mande aquele pessoal especializado da Europa. Eles são bem discretos.

— Sim, senhor. Agora, deixe-me ir, pois tenho mais uma visita. A parte americana das operações me espera.

Tão logo a Mãe deixou o seu gabinete, ele pegou o telefone em sua mesa e digitou um ramal.

— Alô?

— Ela já saiu daqui e está indo até você.

— O que você achou?

— São jovens, com suporte jurídico desconhecido e que desapareceram.

— Não é a primeira vez.

— Sim. Eu sinto que o nosso velho inimigo se movimentou.

Houve um longo silêncio na linha.

— Acredita que a Base esteja por trás disso?

— Plenamente. E se eu fosse você, deixaria de prontidão aquele teu pessoal europeu, que deu uma porrada neles.

— É. Morreram todos antes que pudéssemos saber de mais coisas; se mataram. São gente perigosa.

— Mas veja o que a Mãe tem pra te mostrar. Eu sei que a sua operação americana não foi atingida, mas se confirmarmos que foi a Base, vamos ter que reportar pra cima. A briga com a Base tem que ser sempre cirúrgica.

— Sim, é o que eles sempre falam e o que nos mantém no jogo.

— Eu pedi que ela fosse ter com os parentes. Procedimento padrão. Se você for fazer alguma coisa, alinhe com a Mãe. É obrigação dela estabilizar tudo isso.

— Combinado.

— Quando ela sair, me ligue. Temos que resolver, se esse assunto for subir.

— Tudo bem. Farei assim. Ah! A Mãe chegou. Eu a vejo na recepção.

— E antes que me esqueça, obrigado pelo Partagas. Está sublime.

— Por nada. Foi só um regalo pra que o amigo possa presidir a comissão de hoje olhando o meu projeto com carinho.

— Você é sempre muito gentil, mas sabe que ele não deve ser aprovado ao final de tudo.

— Certamente. Sabemos disso desde o início. É apenas pra que vossa excelência seja boazinha comigo hoje, no debate. Sereno igual ao Rui Barbosa ali atrás.

— Não precisava, meu caro. É muito importante ter o controle das pautas e ocupar todo o tempo do plenário pra não deixar espaço pra propostas que não são as nossas. Você é que deveria ganhar um presente meu.

— Ora, deixe disso...

— Sem pessoas como você pra me ajudar, eu já teria sido substituído por outro.

— Tá bom. Agora vou receber a Mãe. Passar bem, meu caro.

— Até mais.

· ·

Cerca de meia hora depois, o telefone tocou no gabinete do senador.

— Alô?

— A Mãe já saiu, e eu queria voltar a falar com você.

— O que achou?

— Você viu a foto daquele não identificado?

— O de cabelo grisalho e mais velho?

— Sim, esse mesmo.

— Mandei pra cima e não encontraram nada. A foto é de rosto completo, sem sombras, mas os sistemas não acharam nada em nenhuma base de informações do governo. Sabe o que isso significa?

— Está claro que o tamanho do estrago é incompatível com aqueles meninos presos, e agora aparece esse fantasma.

– 152 –

— Mas esse negrinho falando com ele na foto não foi preso, embora trabalhasse com eles.

— É um refugiado. Tem processo diferente, mas a ligação entre eles está descrita no processo.

— Não importa mais, meu querido, é nossa obrigação mandar pra cima. Não temos autorização pra lutar contra a Base.

— Acho que é melhor mesmo. Vou pedir pra Mãe não fazer nada. Melhor assim. É uma preocupação a menos.

— Quem informa, você ou eu?

— Como só a minha operação foi prejudicada, é melhor que eu o faça.

— Tudo bem. Já vou descer pra comissão. Te aguardo lá.

— Não sei se vai dar tempo.

— O partido vai reclamar se você não for. Esse projeto estava na campanha da presidente.

— Eu sei, e nós sabemos que ela é uma menina maravilhada brincando nos controles de um avião no solo. Deixe-a pensar que é alguém enquanto não atrapalha.

— Acho que ela não vai terminar bem. Está indo com muita sede ao pote.

— Não tem importância, tudo estará igual por aqui quando ela se for. Um abraço, meu velho amigo.

. . . .

O senador se levantou da cadeira e pegou o envelope que a Mãe deixara. Ao passar pela sua secretária, disse-lhe educadamente, como sempre:

— Nora, eu vou ao estacionamento, e logo a seguir para a comissão de hoje.

— Tudo bem, senhor. Faltam trinta minutos para o início.

— Está bem, obrigado.

Ele desceu no elevador e saiu no estacionamento. Caminhou até o seu carro, abriu o porta-malas e jogou lá dentro o envelope. Sentou-se no banco do carona e apanhou no console central um celular. A agenda de contatos estava vazia, mas ele sabia de cabeça o número a ser digitado.

— Alô? — disse alguém do outro lado.

— Preciso que o senhor traga o aspirador aqui no meu carro.

— Qual a sua vaga?

— B25.

Em instantes, um funcionário da limpeza surgiu puxando um aspirador de pó num carrinho e trocou um olhar significativo com o senador, que estava tenso.

O funcionário desenrolou o fio do aspirador e o levou até a tomada mais próxima. Ao ligar o equipamento, um alto som agudo tomou conta do local. Enquanto o funcionário aspirava o interior do carro, o senador lhe dizia:

— Temos suspeitas de que a Base está envolvida no problema do Rio. No envelope lá atrás estão as fotos dos responsáveis, relações e detalhes do processo. Preciso que você leve isso pra cima.

O faxineiro pegou o envelope, depositou-o no carrinho do aspirador de pó, desligou o aparelho e recolheu o fio. O senador saiu do carro e o trancou. O funcionário foi embora sem falar nada. O senador, imóvel, o observava. Ele sabia que estava na borda do Systema. Tudo além desse simples contato era um mistério absoluto. Todo o seu mundo terminava ali. Era o mais perto que poderia chegar do monstro que agia no submundo da nação desde o início da República. Nem mesmo as suas mais de três décadas na política lhe permitiram passar daquele ponto. Ele vira a queda de todos os que tentaram quebrar essa barreira ou desafiá-la. O senador fazia a sua parte e ganhara mais dinheiro do que poderia gastar, mas mesmo o mais rico dos homens teme alguma coisa. A experiência lhe mostrara que, diante do poder, o dinheiro nada significava.

35. SOB O PÉ DE JENIPAPO

Em uma sala de reuniões sem janelas, Monteiro tinha diante de si uma mesa repleta de pastas de processos. Ele folheava uma delas quando a porta se abriu e Lynda colocou a cabeça para dentro.

— Achei você!

— Estou aqui tentando entender algumas coisas nesse processo do…

— Monteiro, dá uma pausa nisso. Eu queria que você fosse a um lugar comigo. Quero falar com aquele rapaz que trabalhava com eles, mas que não foi preso. O africano. Esqueci o nome.

— O Tumumbo?

— Isso. Você pode pegar o endereço dele?

— Eu sei o endereço. Tem certeza de que quer ir? É na subida de uma favela. Já estive lá.

— Acho que não temos opção. Vamos descaracterizados. Anda, quebra essa…

— Tá bom. Mas iremos no meu carro, porque o seu tem um emblema.

— Beleza!

Lynda e Monteiro desceram juntos as escadas da sede e se dirigiam à saída quando, no térreo, um funcionário administrativo, com algumas folhas debaixo do braço e tentando pegar um café, a chamou pelo nome.

— Depois, Claudinho, depois. Agora não posso — respondeu a delegada.

— É só pra avisar que chegou a sua transferência.

Lynda estacou e olhou para Monteiro.

— Transferência? De que porra esse cara tá falando?

— Melhor ir lá ver. — Monteiro também estava curioso.

Lynda se aproximou do funcionário, que havia colocado a pasta de documentos na mesa e tentava fechar a garrafa de café.

— Está nessa pasta, delegada. É a primeira folha.

— Eu não pedi porra nenhuma pra ninguém, que papo é esse?

Lynda abriu a pasta e leu o documento. Era de fato uma transferência para a delegacia de imigração no Estado de Minas Gerais — a Delemig, em Belo Horizonte. Ela arregalou os olhos e levou a mão à boca.

— Caralho, Monteiro! Me colocaram na geladeira... Que merda é essa?!

— Esquece o Tumumbo e vai falar com o superintendente, Lynda.

— Ele não está aqui hoje, vamos embora. Toma aqui a tua folha, Claudinho. Mais tarde, quando voltarmos, eu vou ao RH ver que merda é essa. Anda, Monteiro!

Lynda se apressou até o meio do estacionamento e olhou para trás, procurando Monteiro, que estava no início do estacionamento, com a porta do carro aberta, à espera de que ela percebesse que passara direto e que acabaria se chocando com o muro logo adiante. Ele ficou observando em silêncio para ver até onde Lynda iria, o que também serviria para mostrar como ela estava perturbada.

— Perdeu os ponteiros, delegada?

E ela respondeu com uma voz manhosa, voltando para perto dele:

— Poxa, Monteiro, é uma pressão do cacete! Tá bom, eu sei que você não gosta que eu fale palavrão, mas agora vem essa transferência sem que eu soubesse de nada... Tenho a minha vida inteira aqui, a minha mãe, o meu apartamento. Não tenho marido nem filhos, graças a Deus!

— Não tem, mas deveria.

— Tô fora!

— Lynda, pode perguntar pra qualquer um aqui qual é a coisa mais importante da vida. Todos irão responder que...

— Filhos, já sei! Mas que porra de papo é esse agora, cara? Parece a minha mãe! Vamos focar nos garotos.

Monteiro sorriu e balançou a cabeça.

— 155 —

— Certo. Entra no carro. Mas me diga, delegada, o que você quer fazer lá sem nenhuma cobertura policial?

— Quero conversar com o garoto e com a mãe dele. Coisa informal. Já fizemos isso um monte de vezes, e você é um cara bom pra isso. Lembra da velhinha naquele prédio? Um gênio! Um mestre. A velhinha te serviu até café. Puta que pariu, Monteiro! Tá bom, sem palavrões.

* *

Conforme se aproximavam do destino, o clima foi ficando mais tenso no automóvel. Lynda sacou a pistola e verificou o carregador. A região era perigosa. Estavam no acesso ao Morro dos Prazeres pela rua Gomes Lopes. Monteiro estacionou numa curva a uns cento e cinquenta metros da residência, para observar. Havia várias pessoas diante da casa.

— Lynda, você que é mais nova e enxerga melhor, tá vendo aquela casa laranja ali?

— Aquela cheia de gente na frente?

— Isso. É ali que moram o Tumumbo e a mãe.

— A esquina é bem movimentada.

— É acesso pra uma das várias bocas de fumo. O tráfico faz vigília naquele ponto.

— Que merda... Cidade complicada do caralho!

— Quando viemos da primeira vez, o morro estava ocupado pela polícia militar, foi tranquilo. Fui até lá, mas não tinha ninguém. Agora parece que foi retomado pelo tráfico, e eu garanto que aqueles caras estão armados. — Monteiro abriu o porta-luvas e entregou na mão de Lynda um binóculo utilizado quando faziam campana nas ruas.

A delegada imediatamente apontou o binóculo na direção da residência.

— Monteiro, estou contando quinze homens. Estão com os mais variados tipos de armas.

— Deixa ver.

Lynda lhe entregou o binóculo.

— Vejo duas M416, um FAL, uma Baby AR, e o que parece ser o chefe tá com uma SCAR-L com supressor e luneta. Esses caras são vaidosos.

— Eles tinham que estar bem aqui? Que azar...

Monteiro devolveu o binóculo para Lynda, que de repente gritou:

— ALI! ESTÃO COM ELE!

— Meu Deus! — Monteiro se esticou para tentar ver melhor.

— ESTÁ TODO MACHUCADO! — Ela passou o binóculo para Monteiro com um gesto brusco.

– 156 –

— Cacetada! É ele mesmo. O cara que tá segurando o rapaz pelo braço deve ter vindo de dentro da casa, porque ele não estava ali quando contei as armas. Há um outro na porta agora. Está limpando as mãos com uma toalha. Esses não são daqui. Estão muito bem arrumados.

— Monteiro, eles estão trabalhando junto com o tráfico. Só pode ser peixe grande.

— Ao lado da casa tem um suv de luxo. Aposto que é deles. Veja. Aquele carro vale mais de cem mil dólares.

Ao devolver o binóculo a Lynda, Monteiro a viu com o celular no ouvido, esperando que alguém atendesse.

— O que você vai fazer, delegada? A federal não sobe morro.

— Estão matando o garoto. Vou falar com a polícia, não podemos ficar aqui sem fazer nada, porra!

Lynda ligou para o 190, o telefone geral da polícia, e fez a descrição da situação. Começou a alterar a voz quando percebeu que não conseguiria nada. O atendente pediu que ela aguardasse.

— Que ódio, Monteiro! Cidade de merda, porra! — Ela estava à beira do choro.

— Calma. O que ele disse?

— Que não tem como chegar aqui de uma hora pra outra sem uma equipe adequada. Eles têm que planejar e subir com o caveirão.

— Você ainda não disse que é da Polícia Federal — lembrou Monteiro.

Lynda tornou a falar com o atendente:

— Sim. Sei. Tá bom, eu entendo. Por favor, anote o meu nome. Lynda, sou delegada da Polícia Federal e estou aqui com outro agente. Sim. O quê? Louca, eu? Quer a minha matrícula. Não fode! Nós? Em frente à boca. Aqui? Sim, aqui nos Prazeres. Isso! E se vocês não vierem, eu vou ter que engajar; ah, você não recomenda? Ué! Ah, não? Isso. Estávamos aqui pra falar justamente com o jovem que eu te disse que está entrando no cassete. — Lynda encarou Monteiro. — Ele foi chamar um sargento não sei o quê.

— Insista. Ele já está escalando o problema.

— Alô. Sim. Sou eu. Matrícula DPF 18327. Isso. Vão matar o garoto. É. Ouviu o que eu disse?! Vão matar o garoto! Sim. É. NORMAL É O CARALHO! Sim. Sei. Estou calma. É. Ele é testemunha num processo federal. Isso. Tá, já sei. O soldado falou isso, mas se não vierem vão ter que buscar três corpos, porque não vou ficar aqui parada vendo o cara ser morto, ok? Tá. Seu batalhão vai virar notícia. Sei. Ah, que bom! Dá essa força. Ok. Sim. Obrigada. — E ela desligou. — Ele disse que vai passar pro comando.

— Que papo foi aquele de três corpos?

— Porra, Monteiro, eu não vou ficar parada!

— Não é questão de ficar parada. Se você aparece ali com uma arma na mão, vão te picotar no meio antes que dê o primeiro tiro. É uma simples questão de falta de recursos. O inimigo está mais bem armado e em maior número no terreno dele.

O local onde Monteiro e Lynda estavam estacionados era a parede de um vale. Havia ainda muita mata para baixo, e, mais ao longe, uma mistura de casas, prédios, favelas e mais árvores. Podia-se ver a sinuosidade do terreno, assim como da estrada que levava para baixo, no nível do "asfalto".

De repente, todos escutaram ao longe fogos de artifício. Era o sistema de alertas da favela.

Lynda olhou para Monteiro com a respiração suspensa, mas ele estava com uma câmera grande na mão, realizando fotografias de todos que faziam parte do grupo com Tumumbo. Um dos traficantes correu e atravessou a rua, para então subir no muro de uma das casas que foram construídas de costas para o vale. Era possível ver que ele gritava algo para os comparsas.

Lynda baixou o vidro do carro e pôde ouvir a última palavra berrada pelo assustado traficante: "Caveirão".

Monteiro viu, através das lentes da sua câmera, que aquilo provocou uma reação de medo em todos. Tumumbo, então, foi arremessado para dentro de casa, e a porta foi fechada. Um outro homem gesticulou para o gerente do tráfico, indicando algo na rua. Monteiro percebeu que apontava na sua direção. O gerente deu uma olhada rápida com a luneta da arma, e logo a seguir, com gestos acelerados e descoordenados, ajeitou a arma no ombro e levou o dedo ao gatilho.

O policial se virou para a suposta linha de tiro à sua direita: a janela escancarada evidenciava o rosto de Lynda, que buscava o caveirão com o binóculo. Era nela que o gerente fazia mira.

Monteiro a puxou com toda a força no exato momento em que pedaços de vidro voavam dentro do carro. O impacto dos tiros soou no banco do carona e também na lataria. Ele arrastou Lynda pela porta do motorista, para tomar posição atrás do veículo e ao lado da mureta de concreto.

Enquanto Lynda se posicionava, Monteiro já descarregava a sua arma na direção do gerente. Não que achasse que poderia acertar alguma coisa a cento e cinquenta metros, mas a devolução dos tiros lhe daria tempo. Os foguetes recomeçaram a explodir no céu da parte baixa do vale.

— Tem outro caveirão subindo, Monteiro.

— É, vamos nos safar dessa. Esses caras são bons. Você viu como aqueles traficantes correram? Pareciam baratas quando veem uma lata de inseticida.

– 158 –

Eles escutaram o som dos motores dos blindados se aproximando e mostraram de longe os distintivos da polícia. O primeiro blindado passou direto por eles, que puderam perceber os policiais olhando-os lá de cima. Pararam cerca de trinta metros depois, para então abrir a porta traseira.

Duas filas indianas de cinco policiais vestidos de preto dos pés à cabeça entraram por algum caminho que eles não podiam visualizar de onde estavam. O outro caveirão parou no começo da rua e próximo da residência de Tumumbo. De repente, uma grande quantidade de tiros foi ouvida. Era o BOPE trabalhando. A equipe de resgate tem a prioridade no comando da operação e não demorou para que alguns soldados retornassem do mato na direção deles caminhando eretos e já de armas abaixadas. Monteiro e Lynda se levantaram e aproveitaram para recarregar as armas. Um tenente se aproximou deles e perguntou:

— Está tudo bem com os senhores?

— Sim — afirmou Lynda.

Monteiro confirmou com um gesto de cabeça.

— A senhora deve ser a delegada.

— Sim, tenente, fui eu quem chamou a polícia.

— Certo... Me diga, a senhora comeu merda, delegada?

— Oi?! — Lynda arregalou os olhos, surpresa.

— Que ideia é essa de invadir o Prazeres com duas pistolinhas? Veio comprar um pó pra fazer uma suruba? Me diz que porra é essa de colocar as minhas duas guarnições em perigo! A troco de quê?

Lynda tomou ar para responder, e Monteiro soube que seria à altura, pois a ela não faltava um vasto repertório de palavrões. Assim, resolveu tomar a frente e falar com o comandante dos caveirões:

— Combatente, o meu nome é Monteiro. Tenho vinte anos na federal e oito no exército, como oficial. Aqui não tem bobo. Foi azar mesmo, fica tranquilo e me deixa te colocar no contexto dos acontecimentos.

— Hum... Sei. — O tenente, atento, aguardava de braços cruzados.

— Por favor, observe aquela casa laranja ali.

— Embaixo daquele pé de jenipapo?

— Sim. Nela reside uma africana e seu filho. Eles são exilados e testemunhas de um crime enorme. Eu já tinha vindo aqui antes, quando da última ocupação do morro, e não sabia que o tráfico havia retornado tão rapidamente. Quando reparamos que eles estavam na casa, nós nos abrigamos aqui no carro, e o tiroteio só começou depois que vocês chegaram. Eles nos viram usando o binóculo.

— E o que faziam com o binóculo?

— Nós vimos que os caras haviam espancado, sem dó, o garoto que viemos encontrar. Por isso chamamos vocês. Ele é uma testemunha importante. Não se preocupe, tenente, a sua vinda não foi à toa.

— Eles levaram o garoto?

— Não. Os caras o jogaram de volta na casa. Também tirei fotos de todos eles com a câmera.

— Federal, vou querer essas fotos. Pode ser?

— Claro, sem problemas, eu te envio.

— Vocês vão querer ir lá ver o rapaz? — perguntou o tenente.

— Agora! — respondeu Lynda.

— Tem certeza? Pode ter sangue no chão — disse o militar, com expressão séria, mas numa clara provocação à delegada.

— Tenente, por que você não vai tomar no olho do seu cu? — Lynda usou uma entonação suave, mas audível para todos.

O tenente e seus soldados interromperam o início do deslocamento e se voltaram para a delegada, que passou no meio deles bufando.

— Porra, federal, a delegada é braba, hein? — o tenente comentou com Monteiro.

— Ih, rapaz, isso é o capitão Nascimento de saia. Tu não a viu aqui trocando tiro de pistola com a SCAR?

— Ah! Ah! Ah! Gostei dela. Vamos lá ver se sobrou alguma coisa do pobre garoto.

O tenente, que passou a fazer alguns sinais para a sua guarnição, tomou posição defensiva na região, enquanto dois outros soldados entravam na casa para verificar se estava segura.

Já próximo da moradia, foi possível ver as várias cápsulas de munição deixadas no chão em meio a frutas que Monteiro não pôde identificar. A porta foi aberta, e um soldado falou sobre dois feridos. Lynda entrou, seguida por Monteiro.

— Zero Três, informe que vamos com dois para o Souza Aguiar.

— Positivo.

— Manobre as viaturas pra descer enquanto a gente entra na casa.

O tenente, veterano de incursões por favelas cariocas, conhecia como ninguém uma casa de gente de bem. Havia ali, mesmo que com escassos recursos, uma persistente tentativa da transformação dos cômodos num lar. Podiam-se identificar os sinais de capricho em meio a tanta pobreza. O botijão de gás da cozinha estava revestido com um tecido de flores e aparência limpa. A toalha da mesa, embora com algumas costuras e alguns desfiados pelo desgaste, estava disposta com uma fruteira no seu centro. Nela, duas bananas, um jenipapo e algumas laranjas. Havia também um bolo de fubá, coberto por um pano de prato, e uma garrafa de café. As prateleiras,

– 160 –

embora vazias de suprimentos, achavam-se limpas e sempre com alguma decoração. Uma pequena e antiga televisão encimava um decorado caixote de feira no canto da sala. Jesus estava presente em outra parede, num quadro com moldura. Ele sempre está nessas casas.

Chegando à porta do quarto, o tenente encontrou o seu soldado realizando algumas atividades de primeiros socorros em uma senhora deitada no chão. O rosto dela estava bastante machucado. Um jovem, que deveria ser o que os policiais procuravam, achava-se sentado e apoiando a cabeça da senhora nas suas pernas dobradas. Ela segurava a mão dele e sangrava pelo canto da boca. À aproximação do tenente, o soldado se levantou para lhe falar em reservado:

— Senhor, além das lacerações no rosto e de um braço quebrado, ela parece estar com ruptura do baço e do fígado. Está bem ruim. Não sei, não.

— Vamos embora, então. Acelerado. — O tenente pressionou um botão no rádio comunicador em seu peito e imediatamente pode-se ouvir o som dos motores dos blindados.

Lynda tentava falar com Tumumbo e sua mãe, mas em vão — eles não desgrudavam os olhos um do outro. Em meio às lágrimas, os dois se comunicavam em uma língua desconhecida. A delegada gritou para o tenente:

— Vamos, temos que salvá-la!

36. LUGAR SEM FUTURO

O blindado descia as ruas de Santa Teresa na maior velocidade que lhe era possível, conduzindo os Kinsasha e Lynda — Monteiro voltara para o seu carro —, que acompanhava o ainda tenso deslocamento com todos os soldados olhando para fora e com armas prontas em cada uma das portinholas do veículo.

A cena de dentro da casa se mantinha no blindado: Tumumbo continuava segurando a mão da mãe — agora em uma maca e com um colar cervical —, que, em meio às dores, conversava com o filho. Ele parecia pronunciar palavras de arrependimento, acariciando o rosto dela. Era nítido o amor que tinha pela mãe. Tumumbo ignorava os próprios ferimentos. Lynda nada podia fazer, embora quisesse ter meios de ajudá-los. A cena cortava o seu coração. Eram pessoas boas num mundo estranho e louco.

Voltaram a falar português:

— A mãe está cansada, filho.

— Estamos a ir para o hospital, você vai melhorar, querida.

— Não, filho. Estou cansada de tanto sofrimento. Sinto muita falta do seu pai. Ele era meu companheiro. Foi preciso um leão pra tirá-lo de mim.

Eles riram.

— Que dia triste quando trouxeram o corpo dele pra nossa vila. Até aquele momento, eu tivera uma vida muito boa ao lado dele. Depois que ele morreu, no entanto, não lembro mais de alegrias. A vida toda se tornou uma tristeza para a mãe.

Tumumbo suspirou.

— Eu vi a sua única irmãzinha ser morta. A minha doce filhinha Inebawe... E você também estava lá, filho. Essa sua cicatriz na cabeça... foi desse dia. Quase o perdi também. Você ficou desmaiado no meu colo.

Tumumbo meneou a cabeça.

— Eu escutei seu irmão Opankabi morrer. Ele gritou, e, em seguida, ouvimos os tiros. Você despertou e chamou por ele. Você era bem pequeno.

— Sim, mãe, eu lembro.

— Otaba e Shegunmiub. Seus irmãos. Desaparecidos.

— Sinto falta deles.

— Prometa pra mãe que vai procurá-los. Se eles tiverem morrido, faça uma cerimônia cristã. Promete pra mãe?

— Prometo. Mas nós vamos fazer isso juntos. Eu não conheço nada lá. Vou precisar de você.

— Você tem que saber também onde enterraram a sua irmã. Procure o general. A mamãe não vai conseguir, filho. Estou muito mal. Tem alguma coisa diferente dentro de mim.

— Fique calma, mãe. Estamos chegando.

— Filho, vá embora daqui. Vá procurar seus irmãos. Não fique mais neste país.

— A nossa vida agora é aqui, mãezinha.

Niara parou para respirar mais profundamente e olhou em volta. Viu os soldados nas janelas dando cobertura, o motorista se esforçando para fazer as curvas em alta velocidade, uma mulher que segurava uma de suas mãos e o tenente, que em silêncio ouvia o diálogo.

— Tumumbo, eles são um povo bom, mas aqui é muito perigoso. Não tem lei. Não tem regras boas. Este é um lugar sem futuro. Aqui só tem sofrimento. Eu entendo por que Deus me mandou pra cá. Mantive a minha fé e acabei de criar você, que hoje já cuida de mim, mas vieram esses homens a perguntar coisas que eu não sabia, nem você.

– 162 –

Tumumbo se aproximou da mãe e sussurrou:

— Mãe, você deu um chute na cara daquele homem pra me defender. Onde aprendeu aquilo?

— Foi o seu pai quem me ensinou.

— Ele foi parar no outro lado do quarto e ficou sem entender nada. Eu gostei.

Ela riu, e fez uma expressão de dor. Cerrou as pálpebras, mas continuou rindo.

Lynda viu quando a sua boca foi afrouxando o sorriso lentamente e a cabeça tombou para o lado. O tenente colocou dois dedos no pescoço da senhora. Os anos dentro da guerra civil do Rio de Janeiro já lhe haviam roubado a capacidade de se emocionar. Restava-lhe apenas o senso de urgência.

— Vai, motorista! VAI! — gritou o tenente.

— Estamos entrando, Zero Um!

Quase imediatamente o blindado parou de maneira brusca, e as portas traseiras foram abertas. Um grupo de enfermeiros corria trazendo uma maca e prontamente tiraram Niara do blindado. Lynda, Tumumbo e o tenente ficaram ali, próximos à porta do veículo, vendo-os partir. O soldado que prestara os primeiros socorros à senhora ainda na favela pegou Tumumbo pelo braço.

— Venha, o senhor está precisando de atendimento.

Tumumbo tirou a mochila das costas e apanhou um celular, que entregou a Lynda, dizendo:

— Senhora policial, no registro de chamadas deste telemóvel há um número gravado. O último que eu chamei. Por favor, ligue novamente e informe tudo o que ocorreu hoje. Por favor, fale com detalhes e, ao final, pergunte o que está acontecendo. Diga pra essa pessoa que, se ela não falar, Tumumbo falará. E não se esqueça de dizer que peço desculpas, mas recuso a casa e o emprego. Não posso aceitar. Fale assim, senhora. — E se deixou levar para o hospital.

Monteiro, que estacionara o seu carro atrás do blindado, vinha se aproximando e pôde ouvir a última frase de Tumumbo.

Ao ver Monteiro ao seu lado, Lynda disse com a voz embargada e os lábios trêmulos, no anúncio de um choro que ela controlava com dificuldade:

— Porra, Monteiro… Que tipo de gente é essa que bate numa senhora quase até a morte? Ela contou uma história. Que vida triste, meu Deus…

— Traficantes não têm piedade, Lynda.

— Não é bem assim, federal — comentou o tenente. — Até mesmo os traficantes possuem um código de honra. Eles fazem coisas abomináveis, mas não aceitam outras. É bem estranho. Espancar senhoras não está no cardápio deles. Mas, federal, me deixa ver aquelas fotos.

– 163 –

Monteiro foi buscar a câmera, enquanto o tenente reunia alguns dos seus homens que conheciam os traficantes da região. Em instantes, o tenente apanhou da mão de Monteiro a câmera e começava a olhar para a tela quando falou, com sarcasmo:

— Zero Três, veja este sujeito aqui. É o Sapo! Prendemos o miserável no início da semana e ele já está de volta ao trabalho. Rapaz dedicado, né?

— Tá de sacanagem, tenente?

— Aqui, ó. Dê um zoom. Olha o vagabundo lá, segurando o FAL.

— Que palhaçada!

— Quem é esse Sapo? — Monteiro quis saber.

— É um traficante ali da área que nós pegamos com duzentos papelotes de cocaína, um fuzil, dinheiro e uma pistola Glock. São essas porras de audiências de custódia... Não dá pra entender. Delegada, me dá esta foto. Vou trocar uma ideia com o Sapo. Com esta foto na mesa do juiz, eu consigo colocar o desgraçado de volta na cadeia.

— Monteiro, envia pra ele. Foda-se. Se for preciso justificar a origem, me avise. Eu assino qualquer merda.

— Obrigado, delegada. Mas o que eu quero mesmo é que ele me conte o que aconteceu ali. Essa conversinha nós vamos ter com o Sapo. E com essa foto ele vai falar bastante, garanto.

— Tenente, você vai usar essa foto pra negociar com bandido?

O tenente tirou lentamente o capacete balístico, e com a outra mão, a balaclava escura que lhe cobria o rosto. Ele devia ter por volta de trinta anos. Tinha um metro e setenta de altura, cabelo escuro, pele clara, mas dourada de praia. As suas feições finas e os olhos amendoados lhe conferiam uma aparência hollywoodiana, inesperada para Lynda, que não pôde deixar de notar.

— Delegada, eu sou o tenente Mendes. O mesmo nome do meu pai, que também era policial e morreu pela mão da bandidagem do Rio. Eu não negocio com bandido, por isso fui parar no BOPE. Vou pegar todas as informações que quero, e depois, levar preso o meliante.

— Desculpe, não quis ofender o senhor — disse Lynda, sem jeito.

— Não me chame de senhor. Assim que eu conseguir essa informação, vou passá-la pra senhora. Dê-me o seu e-mail ou telefone que eu te mando.

Ela poderia jurar ter visto uma faísca de sorriso no canto daquela boca de dentes perfeitos do tenente Mendes.

— Você pode tratar com o Monteiro. — Lynda ficou na defensiva. — Ele ficará com o seu contato.

O tenente Mendes passou a conversar com Monteiro e Lynda foi para o carro dele, onde entrou para fazer a ligação que Tumumbo lhe pedira. Ela consultou a lista

— 164 —

de chamadas e realmente havia um número. Queria gravar essa ligação, mas não dispunha dos meios materiais no local.

Pelo para-brisa ela pôde ver que o tenente Mendes já havia deixado Monteiro, que naquele instante olhava em volta à sua procura. Assim, Lynda buzinou para chamar a atenção dele.

Monteiro entrou no carro e sentou-se no banco do motorista.

— O que foi, Lynda?

— Temos uma ligação pra fazer. O Tumumbo deixou o telefone comigo, lembra?

— Sim, lembro.

— Monteiro, nós precisamos encontrar uma maneira de gravar.

— Simples. Eu ativo o gravador do meu celular; você faz a ligação com o telefone do Tumumbo e põe no viva-voz. Desse modo, gravará a conversa.

Lynda apertou o ícone referente ao contato e pôde ouvir o som intermitente de chamada, o ruído da linha sendo aberta, alguns sons de ambiente e uma voz masculina que, de maneira calma, disse:

— Tumumbo?

37. A CHEGADA À BASE

A van seguia pelas ruas do bairro e os três estranhavam os vidros escuros. Nada poderia ser visto do lado de fora. Dentro também era escuro, ao ponto de se poder reconhecer o interlocutor apenas pela voz.

— Hall, quer dizer que estamos indo pra tal da Base?

— Parece que sim, Ponytail — foi Mr. Fat quem respondeu, se antecipando a Hallcox.

— É, gordo. Tem um monte de Smokes por lá. Deve ser um lugar muito foda. Vai ser uma nova fase nas nossas vidas. Não vejo a hora de chegar lá.

— Ponytail, você está muito animado. Nem sabe o que te espera.

— Ah, gordo, aqui fora deu *game over*. Eu quero essa vida nova.

— Pra mim, é a última chance.

Hallcox, mais atento às palavras do amigo, escutou com certa tristeza a última frase. Com as condenações que Mr. Fat já tinha, inocente ou não, somadas às atuais, o seu destino era a carceragem solitária, sem visitas ou parentes. Era realmente a sua última chance.

Cerca de uma hora depois, a van reduziu a velocidade e iniciou um movimento de descida, ingressando no subsolo. O movimento se repetiu algumas vezes, e o som do motor retornando como eco mostrava estarem num local fechado. O veículo parou e a sua porta lateral se abriu inundando o interior com uma forte luz. Era a garagem da Base.

Havia cerca de dez veículos parados, dos mais variados modelos e cores. Não existiam dois iguais e, embora fossem atuais, estavam maltratados. Ponytail percebeu pneus mais largos que os originais em todos eles.

O condutor informou que os seus pertences seriam devolvidos mais tarde e que deveriam seguir em frente. Os três subiram uma curta escada de quinze degraus e saíram na parte mais alta, que conduzia até a entrada de um longo corredor, muito bem iluminado e com várias curvas para ambos os lados. Ao final da última curva, uma catraca da altura do próprio corredor só permitia o ingresso de um por vez. Eles deduziram que a saída do complexo ficasse em outro local. Por ali, só era possível entrar.

Passaram pela catraca e chegaram a um grande salão, onde se avistava, em cada canto e no alto, um segurança armado. O primeiro a passar foi Ponytail, e tão logo a catraca terminou seu giro, travou, e Mr. Fat não conseguiu avançar. Era possível ver, mais adiante, que Ponytail estava em um ambiente fechado e pequeno. Não caberiam duas pessoas ali. Não havia indicação do que fazer, mas era possível reconhecer na parede um scanner de mão inteira. Ponytail colocou nele a mão esquerda, e uma luz amarela acendeu no teto, abrindo uma passagem para que pudesse seguir adiante. Ele olhou para os amigos, atrás da catraca, e mexeu os ombros para cima, como que afirmando que não estava preocupado. Seguiu adiante, e a porta se fechou.

Mr. Fat passou pela catraca e repetiu o procedimento, assim como Hallcox. Eles encontraram Ponytail, bem como outra catraca. Ponytail foi novamente o primeiro. Logo adiante havia várias portas fechadas, uma ao lado da outra em uma mesma parede. Cada porta possuía uma lâmpada na parte alta e próxima do teto. Apenas uma das portas mostrava uma luz verde. As restantes mantinham-se apagadas.

Ponytail mais uma vez deu de ombros olhando para os amigos e entrou. Tão logo a porta se fechou, a luz verde se apagou, e acendeu-se outra luz verde em outra porta. Mr. Fat caminhou até lá. O procedimento se repetiu quando Mr. Fat fechou a porta e Hallcox caminhou para a outra.

Ponytail se viu diante de uma parede de vidro. Um segurança se aproximou do outro lado, digitou algum comando em um teclado e um monitor enorme iluminou o seu rosto com uma foto de Ponytail. O segurança, através do sistema de som, pediu que ele se aproximasse do vidro e realizou uma verificação facial pessoal. Havia a informação de que estavam em sua primeira visita e sem cadastro completo. O segurança pegou uma tira de plástico pequena e inseriu num aparelho. Uma luz verde acendeu e, no mesmo instante, abriu-se a porta, que era recolhida para cima. O segurança se aproximou, colocou a pulseira no pulso do garoto e verificou se estava bem ajustada. Usou um scanner e conferiu que estava gravado "Ponytail".

O segurança explicou a Ponytail que aquela era uma pulseira inteligente conhecida como SP. Ela continha o seu código, e o sistema sabia o seu destino, que poderia ser um local ou uma pessoa. Disse também que, ao final de cada corredor, um pequeno quadro com muitos leds no alto da parede indicaria o caminho, se seria esquerda, direita ou entrar em alguma porta ou elevador.

Em instantes, os três se reencontraram no corredor, com as suas pulseiras. Seguiram em frente conforme a orientação e rapidamente se acostumaram ao sistema.

Entraram em um elevador que desceu alguns poucos níveis. O sistema de som anunciou que os três deveriam sair no próximo andar e seguir adiante.

— Vejamos o que acontece se eu for para a direita — disse Ponytail, que logo sentiu a mão de Mr. Fat segurando-o pelo pescoço.

— Magrelo, esta é a minha última oportunidade. Nós vamos em frente.

Ao chegarem ao setor de administração e pessoal, alguém os aguardava. Uma mulher.

— Bom dia. Estou aqui para orientá-los sobre o que acontecerá a partir deste ponto. O meu codinome é Cecile. Logo vocês perceberão que por aqui ninguém é tratado pelo nome. Todos temos apelidos, e os seus serão escolhidos pelo sistema da Base. Alguma dúvida?

Eles fizeram que não com a cabeça.

— Logo após o cadastramento, que é bem completo e demorado, iremos ao posto médico, que fará uma série de exames nos senhores, de maneira que saibamos em que pé está a saúde de cada um. A seguir, encontraremos o nosso intendente geral, com quem apanharemos todo o enxoval que utilizarão enquanto estiverem aqui. Essas suas roupas serão lavadas e devolvidas para que as guardem consigo nos seus quartos. Vamos passar o dia todo juntos e, ao final, conduzirei os senhores até os seus alojamentos. Dúvidas?

— Onde comemos? — indagou Mr. Fat.

Ponytail deu uma risada histérica, logo interrompida pelas expressões sérias de todos.

— Durante o dia de hoje, eu conduzirei os senhores para o almoço, lanche, jantar e ceia. A Base possui um horário próprio e todas as refeições contam com janelas restritas de tempo. Se perder, perdeu! Então, fiquem bem atentos e utilizem o relógio que ganharão no enxoval. Amanhã, os senhores terão um dia inteiro de instruções sobre o funcionamento da Base, com todas as regras e a grade de matérias que irão estudar.

— Vamos ter aulinhas? — Ponytail arqueou as sobrancelhas.

— Diariamente e o dia inteiro. Aqui o repouso acontece somente à noite, durante a qual os senhores dispõem de nove horas de sono. Não temos fins de semana nem feriados. Mas há instruções físicas todos os dias.

— Defina instrução física! — Hallcox pediu, estreitando os olhos.

— Vocês saberão todos os detalhes amanhã. Por hoje, adianto que são atividades físicas para manter a forma e melhorar a saúde geral, assim como treinamento pra obter um mínimo de conhecimento na condução de veículos, motos, defesa pessoal e até mesmo um pouco de tiro. Tudo será detalhado amanhã.

Os três se olharam, e Ponytail simulou um chute na bunda de Mr. Fat, soltando gritos ao estilo Bruce Lee. Mr. Fat conseguiu segurar o pé dele e o ergueu até que Ponytail não pôde mais se equilibrar e caiu sentado. Hallcox balançou a cabeça negativamente.

— Não conseguem, né? Vocês não conseguem.

38. LYNDA E SMOKE

— Alô, estamos ligando a mando do Tumumbo.

Houve um longo silêncio na linha. O primeiro instinto de Smoke foi de desligar o telefone. Ele não sabia quem eram aquelas pessoas, mas estavam com o seu número e falavam em nome de Tumumbo. Ele tinha que escutar mais.

— Cadê o Tumumbo?

— Está conosco aqui no Hospital Souza Aguiar — informou Lynda.

— O que houve? — Smoke indagou de maneira fria, embora preocupado.

— A casa dele foi invadida, o Tumumbo e a mãe apanharam muito. Estamos com eles no hospital. O Tumumbo me pediu que te ligasse.

— Eles estão bem?

— Os dois foram para a emergência, mas a mãe dele está péssima.

Smoke gelou e parou de escutar. Eles eram sua responsabilidade.

— Por que estão me ligando?

— O Tumumbo pediu que você nos contasse o que está havendo.

— Ah, sei!

— Espere! Ele disse que se você não fizer isso, ele fará. E também pediu desculpa. Ele foi bem claro. Te pediu desculpa e disse que não poderá aceitar o emprego na casa, ou algo assim. Ele falou "desculpa", "emprego" e "casa".

Smoke percebeu que somente Tumumbo, na sua maneira educada, poderia agir desse modo. Emprego e casa: duas coisas que ele prometera para a sua mãe. O telefonema começava a ficar crível. Smoke estava diante de duas situações fora de controle: as vidas da família Kinsasha e a possibilidade de Tumumbo revelar a estranhos sobre a operação em andamento.

— Quem são vocês?

— Quem somos nós? — Lynda olhou para Monteiro, que fez que não com a cabeça. — Somos as pessoas que salvaram os dois da morte. Foi preciso uma grande operação policial pra poder resgatá-los dos traficantes.

— Vocês, então, são policiais.

— Não importa agora, camarada. E a propósito: qual é o seu nome?

— Não interessa.

— Então, senhor Oculto, eu subi aquela porra de morro pra falar com esse garoto, e cheguei lá no momento em que ele estava sendo trucidado, assim como a mãe dele. Troquei tiro com os bandidos e chamei o BOPE. Agora estamos todos aqui no hospital querendo saber o que está acontecendo, e o Tumumbo nos disse que o senhor vai nos contar, ou ele nos conta.

— O que vocês queriam com eles, pra terem ido até o morro?

— Ah, não fode, meu amigo… Esta porra não é entrevista. Ou você ajuda ou eu vou lá conversar com o menino.

— Quem são vocês? — Smoke repetiu, calmamente.

Lynda entregou o celular para Monteiro e saiu do carro, dizendo:

— Não tenho saco pra essa merda. Vou falar com o Tumumbo.

Monteiro falou ao telefone:

— Alô? Desculpe a minha chefe, ela é impaciente.

— Eu vi, *brother*, mas acho que está na hora de desligar.

— Espere, deixe-me explicar o que está havendo. É importante.

— É a sua última chance, meu camarada.

— Quando chegamos ao local, tinha gente que não era do tráfico espancando o garoto e a mãe. Estavam em busca de algo. O Tumumbo falou pra delegada que você responderia.

— Delegada? De onde vocês são?

— Polícia Federal.

Smoke gelou novamente. Até o momento imaginara estar conversando com policiais comuns. Se agentes federais estavam em busca do Tumumbo, só poderia ser da equipe que prendera todos os outros. Smoke não sabia o que fazer. Precisava desligar e, ao mesmo tempo, obter mais informações sobre o ocorrido.

— Em que posso te ajudar, policial?

— Qual o seu nome?

— Me chame de Smoke.

— Obrigado, senhor Smoke. Fique tranquilo, queremos ajudar. Mas, por favor, vamos continuar conversando.

— *Brother*, o que eu posso te dizer é que esse garoto é bom e inocente. Nunca praticou crime algum.

— É, mas estão atrás dele.

— Porque acreditam que ele sabe de algo, mas ele não sabe.

— E como o senhor garante que ele não sabe?

— Porque tomei todo o cuidado pra que ele não soubesse.

— Quer dizer então, senhor Smoke, que ele não sabe de nada, mas você, sim.

— Isso mesmo. O que posso te dizer é que o Tumumbo fazia parte de um grupo de amigos, que talvez o senhor conheça, que realizou um trabalho muito nobre.

— Refere-se aos jovens Hallcox, Ponytail e Mr. Fat?

E assim Smoke confirmou que falava com alguém da operação que prendera todos. E entendeu o que foram fazer no morro. Os três garotos, que deviam ter sido absorvidos pela Base, naturalmente desapareceram; e Tumumbo seria o último contato.

— Sim, refiro-me a eles.

— Pela lei, eles são criminosos, senhor Smoke.

— Esqueça isso. Eles são *hackers* que lutam contra políticos. Tudo o que a justiça não consegue alcançar, eles tomam.

— Mas isso não é legal, senhor Smoke.

— É, nós sabemos, mas é moral.

— Compreendo o seu ponto de vista. Porém, até agora o senhor não está me ajudando. Perdoe-me a franqueza, mas não estamos evoluindo. O que se passa, senhor Smoke? E onde estão todos os outros?

— Qual o seu nome?

— Monteiro. E me diga o que está acontecendo, por favor.

— Monteiro, meu camarada, eu te disse. Esses garotos são heróis. São *hackers* contra o Systema, que agora está atrás deles.

— Que sistema?

— Não tenho como descrever, Monteiro, mas você vai perceber. Se ficarem entre os meninos e o Systema, o Systema tirará vocês do caminho. O Systema é um monstro em cujo colo o seu chefe está sentado.

Monteiro se lembrou da transferência intempestiva de Lynda.

— Acho que já estão atuando, senhor Smoke. Começo a entender o que o senhor diz.

— Lamento te informar, *brother*, mas tem gente infiltrada na sua operação. Já entregaram o Tumumbo, e vocês vão ter que protegê-lo.

— Só podemos protegê-lo se ele for uma testemunha.

— Então, coloque-o como testemunha.

— De quê, senhor Smoke? Até agora não temos nada. Os meninos foram soltos e desapareceram. Temos apenas o Tumumbo.

E aquela era a confirmação de que a Base incorporara todos, o que aliviou Smoke.

— *Brother*, preste atenção ao que eu vou dizer. Esses caras vão cair matando em cima de todo mundo. Não sei o que vocês têm escrito no processo, não sei que informações vocês tinham lá, mas eles vão atrás de todos, e se não descobrirem nada, irão atrás de você e da sua delegada.

— O que vocês fizeram?

— Tiramos milhões de dólares deles, em várias operações. Tudo dinheiro de corrupção e drogas. Eles estão vindo com tudo. Vocês têm de proteger todos aqueles que estiverem ligados aos meninos.

— Proteger quem?

— Todos que estiverem no processo!

Smoke concluiu que Tumumbo agora estava fora do seu alcance, assim como a mãe dele. Portanto, ele não tinha o que fazer. Não era forte o bastante para proteger um alvo do Systema. Ligar Tumumbo como testemunha do projeto cx lhe daria uma proteção temporária. Era um paliativo. Mesmo assim, era preciso avisar o HAVOC. A Base era a solução definitiva. Com os meninos lá dentro e suas famílias sob ameaça aqui fora, a Base não teria como ficar indiferente.

Smoke desligou o telefone, para frustração de Monteiro, que ficou sentado no carro com a cabeça funcionando a pleno vapor para poder consolidar tudo o que escutara. Ele conferiu a gravação, que ficara muito boa. Olhou em volta e viu ao longe a delegada andando na sua direção. Ele saiu do carro, e eles falaram ao mesmo tempo. Monteiro fez um sinal para que Lynda prosseguisse. Sabia que não teria chance antes que ela falasse.

— Monteiro, o Tumumbo me contou várias coisas sobre uma operação que os garotos fizeram. Falou sobre uma base de operações que lhes dava suporte, e que os garotos iriam mesmo desaparecer. Estava previsto isso. E...

— Lynda, me deixa falar o que conversamos. Está tudo gravado. Tem mais informações... e você não vai acreditar, mas acho que já sei o motivo da sua transferência.

— Oi?!

— Sim, mas antes de qualquer coisa, me diga: no processo dos meninos, quais são as pessoas citadas.

— Ué, Monteiro, você não sabe?

— Não. Os réus eu sei, mas quem são as pessoas próximas que estão no processo?

— O Mr. Fat não tem parentes. A mãe do Ponytail faleceu recentemente. O Tumumbo estava citado lá, mas inocentado. Ele não teve participação, mas o processo cita a mãe e a condição de exilado. Hallcox... se não me engano... Isso! Tem sim! Tem a citação sobre a noiva e os pais. Entraram como prováveis endereços para o dia da prisão.

— Então era isso o que o Smoke estava dizendo!

— Quê? Smoke?

— O nome do cara na linha era Smoke. Ele falou que vão atrás de todos. Irão matar todos. Vai acontecer o mesmo que aconteceu com o Tumumbo. Você precisa ouvir o que está gravado.

— Então me mostra agora!

— Entra no carro.

Monteiro colocou a gravação, que os dois escutaram com atenção. Ele pediu para Lynda pensar sobre a sua transferência. Ela meneou a cabeça.

— Se essa porra for verdade, Monteiro, já está acontecendo.

— Lynda, temos que dar um jeito de proteger o Tumumbo e a mãe dele.

— Ela morreu.

— Meu Deus! — Monteiro levou as mãos à cabeça. — Lynda, eles irão atrás dos outros.

— O Tumumbo tá que é ódio puro. Tentei acalmá-lo, mas foi só no remédio. O garoto tá dopado agora.

— Coitado do rapaz... Mas ainda temos que protegê-los.

— A noiva do Hallcox mora aqui na cidade, e os pais, num sítio em Cabo Frio. Cento e sessenta quilômetros daqui. E agora, Monteiro?

— Não podemos ativar equipes de vigilância sem um processo em andamento. E se falarmos sobre esse tal sistema, vamos ter que aguentar muita gozação. Além do que, mesmo que estivéssemos com um processo em andamento, o tempo de resposta da justiça ou da própria polícia seria mais lento do que a necessidade de protegê-los.

– 172 –

— Olha, eu vou ficar aqui com o Tumumbo e, assim que ele sair, levá-lo pra uma audição. Pra ganhar tempo. Vou ficar enrolando por lá. Você pode ir até a casa da noiva do Hallcox. Ligue para a sede e pergunte o endereço pra alguém.

— E os pais do Hallcox?

— Não sei o que fazer. Não temos gente pra mandar pra lá.

— Posso falar com o pessoal da equipe e ver se aparece algum voluntário.

— Cuidado, Monteiro. Você sabe que tem gente ali que bate o bumbo na hora da pausa.

— É foda, Lynda...

— Vá logo, Monteiro!

— Caramba, não posso ficar andando pela cidade com esse vidro cheio de tiros. Vai chover ainda hoje. Vou trocar esse para-brisa agora e seguir direto para a casa da moça. É coisa rápida. Enquanto isso, busco o endereço. Chegando lá eu te aviso.

— Tá bom, vai!

— Não se esqueça de que o Tumumbo terá que enterrar a mãe.

39. AGNUS DEI

Um luxuoso Bentley de cor escura estacionou em frente ao Royal Opera House, em Londres. A Bow Street brilhava com a luz da lua refletindo na fina camada branca de uma insistente neve que flutuava rumo ao chão naquele início de noite sem vento. Uma mão com luva branca abriu a porta traseira do veículo e, do seu interior, surgiu um homem de idade avançada que apoiou uma bengala escura no chão branco e macio. Não era dia de apresentações no teatro, mas de ensaio geral. A sua condição de doador regular lhe permitia algumas concessões, uma delas era estar presente nesses dias sem o incômodo dos protocolos sociais, da vestimenta exagerada e dos assuntos insuportáveis.

O senhor caminhou com esforço até a porta do teatro e foi recebido por um dos funcionários, que o conduziu ao seu camarote. Naquele momento acontecia o ensaio para uma rara apresentação de *Agnus Dei*, de Samuel Barber.

A primeira fila, composta por vinte mulheres, era seguida pela segunda fila, com vinte homens. Tratava-se de uma obra sem instrumentos em que toda a música surgia apenas das vozes humanas.

O celular do senhor vibrou no bolso do casaco. Ele atendeu em inglês, para logo a seguir continuar em um português carregado de sotaque britânico:

— Prossiga.

— Não conseguimos nada. Fomos interrompidos pela polícia e tivemos que deixar o local. A africana morreu e o filho está com a Polícia Federal.

— E os outros?

— Há uma equipe agora no próximo objetivo.

— Sem informações. Sem utilidade. Eles e você.

As luzes do teatro se apagaram. Os holofotes focavam apenas o coral, e o maestro fazia algumas recomendações. Estavam prontos.

O senhor desligou o celular, com raiva.

O maestro levantou os braços e os baixou num movimento rápido. A sala se encheu com o protagonismo das vozes femininas mais altas e o vigor das masculinas, que reverberavam na acústica perfeita do ambiente. Era como o sólido fundo branco de uma tela sonora recebendo a tinta vocal das pinceladas imaginárias, suaves e calmas de seu maestro.

O senhor, agora emocionado com a beleza do latim cantado, recostou a cabeça na parede do camarote e fechou os olhos. Um leve sorriso e um rastro úmido no rosto. O som preenchia o que ele acreditava ser a sua alma, mas essa há muito se perdera para o Systema.

40. A INUMANIDADE

Chovia moderadamente e as luzes fotossensíveis das ruas anunciavam o início da noite. Monteiro, parado em uma esquina da zona norte do Rio, já com o para-brisa recuperado, achava-se próximo à casa de Yasmin. Ele abriu a janela e colocou a cabeça para fora para ler uma placa e confirmar o endereço. Ligou o motor e entrou lentamente na rua deserta com lanternas e faróis desligados. Não sabia em que altura ficava a residência, mas pelo número seria do lado direito.

Havia dois carros parados adiante e um no fim da rua, fechando a passagem. As lanternas vermelhas estavam acesas, mas Monteiro queria nesse momento se concentrar na identificação da casa. Desse modo, continuou devagar e verificando os números através do vidro do carona, que estava recolhido.

Deduziu que a moradia deveria estar mais adiante, próxima daqueles carros parados. Seguiu mais à frente, sempre acompanhando a numeração pela janela, até bem próximo dos veículos. Os faróis de um deles, sem motorista, iluminavam o asfalto adiante, tornando possível ver os pingos de água batendo forte no chão. Monteiro resolveu esperar o morador retirar o veículo da rua, pois queria ficar no local sem ser notado.

Não dava para enxergar nada, com aquela borrasca. A única coisa nítida era o local iluminado pelo farol do carro.

E de repente Monteiro detectou algo no chão que não vira até aquele momento. Ele baixou o vidro e forçou a vista. Parecia um pé descalço de alguém caído. Monteiro se recuperou logo do susto, pegou a pistola e abriu a porta do automóvel sem causar ruído. Caminhou poucos metros e se agachou atrás de um dos veículos, cujos motores estavam ligados e com os faróis acessos. Não conseguia enxergar nada dentro do automóvel.

Monteiro, com a pistola em punho, seguiu, muito alerta, pela lateral do veículo e pôde constatar, apesar do vidro escuro, que o carro estava vazio. Ao se erguer um pouco, avistou a figura de dois homens de pé na chuva. Um deles chutava algo no chão. Ao ficar ereto, Monteiro constatou que se tratava do corpo de uma adolescente.

Ele, pai de quatro filhas, agiu com uma mescla de instinto e treinamento. Sem hesitar, caminhou na direção dos dois com a arma apontada. Eles não se deram conta da chegada do policial até que ele passou na frente dos faróis e uma sombra percorreu o chão em que os homens estavam. Os dois, então, firmaram a vista e distinguiram apenas um vulto que se aproximava. Reagiram ao mesmo tempo, cada qual buscando a sua pistola no coldre. Quatro estampidos foram ouvidos e dois corpos encontraram a rigidez do asfalto.

Monteiro não conseguia acreditar na cena diante de si. O último chute acertara o peito daquela menina, que girou cento e oitenta graus no chão, tamanha a força. O sangue do seu rosto ferido e o filete que pendia na sua boca estavam sendo lavados pela chuva.

Subitamente, veio o som metálico de um portão se abrindo junto com um novo estampido. Monteiro foi projetado para a frente. Uma dor lancinante lhe atravessou o centro das costas. Ele perdeu o controle das pernas e, em segundos, sentiu o gosto do sangue na garganta. Não entendia por que estava com o rosto no asfalto e com a chuva a castigá-lo. Monteiro sentiu os batimentos cardíacos se acelerarem no mesmo ritmo do entendimento da situação. Viu próximo outro corpo, que não reconheceu.

– 175 –

Lembrou-se de que estava em frente à casa de Yasmin. Podia ver o número no muro e o portão aberto.

Com dificuldade e em meio à dor e ao impacto dos pingos no seu rosto, pôde ver um cabelo loiro em uma poça de sangue e água. O rosto dela estava virado para Monteiro, com os olhos abertos e desfocados. Aquilo apertou o seu coração como nunca antes. Impotente e imóvel, ele recordou que ela estava grávida. Vieram à sua mente a imagem das suas filhas e os avisos de Smoke, e seu peito foi inundado por uma avalanche de emoções.

Monteiro perdeu os sentidos.

Um prematuro escorreu lentamente pelas pernas da menina, acompanhado pelo líquido amniótico. A criança não se mexia. Apenas as suas perninhas eram atingidas pela chuva que aumentava de intensidade; o resto do seu corpo se mantinha sob o vestido da mãe. Os autores daquele massacre estavam tirando fotos dos corpos. Um deles falava ao telefone, relatando os eventos para alguém, quando o celular do outro homem caiu no chão. A luz do *flash* se acendeu durante a queda. O que falava olhou assustado, para logo a seguir dobrar os joelhos e encontrar o solo, com uma expressão de dor no rosto. O seu celular bateu com força no asfalto, separando-se da bateria e interrompendo a ligação em andamento.

Homens vestidos de preto e escondidos nas sombras surgiram agachados e portando armas com silenciador. Atrás dos veículos parados na rua, uma enorme van escura entrava lentamente na área de luz do poste. A Base chegara.

Enquanto um grupo de quatro homens entrava lentamente e em formação pelo portão aberto da residência, dois outros saltaram da parte traseira da van com uma maca e correram pela lateral dos veículos. Os primeiros a chegar revistavam os corpos e o carro dos inumanos autores daquela covardia.

O cenário era macabro. A impressão era de que todos os ossos das pernas de Yasmin estavam quebrados. Um dos médicos que trouxeram a maca parou de joelhos ao lado daquele corpo tão jovem, comovido e sem saber como suspendê-la. Ele a tocava com as luvas cirúrgicas com todo o cuidado, em busca de alguma área menos danificada.

Os soldados retornaram da casa informando não haver mais ninguém. Viram Monteiro ser levado para os fundos da van e pararam num semicírculo involuntário, relaxando as armas e assistindo ao drama do que parecia ser um médico tentando causar a menor quantidade de danos possível ao colocar aquele corpo frágil na maca. Alguns ajudaram. O médico retirou carinhosamente o cabelo que cobria parte do rosto da garota, ajeitou o seu vestido e se preparava para levantar as pernas quando ouviu um agudo choro de criança.

Todos se surpreenderam. Então, o médico viu o vestido da mulher se mover e rapidamente o ergueu, para descobrir um feto pouco maior que a sua mão. Outro atendente correu até a van para buscar uma toalha seca.

Estavam todos atônitos, alguns agachados com a mão na boca, outros ainda de pé e com as mãos na cabeça. O médico embalou a criança, posicionou-a no meio das pernas da mãe, na maca — elas ainda estavam ligadas pelo cordão umbilical — e entrou com as duas na traseira da van, que continha alguns equipamentos de emergência. Os soldados levaram os automóveis dos bandidos, com os seus corpos dentro, e a rua voltou a ficar deserta.

A porta do carro no fim da rua se abriu. Um homem bem vestido sacou uma pequena lanterna do bolso, com toda a calma, e caminhou pelo local onde antes estavam os corpos. Seguiu na direção da calçada e entrou na casa. No lado externo da residência havia uma construção de alvenaria que abrigava os botijões de gás utilizados na cozinha. Ele abriu a porta de alumínio e deparou com o rosto de uma senhora agachada e muito assustada. Ele gentilmente a pegou pelo braço.

— A minha filha me colocou aqui pra me esconder daqueles homens — disse a mulher.

— Eu sei, senhora, acalme-se. Ela salvou a sua vida.

— Onde ela está? Cadê a minha filha?

— Ela foi levada.

— Eu ouvi os gritos dela, e depois, tiros. Um monte de tiros. Senhor, onde está a minha filha?

— A sua filha está a caminho do hospital, não sei qual. A pobrezinha apanhou muito dos homens que vieram aqui. A senhora os conhecia?

— Não sei, moço, não vi ninguém. A minha filha me colocou aqui. Onde ela está? Eu ouvi os gritos dela. Onde ela está, moço? A minha menina está grávida, moço! — A senhora começou a chorar.

Ele se virou e andou na direção da rua. Continuou vasculhando o chão com a sua lanterna e encontrou junto ao meio-fio uma pistola .45 padrão da Polícia Federal. Recolheu alguns cartuchos e os observou. Abaixou-se e tocou com os dedos o misto de sangue e líquido amniótico. Cheirou-o e arremessou os cartuchos no chão, com raiva. Sacou um lenço do bolso e limpou a mão com a ajuda da chuva. Regressou ao seu carro. Um BMW 325i.

— 177 —

No dia seguinte, Lynda, que tentara falar com Monteiro durante toda a noite sem sucesso, recebeu a notícia do desaparecimento de Yasmin. A equipe que fora ao local encontrara o carro de Monteiro parado na rua com o celular no banco do carona e a chave na ignição. Havia cápsulas pelo chão, algumas .45. Ele também desaparecera.

A notícia chegou à Base. Os supervisores convocaram uma reunião emergencial na Catedral. Nunca uma agressão do Systema ficou sem resposta.

41. O SEGUNDO DIA NA BASE

Vestindo o uniforme padrão, Hallcox, Ponytail e Mr. Fat seguiam pelos corredores a jovem que lhes apresentava as instalações: as salas de aula, o refeitório, o pequeno hospital, os dormitórios, a quadra esportiva, a academia, o estande de tiros, os laboratórios forenses, o almoxarifado, a lavanderia, a biblioteca, o armazém geral e a Arena, a principal instalação da Base — um enorme anfiteatro com um palco no centro. Nos anéis de arquibancada havia computadores. Cada grupo continha uma ilha com nove monitores, três computadores e um longo tubo descendo do teto com todos os fios. À frente de cada tubo, um pequeno painel eletrônico identificava aquele posto com algum código de letras e números.

Ponytail estimou oitocentas ilhas de trabalho. Uma enorme quantidade delas no primeiro anel e uma redução a partir dos outros anéis mais próximos do palco, que era composto por ilhas mais robustas com monitores e computadores maiores, formando oito mesas ombreadas por uma grande quantidade de equipamentos de rede que formavam o que parecia ser a Charola do Convento de Cristo em Toma. O enorme conjunto de fios que descia do teto dava a mesma impressão orgânica da belíssima arquitetura antiga. Os três rapazes ficaram boquiabertos diante da estrutura do local.

— Senhora, o que acontece nesta sala? — quis saber Hallcox.

— Aulas, provas, simulações e algumas operações contra alvos externos, quando praticamente toda a população da Base se reúne contra um inimigo. Ataque ou defesa.

— Uau, me deu até taquicardia! — comentou Ponytail.

— Os senhores em breve estarão aqui participando dessas atividades. Agora devo levá-los ao seu orientador pra que ele possa proceder com o resto da integração. Ele é um amor de pessoa.

Mr. Fat fez uma careta. Não sabia se aquilo era uma piada.

– 178 –

— Por favor, sigam-me.

À medida que caminhavam, os garotos, olhando ao redor, observavam todos os detalhes das estruturas e das pessoas. Ao longe, ouviam um som distante e esporádico do que parecia ser um trem passando por trilhos. Acabaram por entrar em uma pequena sala de aula com um quadro branco. A guia pediu que se acomodassem e aguardassem, e foi embora.

Logo em seguida, a porta tornou a se abrir, e um senhor gordo, de baixa estatura e barba branca, entrou. Ele trazia algumas canetas para o quadro e um apagador, que colocou na mesa, e converteu aquele rosto sério em um belo sorriso.

— Bom dia, senhores.

— Bom dia! — todos responderam.

— Já sei. Estão me achando igualzinho a um Papai Noel de cartaz de loja, sorridente e de bochechas rosadas. Certo?

— Já que o senhor sugeriu... parece mesmo — respondeu Hallcox.

— O meu nome não é Noel. Sou conhecido como Monarka. Cheguei aqui mais novo, mais magro e sem barba. Eu imagino que o gordinho seja o Mr. Fat, correto?

— Afirmativo — confirmou Mr. Fat, sem ânimo.

— O senhor com o rabo de cavalo, óbvio, é o Ponytail.

— O senhor é vidente? — Ponytail sorriu, sarcástico.

— Portanto, você só pode ser o...

— Hallcox. Isso mesmo. Pode parar de nos assustar com os seus dons paranormais.

Todos riram juntos.

— Pois bem, Hallcox, esse é o seu nome... ou melhor, sobrenome... e aqui as pessoas não têm nomes. Durante o seu cadastro, o sistema já lhe forneceu o seu codinome. É ele que será utilizado daqui por diante. Os seus amigos já sabem?

— Não, senhor.

— Você poderia informá-los?

— Claro, senhor.

— Fique à vontade então.

Mr. Fat e Ponytail olhavam para Hallcox com curiosidade.

— O sistema apresentou o codinome "HOVER" para o meu número de cadastro, 775ZR.

— Até que não é ruim. Mr. Fat, nós vamos chamá-lo de "H": "H" de Hallcox e "H" de Hover. Não tem como errar. — Ponytail fez cara de inteligente.

— Prefiro "H" de hemorroida. E vê se presta atenção ao professor, porra... — Mr. Fat estava mais sério que o normal.

– 179 –

— Tenho certeza de que todos têm um monte de dúvidas. O momento pra tirá-las é agora.

— Monarka, as minhas maiores dúvidas são de antes da nossa chegada aqui, e se referem a todos nós. Posso começar por elas?

— Sim, Hover. Prossiga.

— Estamos neste lugar por conta do Smoke. Cadê ele?

— Eu estive com o HAVOC, coordenador do Smoke, pra que ele me atualizasse. O Smoke foi meu aluno. Fez muitas coisas por aqui. Mas em resumo: ele foi expulso da Base.

— Demitido?!

— É um banimento. Pode ser que volte no futuro, pode ser que não. Ele se sacrificou por vocês.

Silêncio.

— Qual era a função dele? — Hover indagou.

— O Smoke já foi professor, mas na última década se manteve focado na seleção de novos *hackers* de campo, como vocês. Ele executou bem essa função. Sempre trouxe bons candidatos.

— Senhor, eu percebi que estamos no subsolo, mas em que lugar da cidade?

— Sou capaz de jurar que você não é tão boboca assim! — O Monarka sorriu ao responder para Ponytail. — Já que se esgotaram as perguntas, vou seguir com as instruções.

Ao escutar um estalo, o professor se virou para trás. Ponytail, com a mão na nuca, olhava para Mr. Fat, que lhe fazia sinal de silêncio com o dedo indicador. Hover balançava a cabeça.

— Vocês estão agora dentro de um quartel, um centro de formação militar. Vivemos uma vida castrense aqui. Temos um fuso horário próprio, o que não faz a menor diferença, pois este lugar não tem uma única janela. Se eu disser que é noite, vocês terão que acreditar que é. Para o período de instruções, não há contato com o mundo exterior. Vocês serão obrigados a aprender muitas coisas, e rapidamente. Todos, quando entram, são *hackers* de campo nível um, ou HC1. Conforme avançam, vão subindo de nível.

— Se somos nível um, qual era o nível do Smoke? — perguntou Mr. Fat.

— Smoke era nível três.

— E o senhor? — Ponytail arqueou as sobrancelhas, curioso.

— Eu sou nível quatro. É só olhar pra minha roupa. Mais tarde, vou lhes ensinar o que significam estes símbolos nos trajes.

— Quantos níveis são?

— Teoricamente não tem um limite, Hover, mas já tivemos até o nível oito.

— 180 —

— Caralho, gordo! Se o Smoke era um nível três, imagine o oito... O cara deve ser um Cavaleiro Jedi.

— Fica quieto e escuta, Ponytail — ordenou Mr. Fat.

— Eu sei que os senhores conhecem muito de sistemas operacionais, redes, linguagens de programação e tecnologias de maneira geral, mas aqui essas coisas serão aprofundadas de uma forma absurda. Teremos aulas todos os dias pelas manhãs, logo após o café. Não se preocupem em anotar. Vou mandar entregar no quarto de vocês um quadro completo das atividades. Há um lugar específico na parede pra pendurá-lo.

— Fiquei curioso do que ainda me falta aprender — comentou um arrogante Ponytail.

— Uma das coisas mais previsíveis do universo é o adolescente. — Monarka deu de ombros. — Vocês, jovens, acreditam que, por estarem em contato com o moderno, tudo o que ficou pra trás não presta. De maneira geral, isso acontece em todas as áreas. Eu chamo de idiota mesmo. O cara sai do seu cursinho, da sua faculdade ou da última compilação de kernel achando que está sentado em todo o conhecimento que já foi produzido pela humanidade. Ele está no topo; mas eu nem preciso dizer que não. Vou lhes mostrar coisas antigas que são ensinadas aqui e que continuam nos ajudando e salvando vidas a todo instante.

Monarka pegou uma caneta para escrever no quadro.

— Vocês aprenderão libras, a língua dos surdos. Todo *hacker* de campo precisa dominar essa língua. Quando se está trabalhando infiltrado, ou num lugar com escutas, ou se o que se deseja é passar uma informação pra alguém do outro lado da rua, da sala ou do vagão de metrô, não podemos depender de tecnologia ou da nossa garganta. Vou dar um exemplo. Digamos que esta sala esteja grampeada: vocês sabem do grampo, mas não têm ideia de onde se encontra o microfone e precisam falar com alguém. O que fariam nessa situação?

— Nada — disse Hover.

— Vejam só. — O Monarka fez o que parecia ser um coçar de nariz na direção da câmera no alto da parede e nada mais disse.

Ele se sentou e ficou olhando para os garotos, que, atônitos, não viram sentido algum naquilo. Poucos segundos depois, um rapaz entrou na sala com uma garrafa de café e um kit com copos, açúcar e adoçante.

— E então, senhor, o que foi aquilo na frente da câmera? — Perguntou Hover.

— Vocês não perceberam? Eu pedi café!

Ponytail gargalhou.

— 181 —

— Eu ainda estou esperando você falar alguma coisa em libra. Aquela coçada no nariz e na barba já era a libra? Incrível. Quero aprender isso. Vou poder chamar o gordo de gordo do outro lado da rua.

Plaft! O som de outro tapa no pescoço de Ponytail.

— Pelo amor de Deus, parem com isso! — Hover franziu a testa.

— Alguém quer café? Podem pegar aqui, enquanto eu continuo.

Hover se levantou e começou a se servir.

— Eu queria um cigarro.

— Só daqui a um ano, Ponytail. Lamento informar. A Base está cagando pra se você fuma ou não. Precisaremos dos seus pulmões para as aulas de natação, parkour, jiu-jitsu e krav magá. Não formamos atletas nem lutadores, mas é preciso ter noções de tudo isso, assim como de engenharia social e *blending*, ou seja, a arte de se misturar na multidão. E continuando... O que lhes mostrei foi uma das coisas mais importantes pra um agente de campo: a capacidade de dar e receber informação sem que ninguém perceba. São inúmeras as situações em que ainda utilizamos isso. As próximas cadeiras serão código Morse e braile.

— Porra! Século XIX na veia! — Ponytail mais uma vez debochou.

— Ainda esta semana um ex-aluno me contou que fez uso do código Morse numa operação de campo. Ele estava dentro de um botequim na Tijuca e deixou o telefone ligado ao lado de um copo de café com leite. Com a colher batendo no copo, o agente descreveu tudo o que estava acontecendo em tempo real. A grande quantidade de pessoas no local e o som do trânsito intenso não permitiam o uso da voz.

— O senhor tem outros alunos?

— Na Base, somos todos alunos, Ponytail. Aqui nunca paramos de estudar e ensinar. Entendam que, na procura pelo conhecimento, o primeiro passo é o silêncio; o segundo, ouvir; o terceiro, relembrar; o quarto, praticar; e o quinto, ensinar aos outros. Ensinar solidifica. É o fim de um ciclo. E vocês também darão aulas.

— E o braile? O senhor ficou de comentar sobre o braile.

— O braile, Mr. Fat, é muito utilizado em áreas de passagem por onde se pode andar deslizando a mão por superfícies, como um corrimão, a parede ao lado de uma escada, um balaústre da praça. Cola-se uma etiqueta com informações em braile e uma outra pessoa passa o dedo fazendo a leitura.

— Parece coisa de espião. — Hover deu de ombros.

— Mas ainda funciona. Enfiem na cabeça que vocês não podem ter limitações. Saber algo que 99,99% da população não sabe te torna superior. Existem etiquetas em braile por toda a Base. Toda esquina possui etiquetas com informações direcionais. Os seus dormitórios estão repletos delas, desde o armário até o banheiro.

– 182 –

Aprendam a ler com os dedos e com os olhos. Vocês também podem ler braile com os olhos.

— Vou ficar um nojo... — Ponytail estufou o peito.

— É, nós sabemos. Mas, prosseguindo, vocês aprenderão também a interpretação acelerada de sons. — Monarka fez alguns novos sinais para a câmera e em instantes o mesmo rapaz do café entrou com um notebook. Monarka abriu e ligou o aparelho.

— É sério que você colocou alguém pra ficar à sua disposição naquela câmera?

— Não, Mr. Fat. Existe um programa que reconhece os sinais que faço e envia uma mensagem pra que a pessoa saiba o que eu pedi. Ela prossegue com os seus afazeres e só para pra me atender.

Ponytail fez cara de surpreso.

— Vou executar um áudio pra vocês escutarem. Silêncio e atenção.

Monarka apertou o *play* do aparelho e uma voz límpida e clara disse:

Ser ou não ser: eis a questão.

— Vou tocar novamente.

Uma voz acelerada repete a frase.

— Todo mundo entendeu?

— Sim — todos responderam.

— Novamente.

Dessa vez, o que se ouve da voz, agora muito acelerada, é:

Seronoseraquestaum.

— Entenderam?

— Não! Mas dá para deduzir por conta do que escutamos antes — comentou Hover.

— De novo. Escutem.

Um sinal similar ao som de um aparelho de fax reproduz:

Sshsshsrrrtauum.

— E agora?

— Nadinha! — Ponytail chacoalhou a cabeça.

— Pois bem. Um ouvido treinado escuta a frase.

— Impossível! — Mr. Fat franziu a testa. — Isso é coisa de mutante.

— Essa é uma das provas pra que você passe ao nível dois. — Monarka sabia que aquilo silenciaria a sala. — Cegos, que escutam livros, o fazem nessa velocidade. É só questão de prática. Você vai acelerando aos poucos e logo estará no nível de um aparelho de fax. Uma série de ruídos num sistema de alto-falantes pode conter toda uma frase. Aulas inteiras serão dadas nessa velocidade. Agora eu vou fazer o seguinte. Ponytail, venha aqui ao meu lado.

Ponytail se levantou e parou ao lado dele na frente da sala.

— Está vendo este campo aqui? É só digitar o texto e apertar este botão ao lado, e ele fala. Eu irei lá pro fundo da sala, e você escreverá qualquer coisa. Eu vou te dizer o que você escreveu.

Monarka caminhou até o fim da sala e fez um sinal de positivo com a cabeça. Ponytail digitou e apertou o botão. Todos escutaram um som de fax e olharam para Monarka, que abriu um sorriso.

— Tem certeza de que quer que eu diga?

— Sim, claro — confirmou Ponytail.

— Você escreveu: "O pudim de banha veste lona de circo".

Ponytail disparou a rir freneticamente. Mr. Fat se virou para Hover, perguntando:

— Me diga: o que eu faço pra ele parar? O que eu faço?!

Em seguida, Monarka pediu a Hover e depois a Mr. Fat que fizessem o mesmo. Todos verificaram que era real a capacidade de interpretação acelerada.

— Podemos continuar, senhores?

— Sim, vamos em frente. — Hover estava impressionado.

— Os senhores terão aula de educação física. Essa pança nerd será atacada; e não adianta olhar para Mr. Fat, falo com todos. Ponytail ficou sem fôlego só por estar rindo. Vai sofrer bastante. É preciso que vocês tenham plena saúde pra realizar operações de campo. Vão precisar correr e subir escadas. Por vezes, resistir a um longo período sem comer ou beber nada. É preciso desenvolver resistência. Vamos trabalhar isso quase todos os dias. Vocês também irão aprimorar as suas habilidades ao volante de um carro. Os carros da Base são propositalmente usados pra não chamar a atenção, mas têm mecânica robusta e são muito velozes. E, enfim, vou falar agora da melhor parte: o dinheiro... Assim como conhecimento aos montes, quem trabalha na Base recebe dinheiro aos montes. Um percentual do resultado das operações é dividido entre os participantes. Do total do dinheiro roubado ou proveniente de crimes que nós conseguimos recuperar, 5% fica com a Base e 1% com os HCS. O restante volta para o governo através de vários meios.

— Poderia nos dar um exemplo em números?

— Os senhores entraram na Base de maneira atípica, já realizando uma operação. Essa operação deu frutos muito interessantes. O que eu posso adiantar é que já existe uma conta-corrente pra cada um de vocês. Uma nova conta é aberta pra cada operação e esses dados estarão nos seus respectivos perfis no sistema. Podem acessar do seu quarto. Existe um manual dentro da gaveta, na mesa do computador, que mostra como utilizar os nossos sistemas.

— Mas, senhor, essa conta está em que banco?

— Os bancos dessas contas estão espalhados por todo o mundo e em países confiáveis, Hover. Ao saírem daqui, vocês poderão operar essas contas livremente. Aliás, temos aulas sobre empreendedorismo para ajudá-los a seguir uma outra vida com o novo padrão que terão e aulas sobre como viver bem sem chamar a atenção.

— O senhor não disse um número... — comentou Hover.

— É verdade. Vamos lá: cada um dos senhores possui, na sua primeira conta, algo próximo a novecentos e oitenta mil dólares.

O silêncio foi total, todos olhando de um para o outro.

— E esse dinheiro pode crescer a cada nova ramificação que surgir a partir do material que vocês entregaram e que ainda não foi totalmente processado. Eu acredito que, antes do fim do ano, esse valor tenha ultrapassado os três milhões de dólares.

Mais silêncio. Queixos caídos.

— Que tal uma pausa de dois minutos? Tem um banheiro aqui em frente. Vai ser melhor assim. Acredito que os senhores não absorverão muito do que eu vier a dizer enquanto esses números estiverem martelando nas suas cabeças.

— Então o gordo vai poder fazer a cirurgia bariátrica? — Ponytail não se conteve.

Monarka deixou a sala rindo e meneando a cabeça.

42. O SYSTEMA

Três horas depois, os rapazes continuavam na sala recebendo orientações gerais. Ficaram a par até mesmo do serviço religioso e espiritual no local. Havia um capelão disponível para toda a Base.

— Então, senhores, pra terminar este dia, quero falar sobre a equipe de segurança da Base e das operações. Embora eles sejam oficialmente conhecidos como "equipe de segurança", muitas gerações atrás receberam o apelido de "carcaças". Eles são responsáveis por toda a segurança interna e externa da Base, assim como pelo acompanhamento das operações de campo. Se vocês forem para as ruas e precisarem de segurança, ou de serem resgatados, são eles que realizarão esse trabalho; e acreditem, os caras são bons no seu ofício. Muitos já morreram nisso, e muitos outros ainda morrerão, pois os carcaças não têm medo de fazer o que fazem. O nível de comprometimento é muito alto. E, além disso, o grupo é muito unido.

— Como eles são recrutados? — perguntou Ponytail.

— Para ser um carcaça é preciso ter um conjunto de valores. Como direi?... *Grosso modo*, de nada adianta a perícia técnica se você não é confiável. É mais difícil achar um carcaça do que um HC. Coisas que dependem da parte física podem ser desenvolvidas. Virtudes podem ser ensinadas, mas alguns traços de caráter, não. Sendo assim, a primeira coisa a ser feita é identificar se essa pessoa possui esses pilares. Se tiver, construímos a casa sobre eles. Com o tempo, vocês acabarão por formar laços de amizade com alguns, mas nunca entrem na área reservada para eles sem que sejam convidados. Não há uma regra oficial da Base pra isso, mas é uma prática.

— Não há conflitos ou rivalidade? — Mr. Fat arqueou uma sobrancelha.

— Não, de maneira alguma. Não existe rivalidade entre um leão e um sagui. — Monarka abriu um sorriso tão largo que os seus olhos se fecharam.

Todos riram.

— E, pra terminar, vamos falar bem por alto sobre o nosso inimigo. Nós o chamamos de Systema. Vou escrever no quadro. Vejam a grafia. — Monarka ia escrevendo e falando: — É com ípsilon, porque utilizamos a palavra em latim, e assim não fica dúvida quando falamos do Systema ou estamos nos referindo a um sistema qualquer.

— Monarka, esse é o tal sistema que já ouvimos em letras de música ou em alguma reclamação dos militantes políticos?

— Não, de maneira alguma é o mesmo "sistema". Quando eles falam, estão apenas dando um nome errado para um outro fenômeno. Eles sentem que existem algumas regras universais inevitáveis e que se você for contra, se dá mal. Se for a favor, se dá bem; mas alguns acreditam que ir a favor é algo ruim, então eles lutam pra ir contra as regras e se aborrecem com a infalibilidade das "causas e efeitos". Por exemplo: acham muito injusto ter que acordar todo dia cedo pra trabalhar em algo que remunera mal. Eles têm contas a pagar, têm que se alimentar; então, não podem parar de trabalhar, e isso os força novamente a acordar cedo e sair de casa. Eles dizem que é injusto e que o "sistema" os está escravizando. Que o patrão os está escravizando. Alguns dizem que isso é coisa do capitalismo.

Mr. Fat interrompeu a explicação:

— De certa maneira, eles não estão certos? Não digo pela crítica ao capitalismo, mas pelo fato de ter que trabalhar e ganhar uma miséria.

— Senhores, ouçam: não existe nada mais natural do que a miséria. O estado natural do ser humano é a miséria. Você pode herdar coisas e ser menos miserável,

– 186 –

mas isso não é algo que acontece com todos os seres humanos. A coisa mais antiga que existe, e é tão antiga quanto andar para a frente, é o trabalho. A mais antiga das profissões não é a prostituição, como dizem, e sim a caça. Adão não precisava pagar para ter sexo com Eva, mas depois que saíram do Jardim do Éden eles tiveram que produzir a própria comida, e isso significa trabalho. O quanto de trabalho é necessário pra formar um prato de comida tradicional, com feijão, arroz, salada e uma carne? De que adianta plantar de manhã se estará com fome na hora do almoço? Produzir a própria comida requer um esforço gigantesco. É um trabalho diário sem fim apenas pra poder ter o que comer, e esse esforço obrigou o ser humano a se planejar, a se unir, a somar forças. Algum de vocês já caçou?

— Eu gosto de pescar! — respondeu Mr. Fat.

— E pesca bem? — Monarka quis saber.

— Na maioria das vezes, não...

— Coloque-se na posição do pobre Santiago, o pescador de *O Velho e o Mar*, de Ernest Hemingway, que ficou oitenta e seis dias sem pescar um único peixe. Já se imaginou ficando oitenta e seis dias sem comer? Santiago estava na ilha de Cuba quando a pesca embarcada era permitida. Hoje já não é. Mas ele vivia em uma vila de pescadores e, como os seres humanos naturalmente se ajudam, não morreu de fome. O mesmo sistema que obriga hoje esse suposto jovem a acordar cedo também o ajuda quando ele não consegue. As sociedades humanas são soluções naturais pra sobrevivência. O que esse jovem chama de sistema nada mais é do que a vida. É a vida de que os seus avós falavam. Quem nunca escutou a frase: "É a vida!"? E é assim porque evoluiu em mais de dez mil anos pra ser naturalmente assim. Você é o responsável pelo seu sustento. Sendo isso cansativo ou não, a responsabilidade é sua. E então, sair de casa cedo pra trabalhar não é ser explorado. É a vida.

— Mas, professor, os salários pagos são baixíssimos. Não há como negar isso — argumentou Mr. Fat.

— Sim, são salários insuficientes pra uma vida digna, principalmente aqui no Brasil. No entanto, mais uma vez, as pessoas apontam o dedo para o problema, mas erram o alvo. Vou dar um exemplo. Se esse rapaz que se acha explorado ganha mil reais por mês, lembre-se de que o governo cobra outros mil em impostos do empregador. A pessoa que empregou esse jovem, portanto, paga dois mil reais por ele, e esse jovem, quando pega o seu salário de mil, encontra uma carga tributária que dizem ser de 35%; ou seja, os mil reais dele se tornam seiscentos e cinquenta reais. No fim das contas, a mão de obra desse rapaz vale dois mil, mas ele fica apenas com seiscentos e cinquenta reais, pois o governo tomou mil, trezentos e cinquenta do salário dele. O patrão não é o problema do trabalhador. O problema dele é aquele mesmo político que diz que ele é explorado. O governo é um novo "senhor de escravos". Ele acredita ser dono do seu trabalho.

— "Senhor de escravo" é meio pesado, né, professor?

— Pesado, Mr. Fat? Na segunda metade do século xix, aqui mesmo, no Rio de Janeiro, os donos de escravos costumavam liberar metade do dia de trabalho pra que eles ganhassem algum dinheiro. Os escravos eram donos de 50% do seu trabalho. Eu acabei de mostrar que um assalariado moderno no Brasil é dono de 35% do seu trabalho. Um escravo do século xix estava em melhores condições de ganho do que um homem moderno, pois, além de dispor de 50% da sua mão de obra, ainda recebia comida e moradia.

— Mas, afinal, do que estamos falando? — perguntou Hover.

— De algo diferente disso tudo. O Systema é uma organização cujo início remonta ao primeiro presidente eleito diretamente, Prudente de Morais, em 1894. Os nossos pesquisadores identificaram traços do Systema já naquela época. Ele é azeitado pelo tempo e tem ramificações em todos os níveis do governo. Ele é silencioso. Depois de conhecê-lo, você poderá ver seus sinais o tempo todo. Vocês terão aulas específicas sobre o Systema. Nós estudaremos várias operações já realizadas pela Base ao longo da história. Veremos os danos que causamos a eles e os danos que eles nos causaram. Vocês verão também todas as adaptações que o Systema fez ao longo do tempo pra continuar existindo e tudo o que ele faz para se proteger. É uma simbiose, na qual o país é um hospedeiro, e o Systema, uma espécie de parasita que extrai dele o seu sustento. A simbiose é a definição do benefício duplo. Isso parece bom num primeiro momento, mas a verdade é que o Systema não permite mudanças que o prejudiquem. O que parece uma proteção é na verdade uma camisa de força que está arrastando o país há mais de um século pra uma instabilidade constante. Politicamente, somos um país doente. Tivemos mais de vinte presidentes não eleitos diretamente pelo povo, quando as constituições diziam que o presidente tem que ser escolhido pelo voto direto. Sempre temos menos de 10% do congresso nacional eleito pelo povo, o restante entra pelas regras proporcionais que foram uma sugestão vinda de fora do país e acatada na constituinte de 1988. Isso é o Systema trabalhando de maneira muito constante pra se manter na simbiose.

Os três rapazes o ouviam com toda a atenção.

— Uma outra situação em que as pessoas utilizam o termo "sistema", e, claro, de maneira errada, é quando descrevem a corrupção em alto escalão como um fenômeno igual ao da corrupção do cidadão comum em seu dia a dia. Dizem que isso é o sistema. Percebam que essas afirmações sempre virão dos intelectuais próximos ao alto escalão do roubo. Alguns são desonestos, e outros, só burros mesmo. Eles acabam por reduzir e comparar quem rouba bilhões com o cara que dá dinheiro pra que o garçom da festa sirva a sua mesa ininterruptamente. Dizem que isso faz parte da alma do cidadão e que a corrupção está em toda parte. Como se um assassino comum fosse um Stálin sem oportunidades maiores. Dizem que é a mesma coisa. Falta de senso das proporções. Eles seguem com o argumento em favor do corrupto quase tornando-o uma vítima, um coitado que não teve alternativa a não ser aceitar as regras e ficar muito rico. Triste e rico. Repito: a corrupção não é a responsável pelo sistema tributário que sufoca quem quer empreender. A corrupção não é a responsável pelo sistema de apuração proporcional que coloca menos de 10% dos deputados federais escolhidos pelo povo. A corrupção não é a responsável pelos quase setenta mil assassinatos por ano no país. A corrupção não é a responsável por deixar fora da prisão uma pessoa que tem mais de quinhentas passagens pela polícia. A corrupção é um grande problema, mas não é o principal problema. Ela é efeito de várias causas. Falam como se o país estivesse fazendo tudo certo, mas acabou dando azar por ter corrupção na política. Se você diz que tudo é culpa da corrupção, acaba por inocentar muitos culpados. Percebam que há algo se movendo por trás disso tudo!

Houve uma pausa silenciosa, enquanto Monarka bebia mais água.

— Professor, esses caras sabem da Base?

— O Systema sabe que existe algo nos calcanhares dele, forte e determinado, Hover, mas que não é o governo. Sabem que existe algo maior do que as pessoas que eles pegam, mas ignoram a sua identidade. Sabem que somos "a Base", mas quase só isso. O Systema possui mais recursos do que a Base, assim como uma força militar maior. Porém, não faz ideia de onde estamos e em quantas partes no país. Será que esta é a nossa única Base? E fora do Brasil? Vocês serão uma célula; nós temos centenas delas trabalhando o tempo todo com um objetivo fixo: bater no Systema. Não sabemos se ele pode ser derrubado; entretanto, vamos continuar batendo, e os senhores serão os mais novos punhos desta casa. Peço que levem tudo a sério, pois essa é uma questão séria. Obrigado pela atenção neste dia de aula. Sigam para os seus quartos e vejam o que está programado. Ótima noite, pessoal.

Monarka deixou a sala após apertar a mão de cada um deles. No mesmo instante, um rapaz entrou para recolher o equipamento e a bandeja de café.

Os meninos, extasiados com tanta informação, seguiram para os seus dormitórios, onde verificaram que o próximo evento seria uma refeição antes do repouso. Na lista de atividades constava que a recomendação era tomar um banho e utilizar chinelo, short e camiseta do enxoval.

Em sua sala, Monarka foi recebido por uma funcionária que lhe contou tudo o que ocorrera fora da Base e em frente à casa de Yasmin, noiva do seu mais novo supervisionado, Hover. Era um caso raro, pois o Systema não conhecia os familiares dos que estavam ali. Ela lhe entregou um pequeno conjunto de documentos e fotografias. Ele agradeceu e sentou-se à sua mesa para ler os papéis. Pouco depois, apanhou o telefone e digitou um número.

— HAVOC?

— Diga, Monarka!

— Como é que isso foi acontecer?

— Quebraram as regras, meu amigo, agora teremos que resolver.

— Suponho que ele não saiba.

— Não. Ele não sabe.

— Vou avisá-lo, então. — Monarka suspirou longamente.

— Certo. Quer levar o capelão? Ele é católico.

— O Padre Brown? Ainda não. Vou falar sobre isso, e o Hover depois decide.

Após desligar, Monarka separou as fotografias que poderiam ser mostradas e as levou consigo. Era uma imagem da casa. Uma outra de Yasmin com um ângulo menos machucado do rosto e a foto de um bebê em uma unidade de tratamento intensivo.

Dez minutos depois, ele estava diante da porta do quarto de Hover. A porta se abriu, e Monarka entrou.

Hover não apareceu para jantar.

43. O AMANHECER

Eram cinco da manhã e o pai do Hallcox já estava de pé. Como de hábito, o cão o recebia, feliz, na porta de entrada da casa, e os dois atravessavam o terreno para cuidar das galinhas, colocar jiló para os pássaros, algumas sementes para as maritacas e renovar a água doce nos potes com flores plásticas para os beija-flores. Cláudio sempre gostou de acordar antes da natureza e, ainda no escuro, experimentar a sensação do isolamento que ocorre pela ausência da vida que dorme às vésperas da primeira mudança de tom do horizonte e que prenuncia a luz de um novo dia. Havia algo diferente no ar; um sentimento de exclusividade, de ser uma solitária e privilegiada testemunha. Restava o sentimento de quem guarda um segredo e a vontade de contar para todos que viu o dia nascer.

Antes de voltar para dentro, Cláudio reparou que a luz do quarto estava acesa, anunciando o despertar de sua fiel amada. Aquela com a qual ele nunca imaginara ser tão feliz e completo diante de uma convivência tão simples. Sempre, ao olhar para ela, dizia a si mesmo que homem de sorte ele era. Conseguia ver a luz de todas as suas virtudes ofuscando quaisquer que fossem os seus defeitos. Viver com ela era um eterno amanhecer. Restava o sentimento de quem guarda um segredo e a vontade de contar para todos que era um homem feliz.

Ele foi à cozinha, colocou uma toalha na mesa e pegou na geladeira tudo o que faria parte do café da manhã. Gostava da tradição de ter a mesa posta, de fazer os seus ovos mexidos com bacon, o suco de laranja, o mamão em cubos, o pão francês, a manteiga da roça, o queijo minas e o café coado no pano. O cão sempre aproveitava esse movimento para entrar sorrateiramente e deitar o seu corpanzil por perto, à espera de que algo fora da sua dieta caísse da mesa.

Dava para ouvir da cozinha o som da água batendo nas folhas durante a rega do jardim. A interrupção daquele som significava que Elaine já estaria vindo para o desjejum tão logo abrisse todas as janelas da casa pelo caminho. O som parou, mas não se ouviu o abrir de janelas.

Iron, o cão, atravessou a cozinha rosnando e tomou o corredor central da casa, que terminava na varanda da frente, derrubando coisas pelo caminho com o seu porte característico da raça fila, o mastiff-brasileiro.

Cláudio levou um susto e se apressou para ir ver o que despertara o cão daquela maneira. Ainda no meio do corredor, escutou Iron entre rosnados raivosos incessantes e ganidos esporádicos. Chegando à sala, pôde ver, através da porta aberta, que alguém segurava a sua esposa por trás, tapando-lhe a boca, enquanto um homem caído no chão lutava para fugir da enorme boca de Iron. Já havia muito sangue no pelo do animal.

Cláudio largou no ar a faca de manteiga que ainda segurava e correu para o quarto. Abriu a porta do guarda-roupa e pegou uma longa espingarda calibre .12. Não lhe interessava quem fosse e com que propósito. A invasão da sua residência, ao seu local sagrado, ao seu território, e a agressão à sua esposa e ao seu cão davam mais do que a mínima razão para uma reação armada.

Ao sair pela porta, o longo cano da arma apareceu primeiro, Cláudio pôde ver que o homem atacado pelo cão já estava inconsciente, e o sangue no dorso do animal saía de pequenos furos provocados pela pistola silenciada que um terceiro sujeito tentava agora apontar para ele. Ambos mantinham as suas armas na posição de mira intuitiva numa corrida pela vida, uma corrida pelo primeiro disparo, que foi realizado pelo calibre .12, que ressoou longe no silêncio do início do dia. O intruso foi arremessado para trás, com os dois pés perdendo contato com o chão. O som assustou Iron, que saiu de cima do corpo inerte do invasor para se afastar e ver a sua dona

– 191 –

dominada por outro estranho. Imediatamente, ele correu rosnando, para tombar logo adiante, fraco e desorientado pelos tiros que já recebera.

Outros bandidos passaram pelo portão, e Cláudio iniciou uma sequência ininterrupta de disparos naquela direção. Ele se apoiou no seu carro, que estava na entrada, ferido e com uma forte expressão de dor. O bandido que segurava a sua esposa o baleara, e naquele momento jogou-a no chão e correu para o portão, saltando sobre corpos e empunhando a pistola. Um tiroteio se iniciou do lado de fora.

Elaine, atordoada com a queda, sentiu um metal quente bater no seu braço esquerdo. Era a espingarda calibre .12 que o seu marido acabara de jogar para ela. Elaine apanhou a arma, e ele fez sinal com a cabeça, indicando a direção do portão. Ela caminhou com dificuldade e encontrou o seu algoz de costas, tentando olhar para fora através de alguma fresta. Sem pensar duas vezes, ela apontou para a região lombar sem proteção de colete e disparou. O homem se dobrou para trás, com a coluna quebrada.

O recuo do tiro jogou a senhora no chão. O seu marido a olhava, sereno, do outro lado da varanda, fazendo um sinal de positivo com o polegar. Em meio à dor, ela sorriu. Ambos caídos, apenas assistiam ao combate em frente à casa. Elaine tornou a fitar o marido, que não tirava os olhos dela e tentou fazer um sinal de coração, juntando as duas mãos próximas ao peito. Ela sorriu de novo; ele moveu os lábios, dizendo em silêncio: "Eu te amo".

Os tiros cessaram; ouviam-se somente homens gritando. Havia luzes de um giroscópio e mais três corpos do lado de fora. Uma enorme van equipada como ambulância parou diante do portão, e os homens vestidos de preto que entraram em fila indiana encontraram a senhora ao lado da escopeta.

— O meu marido está ferido. — Elaine apontou para Cláudio, mas ele apontava para ela.

— A senhora também. Estamos com uma ambulância lá fora. Peguem aquele senhor, rápido — ordenou o que parecia comandar a operação.

Todos foram recolhidos. A família Hallcox, incluindo Iron, foi levada para a van. Cláudio, trêmulo e deitado, beijava a mão da esposa desacordada. Os corpos dos invasores foram colocados nas malas dos seus próprios carros para serem incendiados no caminho.

Assim que eles deixaram o local, a equipe médica deu início aos atendimentos na van. Não demorou muito para o médico chamar o comandante da operação pelo comunicador que todos mantinham nos ouvidos:

— Chefe, a senhora está estabilizada, mas o senhor acabou de falecer.

— Motorista, vamos pra Base.

— 192 —

Naquela triste manhã em que o Systema pela segunda vez chegava aos inocentes antes da Base, a morte foi uma privilegiada testemunha da partida de um raro homem feliz.

44. TALIÃO

Mr. Fat e Ponytail acordaram mais cedo e foram bater na porta de Hover. Fazia um dia inteiro que eles não o viam. Hover não esteve presente no café da manhã, no almoço, nem em nenhuma das atividades. Os dois perguntaram dele no fim da noite para Monarka, que lhes contou o que acontecera.

Bateram de novo na porta, chamando-o em voz baixa:

— H, somos nós. Vem aqui, precisamos falar com você. H?

Então, minutos depois, eles puderam escutar alguns sons lá dentro e a porta se abriu. Hover ainda estava de pijama e com o cabelo despenteado. A luz do corredor cegou os seus olhos e ele lhes pediu que entrassem, fechando a porta em seguida.

— O Monarka nos falou o que houve. Meus sentimentos — disse Mr. Fat.

— Obrigado, cara. Eu ainda estou meio grogue com os remédios. Passei mal ontem, apaguei de nervoso.

— Nem sei o que dizer. Não sei mesmo. Que situação… — Ponytail gaguejou.

— A Base tomará conta de tudo. Vão fazer o enterro amanhã e já estão com a mãe dela num lugar seguro. Disseram que não lhe faltará nada. Mandaram uma equipe pra dar segurança aos meus pais; vão movê-los pra um outro local, desconhecido. Disseram também que a minha filha nasceu.

— Oi?! — Ponytail arregalou os olhos.

— Filha? Que filha, Hallcox?

— A Yasmin estava grávida, juro que esqueci de contar pra vocês.

— Meu Deus, H, que coisa! E onde ela está?

— Num hospital fora da Base. É prematura. Nem completou seis meses… Estão fazendo de tudo pra que ela sobreviva. — A voz de Hover ficou embargada, e ele começou a chorar em silêncio, soluçando.

Mr. Fat colocou a mão no seu ombro, sem saber o que fazer, e Ponytail sentou-se no chão, num canto, abraçando as pernas. Nenhum dos três tinha maturidade para lidar com aquilo.

— 193 —

— Mataram a minha garotinha... Que mal ela fez? Era tão alegre... Eu só lembro dela sorrindo. Toda uma vida pela frente... Me roubaram tudo.

— Alguém tem que pegar esses filhos da puta! — Mr. Fat socou uma mão na outra.

— Vão pegar. Me disseram que a Base já decidiu. Eles sabem quem foi e vão mandar um pessoal pra fuzilar todos eles.

Mr. Fat arregalou os olhos e encontrou Ponytail também espantado com aquela informação. A cada hora que passava eles descobriam que ali não existia margem para brincadeiras.

Procurando mudar de assunto, Mr. Fat perguntou:

— O que você vai fazer hoje, H? Tem alguma programação?

Enxugando as lágrimas, ele respondeu:

— Tenho uma reunião com o padre depois do café. A Base recomendou, e eu também acho bom conversar. Eu vou, sim. Vou lá falar com ele.

— Então, tomaremos café juntos. Nós iremos com você, que tá meio grogue, assim será melhor. Vá tomar um banho e se arrumar, que ainda faltam vinte minutos.

Os três caminhavam pelos corredores. Mr. Fat e Ponytail estavam visivelmente preocupados com Hover, que se mantinha cabisbaixo e com expressão sofrida.

Na fila do café, seguiram o procedimento. Mr. Fat ajudou Hover a se servir e colocou o prato dele junto com o seu em uma única bandeja. Os que acompanhavam o movimento viam que ele estava ajudando o amigo. Um grupo de carcaças interrompeu a refeição para observá-los indo até a mesa. Estavam sérios. Um deles balançava a cabeça negativamente. Hover comia sem erguer a cabeça.

— Estes ovos mexidos são bons! — Hover comentou.

— E com bacon. A refeição dos deuses! — Mr. Fat tentava animar o amigo.

Ponytail, calado, observava cada uma das pessoas às mesas. As suas insígnias, roupas, idades, relações.

Todos se surpreenderam com a chegada de Monarka.

— Bom dia, rapazes!

— Bom dia — responderam os três.

— Hoje, o Hover também estará fora das atividades. Os dois serão responsáveis por passar pra ele tudo o que viram nesses dias.

— Tranquilo! — afirmou Ponytail.

— E aí, Hover? Deve ainda estar sob efeito dos remédios. Eles tiram a sua vontade.

– 194 –

— É! — Ele fez que sim.

Monarka percebeu que o choque fora grande; não poderia ter sido diferente. Hover estava destruído e ainda levaria um tempo para se recompor.

— Filho, não deixe de ir ao Padre Brown. Embora ele seja uma pessoa peculiar, acho que você vai gostar do capelão.

Monarka rememorava a época em que sofrera de amores por uma mulher, depois de ter passado muitos anos sozinho. Ela era muito bonita, mas não o tratava bem. Sentia-se muito deprimido, quando o padre lhe disse categoricamente: "Um estômago vazio faz a boca salivar diante de muitas vitrines, tal como um coração vazio, que faz a alma se encantar diante de poucas virtudes". Depois de refletir algumas horas sobre o que o padre dissera, Monarka terminou o relacionamento e conseguiu se recuperar.

— Ele é sempre um bom papo e um bom companheiro pra uma bebida.

— O padre bebe? — Mr. Fat arqueou as sobrancelhas.

— Sim, cerveja. Produção própria.

— Essa é boa! Padre pé de cana! — Ponytail levou à boca uma garfada de ovos com bacon.

— Pé de cana, não. Alto lá. Nunca vimos aquele sujeito bêbado, e a cerveja que ele faz é das melhores.

— Essa é boa! Padre cervejeiro! — Ponytail refez a frase.

— É tradição, filho. Padres fazem cervejas desde que existe padre, e elas são excepcionais. As trapistas da Westvleteren, oeste da Bélgica, pertinho da França, na Abadia de Saint Sixtus, são tidas como as melhores do planeta.

Monarka não conseguiu capturar o interesse de Hover, embora ele já tivesse demonstrado gosto por história e cultura. O rapaz estava fechado no seu luto. Monarka olhava apiedado para o jovem em seu sofrimento.

— Senhores, sejam solidários e acompanhem o seu amigo até o padre antes de ingressarem em suas atividades.

— Sim, sim, faremos isso — confirmou Mr. Fat.

— Não precisa, deixa que eu me viro. Se forem comigo chegarão atrasados. — Hover olhava para o prato.

— Não se preocupe, H, dá tempo. Ponytail, pode ir para a aula, eu vou terminar aqui e seguir a minha programação.

Monarka fez um sinal de positivo com a cabeça, e os dois garotos se levantaram, levando as suas bandejas.

Hover ainda permaneceu à mesa por alguns instantes até terminar de beber o suco de laranja. Segundos depois, ele pediu licença e ficou de pé.

— Filho, tenha paciência com o padre. Não desista rapidamente.

Hover fez que sim e se foi.

Monarka, agora sozinho, tomava o seu café quando, ao fundo, avistou HAVOC, que lhe fez um sinal amistoso com a sua xícara. Monarka respondeu. HAVOC, que estava sentado com um grupo de carcaças, usou as libras para pedir que Monarka se aproximasse quando terminasse a refeição, e ele disse que sim.

Pouco tempo depois, os dois estavam juntos.

— Bom dia!

Todos à mesa cumprimentaram Monarka, e um carcaça se levantou, cedendo-lhe o lugar. Monarka agradeceu e se acomodou. O carcaça permaneceu em pé ao seu lado.

— O que foi, HAVOC?

— Eles... — HAVOC apontou para os homens em sua companhia, que agora acompanhavam a conversa. — ... estiveram na casa dos pais do Hover ontem. O Systema chegou antes.

Monarka encarou HAVOC.

— Deus!

— Eles chegaram em meio a um tiroteio entre a família do rapaz e o Systema. O cão do rapaz matou um; o pai deu fim a três; a mãe eliminou um; e os carcaças mataram os outros três que estavam do lado de fora. Resgatamos a mãe, o pai e o cachorro. Os três baleados.

— Jesus... Como eles estão?

— A mãe e o cão vão sobreviver.

— Não me diga que...

— Sim, isso mesmo. O pai morreu ainda na van.

— Meu Deus, o garoto está arrasado e agora tem mais essa! Que tragédia... Tenho que avisá-lo.

— Não será preciso. Eu já pedi pro Padre Brown falar com ele. Eles vão se reunir hoje.

— Como vocês deixaram isso acontecer? — Monarka se dirigia aos carcaças.

— Nós viajamos ainda de madrugada e a toda velocidade — respondeu um deles.

— Deveriam ter ido ontem, logo depois da morte da menina aqui na capital.

— Essa foi falha minha, Monarka. — HAVOC bateu de leve o punho na mesa. — Eu me distraí coordenando o salvamento do recém-nascido, a guarda da sogra e os preparativos do enterro. Quando me dei conta, já era madrugada, e disparei os carcaças, que se reuniram e foram pra lá tão logo deram o pronto da viatura.

— Imperdoável.

— Eu sei, não imaginávamos que o Systema estava reagindo a esse nível de ataques simultâneos.

– 196 –

— Quem eram os atacantes?

— Pegamos vários celulares e um notebook em um dos carros. O pessoal está verificando. Parece que a coordenação dos ataques tá acontecendo a partir de um velho conhecido da Base que agora se encontra na Europa. A Catedral já enviou o pedido pra eliminação.

— Vocês têm certeza? — perguntou Monarka.

— Um dos caras que deletamos em frente à casa da moça usava um celular que gravava as conversas na memória. Ouvindo a gravação que estava sendo feita no momento em que os carcaças chegaram, pudemos identificar a voz. A conversa era sobre o policial caído no chão. A ordem foi pra que não o matassem, e então os caras quebraram as pernas dele.

— Nesse caso, ele já vai tarde.

— É, vai mesmo, meu velho. Por essa eles não esperavam.

— É uma guerra de bastidores na maior parte do tempo, mas que se torna de extermínio quando temos uma identificação.

— Sempre tem sido assim, Monarka, e esse inglês pagará não só por esses ataques, mas por aquela nossa célula inteira que perdemos pro protocolo Aníbal. A coordenação foi dele.

— Pela lei de Talião, vão faltar olhos.

— É, e vamos quebrar muitos dentes também.

— Não deixem de avisar ao policial o que está acontecendo e o tamanho do perigo que ele e a família correm com essa identificação.

— Não sei se ele sobrevive, Monarka. Está sendo operado, mas, se ele voltar, avisaremos sim.

45. PADRE BROWN

Hover se despediu de Mr. Fat, que conforme prometido o acompanhou até o que seria a pequena igreja da Base, uma sala simples, mas com um entalhe dourado muito bonito pelos cantos e teto. Ele se lembrou da explicação de Monarka de que boa parte da construção fora realizada voluntariamente pelos carcaças, os maiores frequentadores do local, assim como das aulas de filosofia.

Hover avistou o homem que parecia ser o padre sentado próximo ao altar, uma mesa de madeira pequena com apenas dois bancos. Ele foi caminhando lentamente pelo meio da sala, que não tinha bancos como uma igreja normal. Ao reparar nele, o padre sorriu e fez sinal para que se aproximasse.

Padre Brown era calvo, com uma pequena quantidade de cabelo branco e ralo ao redor do crânio. Algumas dobras na pele do rosto diziam que a meia-idade havia ficado no passado. O seu porte era robusto, mas ele não era gordo. O seu olhar, penetrante e sério.

— Bom dia, padre. Não tem bancos na igreja?

— Bom dia. Não, meu filho. Aqui fazemos à moda antiga. As missas são em latim e o povo fica de pé. Todos de frente pro altar, inclusive eu. — Ele era sereno no falar. Não alterava o tom de voz. Parecia bastante confiante.

— Estranho. Nunca vi igrejas assim.

— Foi desse jeito por quase dois mil anos, filho, mas ainda existem muitos lugares que fazem dessa maneira. Não precisa ficar chocado.

— Mas eu também me afastei. Depois que comecei a faculdade, passei a achar tudo isso sem sentido.

— Acontece bastante. Um pouco de conhecimento tira a pessoa da religião. Muito conhecimento a traz de volta.

— No entanto, esse tipo de missa eu nunca vi.

— Você vai participar e verá que é muito bonita. Temos até cantores gregorianos. Eles precisam ensaiar mais, mas são esforçados. Você canta?

— Não, senhor.

— Que pena... Tudo bem, deixe-me fazer uma apresentação formal. O meu nome no sistema não é Brown, é Padre mesmo, mas a turma da segurança, que não vale o que come, descobriu no livro de Chesterton um padre chamado Brown, e virou uma espécie de apelido.

— Ah! Entendi.

— Mas eu sei por que você veio. Fiquei muito triste com a notícia, filho.

Hover tentou dizer algo, mas não conseguiu. A voz embargou e tudo o que ele pôde fazer foi balançar a cabeça em direção ao padre e abrir um pouco os braços, espalmando as mãos.

— Sente-se, meu filho. Vamos acalmar esse coração e esse espírito.

— Dói muito. Nunca me senti assim. É um aperto no peito.

— Vida e morte são dois mistérios, filho. A morte na velhice faz parte da ordem natural das coisas. A morte na juventude, não. Não é nada natural os pais enterrarem os seus filhos. Mas, de qualquer maneira, a perda é sempre dolorosa.

— Parece que perdi um pedaço de mim, padre. Perdi a vontade de fazer qualquer coisa.

— Acredite no que digo: vai passar. Você sairá dessa mais forte, embora a saudade seja eterna.

Ainda emocionado, Hover continuou a falar:

— Tínhamos uma vida inteira pela frente, e tudo acaba assim.

— Não pense dessa maneira. Agradeça a Deus pela vida que vocês tiveram juntos. Agradeça pelo que você teve, e não reclame pelo que gostaria de ter vivido.

Hover se alterou:

— Deus?! Como ele poderia deixar uma maldade dessa acontecer? Ele sabia que aquilo aconteceria!

Padre Brown respirou fundo e ficou olhando para Hover por alguns instantes.

— Filho, você não faz ideia da quantidade de vezes em que já ouvi essa besteira aqui na Base. Puta que pariu.

Hover arregalou os olhos. Jamais imaginaria escutar um palavrão da boca de um padre.

— O senhor é padre mesmo?

— O melhor que você verá! Agora, ouça: essa besteira que você falou se chama determinismo. Se alguém pudesse conhecer as relações de causas e efeitos do universo poderia saber o passado e o futuro. Pois tudo seria previsível, ou, como dizem, tudo já estaria escrito.

— E não é assim? Deus não é onipotente, onipresente, onisciente, oni, oni...

— Onívoro?

Hover ficou perplexo com o deboche do padre.

— Filho, fica quieto e me deixa terminar, sim?

— Tá. Tudo bem. — Hover, curioso com o que viria daquele padre maluco, cruzou os braços e se ajeitou na cadeira.

— Se Deus é onisciente, ele já sabe tudo; então, o que fazemos não tem importância. Se tudo está predeterminado, nem um assassino tem culpa, pois era a vontade de Deus. Não é preciso esticar demais a explicação pra que qualquer um com três neurônios entenda que isso não reflete a realidade. São Paulo Apóstolo dizia: "Nele vivemos, nos movemos e somos".

— E o que significa isso, padre?

— Significa que nós temos a onipotência, a onipresença e a onisciência divina. Em uma escala minúscula, diminuta, mas temos. Nós somos parte Dele.

— Não entendi.

— Isso é uma evolução, filho. Fico feliz. Você já está mais avançado que os outros.

– 199 –

— Ué, mas eu não entendi!

— Dizer que não entendeu é a metade do caminho. A maioria diz que estou errado, e para mim isso quer dizer que terei o dobro de trabalho pra acertar a cabecinha de pamonha do sujeito.

— Eita!

— Escute. Se Deus não fosse capaz de criar pessoas que participassem da sua liberdade divina, ele seria apenas o demiurgo platônico, uma espécie de artesão divino que modela e organiza a matéria caótica preexistente através da imitação de modelos eternos. É apenas um fazedor de coisas. Deus não é apenas um fazedor de coisas, e você não é uma coisa que está destinada a fazer, sem culpa, a vontade de Deus. Você participa da liberdade divina. Não estamos separados dela, e se você fosse totalmente predeterminado, significaria que Deus não conseguiu te dar a liberdade de que ele goza, o que faria dele o tal demiurgo, pois teria feito um banana sem a liberdade de tomar decisões. Por isso existe essa tensão entre determinismo e livre-arbítrio, e nós temos as duas coisas. Você está sofrendo muito mais por conta das decisões que tomou e que possibilitaram as decisões de outras pessoas que vieram a matar a sua noiva. Parte dessa sua dor é culpa, pois você sabe que tomou decisões erradas, e isso teve consequências que atingiram gente próxima a você. É normal sentir culpa, ainda mais quando se é culpado.

Hover não estava gostando do que ouvia. A sua vontade era mandar o padre para um lugar bem feio, mas sentia-se intimidado.

— Em resumo, você é mais culpado do que aconteceu do que Deus. Portanto, é melhor baixar a crista e começar a pensar em como consertar essa cagada, pois sua família está partida e agora você tem uma filha entre a vida e a morte. Precisamos rezar pela miudinha e pelos nossos amigos que irão realizar a retaliação ao Systema.

— Bem lembrado, padre. Fiquei sabendo que a Base já tem uma lista de pessoas pra matar. Quase não acreditei quando ouvi. Que moral é essa de escolher os que irão morrer? O que nos diferencia desses assassinos se fazemos o mesmo que eles?

— Filho, nós acreditamos que alguns assassinos devem morrer. Muitas pessoas, assim como você está deixando transparecer, são contrárias a qualquer tipo de execução. Mesmo que a causa tenha ocorrido na sua própria família. Preciso te informar que você está errado. Eles pegaram uma menina e a espancaram até a morte. Todos os ossos das pernas dela foram quebrados. O rosto estava desfigurado. Chutaram a barriga da moça grávida, mesmo caída no chão e inconsciente, e continuaram batendo sem parar.

Hover estava horrorizado. Até então ele não sabia como havia acontecido a morte da Yasmin. Sem se conter, ele explodiu em lágrimas.

— Há aqueles que acreditam que esse tipo de assassino tem o direito de manter a sua vida. A pergunta que vem logo a seguir é: existe algo que um ser humano possa fazer pra merecer a pena capital?

O padre fez uma pausa para ver se Hover diria algo, mas, diante do silêncio, prosseguiu.

— Pra essa gente, a resposta é "não". Tais indivíduos creem que matar assassinos é apenas mais um assassinato. Existe um problema nessa interpretação. Os dois atos referem-se a retiradas de vidas, mas será que é comparável a execução de um monstro desses, um culpado, com a execução dos seus familiares inocentes? É comparável?

— Não, senhor.

— Essas pessoas também argumentam que querem preservar a vida humana. Não vou nem considerar que esses mesmos, em quase a sua maioria, são a favor do aborto. Mas, voltando, não há como negar. Manter vivos todos os assassinos de qualquer grau é nivelar qualquer tipo de assassinato. Não deixa diferença entre uma pessoa que num momento de fúria fez uso excessivo da força contra uma outra que, num ritual satânico, executou vinte crianças, ou um pistoleiro que matou mais de seiscentas pessoas. Sem a existência de uma gradação adequada, pode-se comparar a pena por assassinato a outros crimes, tal como um sequestro ou estupro. Crimes hediondos, mas que não causaram óbito.

O padre falava batendo de leve a mão na mesa.

— Não haveria diferença entre sequestrar e matar, ou apenas sequestrar. A boa justiça deve demonstrar o quão ruim é determinada ação através da punição correspondente. Eu não consigo imaginar a dor que você está sentindo, ou que o resto da sua família e dos seus amigos sofrerá. Isso é agravado quando pensamos no que os seus pais devem ter passado na parte emocional, no terror da invasão, quem viu quem morrer...

— Por que o senhor está falando dos meus pais?

Padre Brown tornou a respirar fundo. Chegara a hora.

— Filho, a Base resgatou os seus pais no exato momento em que o Systema invadia a sua casa.

Hover arregalou os olhos e, ainda sentado, se afastou da mesa.

— Houve um grande tiroteio. O seu pai matou vários bandidos. A sua mãe matou um. Até o seu cão matou um. Porém, o seu pai faleceu a caminho do hospital.

— Meu Deus! Não acredito! Não, o meu pai não!

O padre deixou que ele chorasse por um tempo. Hover colocou a cabeça na mesa, e o padre pôs a mão sobre ela.

— Filho, não sei se quem esteve no assassinato da sua noiva também esteve na casa dos seus pais. Podem não ser os mesmos executores, mas na certa é o mesmo mandante. Devemos pensar nisso tudo e lembrar que quem fez isso está vivo, tranquilo, alimentado, pegando sol, pronto pra próxima vítima, e que sem dúvida os seus pais não foram os primeiros. É óbvio que a execução dos culpados não trará de volta o seu pai, mas produzirá uma justiça mínima, pois eles pagarão com aquilo que retiraram. Mantê-los vivos é um risco para as outras vidas que estão lá fora, ou outros prisioneiros, guardas, médicos e funcionários que trabalham na prisão ou na audiência no tribunal.

Houve um longo silêncio até que Hover disse:

— Mas só Deus deveria ter o direito de tirar uma vida.

— Menino Hover, de que religião é esse seu Deus de que você fala?

— Ora, porra, a católica, padre.

— Mas nenhuma parte da Bíblia fala isso, meu filho. — Padre Brown começava a perder a paciência. — Esse é um argumento inventado. Alguém veio com essa merda e as pessoas ficam repetindo por se acharem boazinhas, almas irretocáveis que não pisam nem em formigas. Pois bem. Imagine a seguinte cena: você está na areia da praia, e a sua mulher, na água. De repente, você vê um tubarão branco indo na direção dela e grita pra alertá-la. Ela tenta nadar de volta, sem sucesso, pois o animal é muito rápido. Há uma arma na sua mão que pode matar o tubarão daquela distância. Você utilizaria essa arma?

— Sim, claro.

— O princípio é o mesmo. Mas por que você faria isso?

— Pra proteger a minha garota. Ela é minha responsabilidade, e se eu tiver uma arma dessas, posso evitar que morra.

— Sendo assim, qual é a sua dúvida?

— O "não matarás", padre.

Padre Brown deu um tapa na mesa e se ergueu, passando a andar em círculos e bagunçando o cabelo com as mãos. Hover começou a achar que ele não batia bem da cabeça, embora tudo o que dizia fizesse sentido. Padre Brown voltou a sentar-se, agora falando mais baixo, quase num tom confessional:

— No meio da porra do caminho, a palavra original do mandamento foi mudada. Em hebraico foi escrito "não assassinarás", e trocaram por "não matarás" durante a tradução, porque na época, na Inglaterra, o significado era o mesmo; só que existe uma grande diferença entre matar e assassinar. Quando executamos um desalmado desse, estamos dando um mínimo de justiça para os vivos e protegendo o resto da sociedade, que, por algum motivo, pode vir a ter o miserável andando por aí. Você não pode esperar que o tubarão não fará nada, assim como os assassinos. É um problema de potencial. Eles possuem a faculdade de cometer essas atrocidades indefinidamente e seria irresponsabilidade nossa permitir isso. Lembre: é justiça para os que sofrem e proteção para todos os demais. Não matar é muito diferente de não assassinar. O assassino é um criminoso, que deve pagar por isso.

— Mundo louco... um padre defendendo a pena de morte...

— Pois é, e tu és mais burro do que pareces. Vamos nos ver três vezes por semana. Quero continuar conversando com você, filho. Que Deus te abençoe. Erga essa cabeça e siga em frente na vida. Lembre-se de que agora você é responsável pela sua filha e pela sua mãe. Vou rezar por vocês todos, e nunca esqueça: eu leio todos os relatórios da Base.

Hover foi se afastando, olhando para trás. Fez o sinal da cruz em frente ao altar e saiu, cabisbaixo. Monarka estava à porta para acompanhá-lo.

— Como foi lá, rapaz?

— Estranho, muito estranho. Ele parece tudo, menos padre.

— É padre, sim, mas também é doutor em física e psicologia.

Hover arqueou as sobrancelhas, admirado.

— Pode confiar, filho. Ele consegue desentortar mentes e espíritos.

— Parece que levei uma bronca. Senti um pouco de raiva, mas ele tá certo.

— Sim, ele sempre acerta.

— É. Eu sou o culpado. Quero ir embora daqui.

46. ALEA JACTA EST

O alojamento estava escuro. Apenas uma pequena fresta na porta deixava um débil fio de luz encostar no chão, criando uma penumbra quase imperceptível, mas que mostrava a presença de vários beliches, todos ocupados. O ar era pesado e tinha odor de suor. Uma vibração síncrona de despertadores silenciosos nos pulsos de cada um fez com que todos se levantassem sobressaltados.

Então, teve início o ruído de portas metálicas se abrindo. Alguém acendeu a luz, e o cenário era de caos. Ninguém falava, apenas se ouvia o som de pessoas escovando os dentes, vestindo-se, cadarços sendo amarrados, cintos ajustados nas cinturas, coldres no tórax, o ruído metálico das armas sendo carregadas e de carregadores sendo municiados.

— 203 —

Um relógio analógico na parede marcava três e quarenta da manhã. Todos se arrumaram rapidamente, cada um com uma roupa comum e distinta. Com a mesma uniformidade do despertar, foram se direcionando para a saída, onde quatro vans de várias cores aguardavam com o motor ligado. O ingresso nos veículos também foi feito de maneira rápida e ordenada pelas portas laterais. Cada um sabia exatamente o seu lugar, que era guardado por um pacote de papel com o café da manhã a ser consumido no caminho.

Por outra escada desceu um grupo de mulheres também apressadas, que ingressaram nos vários veículos. Ao final, abriu-se o grande portão de uma empresa de transportes, e as vans saíram em direções diferentes. Uma figura de feições sombrias e cabelos desalinhados permaneceu no local, com um telefone no ouvido.

— Estão a caminho.

Nem todas as forças de segurança ficavam dentro da Base. Havia muitas instalações vazias que serviam de ponto de apoio pelas cidades. A operação em andamento, idealizada para ocorrer em três pontos distintos do país, só foi possível graças, em grande parte, a um telefonema que o alemão fez para HAVOC após o ataque na casa de Yasmin. Embora ele não soubesse da existência da Base, sabia que HAVOC possuía muitos conhecimentos sobre o submundo dos crimes ligados aos políticos. Mais de uma vez, o alemão fora contratado por ele para trabalhar em levantamento de informações nessa área. A sua conversa franca com HAVOC fez com que a Base compreendesse grande parte do que estava acontecendo. O alemão falou de Alberto, das suas conexões com a Rota Caipira, que executou o seu contador, e principalmente de uma mulher que era conhecida como Mãe. Ela recebera toda a documentação que o alemão compilara na sua investigação. As mortes vieram logo a seguir.

HAVOC agradeceu e o questionou sobre o motivo que o fizera procurá-lo. O alemão lhe disse que fora testemunha do crime contra Yasmin e o policial cujo nome ele não sabia. O que eles fizeram contra as duas crianças era imperdoável. A menina, quando começou a apanhar na rua, lhes disse, em alto e bom som, que estava grávida, o que já se podia constatar a olho nu. Os bárbaros, então, começaram a bater na sua barriga. Era o limite. Ele já estava municiando a sua arma para intervir, quando viu o policial chegar à rua.

HAVOC nada comentou, mas o relato do alemão apenas corroborou o que a Base já havia decidido sobre o futuro de Alberto a partir de uma gravação de telefone grampeada, na qual ele aparecia gritando ao fundo e pedindo a alguém a cabeça dos meninos. Esse alguém era o alemão. HAVOC reconheceu a voz que ouvira na gravação. O alemão pediu que HAVOC lhe enviasse um endereço de caixa postal, pois iria remeter a arma do policial, que ele recolhera na cena do crime.

— 204 —

Embora a resposta brasileira estivesse dentro da tripla operação *Alea Jacta Est*, a Base, através do contato com as suas coirmãs em outros países, encomendara a execução do operador principal do ataque contra as famílias Kinsasha e Hallcox. Era uma continuidade da reação. Base e Systema faziam uma guerra de extermínio havia décadas, e qualquer um identificado era cedo ou tarde executado.

O jornal britânico *Daily Telegraph* anunciou a morte de um antigo patrocinador do teatro de Londres. Ele morreu romanticamente assistindo a um ensaio do coral da casa. Teve todo um tratamento especial do governo, inclusive com uma necropsia realizada no Imperial College of Science, Technology and Medicine, e féretro com todas as honras que um patrocinador de tão longa data recebe.

Envenenamento demanda um pouco de trabalho no *post mortem*.

- -

A operação *Alea* consistia na execução de Alberto ainda em sua residência.

A cerca de trezentos metros da entrada do seu condomínio, e em plena avenida das Américas, existe um edifício comercial com muitos escritórios e consultórios médicos. Dois carcaças, um homem e uma mulher, se passando por clientes, agendaram uma consulta para o horário em que Alberto acordava. Independentemente da casa em que estivesse, Alberto tinha a sua criadagem, que lhe preparava um farto desjejum com direito ao banho de sol. Os carcaças chegaram ao prédio uma hora antes da consulta e do banho de sol. Os seus colegas faziam a segurança da rota de fuga.

Eles saíram do elevador no último andar. Naturalmente o consultório estava fechado, mas o objetivo deles era outro. Utilizando a escada de incêndio, eles tiveram acesso ao terraço do prédio, pois já possuíam a chave do cadeado, e foram na direção da grande mochila escura, deixada ao lado da caixa d'água do edifício.

A mochila foi aberta, e a mulher iniciou a montagem de um rifle de precisão AWM. O carregador principal já estava municiado, e havia um segundo carregador de reserva também cheio. O seu parceiro fazia medições de distância, vento, umidade do ar e altitude. A última parte da montagem da arma era o acoplamento do mecanismo de supressão de ruídos. Em menos de dez minutos já estavam fazendo os tiros de controle e ajuste, utilizando alvos próximos ou árvores.

Conforme esperado, Alberto apareceu na cobertura da sua casa acompanhado do seu mordomo, vestindo um roupão vinho e falando ao celular, que explodiu aos pedaços ao ser atravessado pelo poderoso calibre .300 Magnum, que arrancou a parte superior da cabeça do doleiro. O mordomo, que testemunhou a cena a menos de um metro, sacou um pano branco do bolso e limpou as manchas de sangue em seu rosto e roupa. Ele se aproximou do corpo e verificou a impossibilidade de vida naquelas condições. Virou-se na direção do prédio de onde partiu o tiro, para aparecer tanto no escopo da atiradora quanto no binóculo do auxiliar de tiro. Executou um movimento com as mãos em libras, confirmando a morte e dizendo que chamaria a polícia em vinte minutos. Tempo suficiente para que fosse feita a desmontagem da arma e a colocação da mochila dentro da caixa d'água do prédio para posterior retirada.

Os atiradores dirigiram-se calmamente para a consulta agendada com o dentista. O Systema perdia um dos seus muitos operadores.

* *

A operação *Jacta* consistia na execução daqueles da Rota Caipira.

O levantamento prévio realizado pela Base nos arquivos da Polícia Federal nas últimas quarenta e oito horas apontou para alguns pontos de campana entre Nova Andradina e as cidades dos três presidentes: Presidente Epitácio, Presidente Venceslau e Presidente Prudente.

Havia a suspeita de que a Rota utilizava a região para estocagem de drogas, e algumas equipes da Polícia Federal estavam espalhadas em segredo, fazendo observações e levantamento de dados para construção de provas. A Base, que não precisava seguir o processo legal, verificou que os elementos que participaram da operação de tomada de informações de Alberto eram gente do baixo clero da operação e respondiam aos operadores dessa região.

Estava em andamento uma negociação entre os dois grupos rivais em operação dentro da Rota. Já haviam sido realizados alguns encontros, mas a polícia, até o momento, não podia fazer nada, pois não existia ainda a consolidação das provas para acusação. Mas a Base não trabalhava assim. Ela não queria vingança, e sim, sacudir a organização. Matar os pequenos soldados não faria a Rota se afastar do caso. Só quem poderia fazer a Rota se desviar era o Systema, e para isso ele deveria entender o recado.

O relatório da Polícia Federal dizia que a cúpula dos dois grupos já havia realizado três encontros em uma fortaleza da região, uma casa bem protegida com altos muros e vidros blindados. Algumas dezenas de soldados do tráfico se mantinham ao redor da residência durante a reunião, o que dificultava qualquer operação policial. O relatório também continha as fotos dos líderes de cada lado. Jorginho era um deles. A equipe de vigilância ficava em uma sala comercial a quatrocentos metros da casa, mas com visada para a parte frontal. Seus equipamentos conseguiam filmar e fotografar tudo.

Algumas horas depois de sair do ponto de apoio da Base no Rio de Janeiro, o grupo de doze carcaças desembarcou de um avião fretado que pousou no Aeroporto Estadual de Presidente Prudente. Duas vans já os aguardavam para o transporte. O avião decolaria de volta ao Rio dentro de quatro horas.

Dois carcaças permaneceram no hangar. A primeira van realizou um percurso mais demorado ao deixar pelo caminho os três carcaças que garantiriam a rota de fuga. Eles estariam em picapes paradas em pontos estratégicos para servir de apoio, distração ou carro alternativo. A Base escolheu uma área deserta na encosta de um morro localizado a cerca de mil e quinhentos metros da casa blindada, e também com visada para o local. A segunda van não foi direto para o local escolhido. O seu primeiro ponto de parada era um depósito de bebidas, preparado com algumas caixas recheadas de armas.

Havia farta munição, duas pistolas Glock G17 para cada um e seis Barret M82 com munição perfurante e supressor. Após realizarem o reconhecimento do local escolhido pela Base, cada um montou a sua arma, para logo a seguir fazer a regulagem de tiro em alvos apontados pelo sétimo carcaça na floresta ao lado da casa. As armas foram posicionadas uma ao lado da outra na distância de um ombro entre atiradores. Os três da direita deveriam focar no alvo um, e os outros três, no dois. O sétimo carcaça, no controle de tiro, era o responsável por identificar os alvos e dar o comando de disparo. Sentado em um banquinho no meio dos atiradores, ele observava a casa com um potente binóculo.

A previsão era de que a reunião seria realizada em uma sala central no segundo andar da residência, que dava acesso a uma espécie de varanda comprida através de duas grandes portas blindadas de vidro. Os atiradores estavam de frente para essa porta, vendo uma mesa com oito cadeiras sendo arrumada por empregados. Não deveria demorar muito para a chegada, pois a arrumação estava no fim. Os atiradores aguardavam os visitantes por uma escuta nas comunicações da Polícia Federal que estava no local de vigilância mais próximo da casa. E não demorou muito para que o rádio anunciasse a aproximação de um grande comboio de carros.

Um dos alvos já se encontrava na casa, mas ainda não tinha sido visto pelos sete homens na montanha, que esquadrinhavam cada centímetro da residência. Os carros tomaram a rua, mas somente um deles entrou na garagem. A identificação do segundo alvo foi fácil. Ele vestia um terno branco e usava chapéu panamá na mesma cor. O rádio da Polícia Federal anunciava a confirmação de que os dois alvos se encontravam na casa. Por quase uma hora, os dois alvos estiveram desaparecidos. O carcaça na função de oficial de tiro aproveitava para informar aos atiradores as pequenas mudanças na velocidade do vento e sua direção para que pudessem manter as armas reguladas.

O oficial de tiro anunciou a movimentação na sala principal. As pessoas seguravam copos e era provável que tivessem bebido antes da refeição. Havia confirmação do segundo alvo, mas não do primeiro.

Os empregados afastaram as cadeiras, e todos começaram a se sentar para a refeição quando o primeiro alvo entrou na cena abraçado com um outro homem e gesticulando com o seu copo. O oficial de tiro anunciou a identificação. Pediu que cada um dos carcaças confirmasse as características do alvo. Todas as confirmações foram feitas.

Cada grupo de três atiradores seguia seu alvo ininterruptamente, aguardando a confirmação do oficial de tiro, que se daria em três etapas: a primeira, de preparação; a segunda, de confirmação de alvo limpo; e a terceira, para execução.

O primeiro alvo sentou-se à cabeceira da mesa, e se tornou o mais fácil e com uma linha de visada direta. O segundo alvo estava na lateral da mesa e encoberto por duas pessoas. O oficial de tiro orientou os seus atiradores a realizarem o enquadramento como se não houvesse obstáculo. O poder de destruição do calibre em tiro triplo e com a munição de alta penetração faria o trabalho de execução de todos. Eles não poderiam perder a oportunidade.

Foi dado o comando de preparação. Na sequência, veio o segundo comando de confirmação, quando o alvo dois ficou de pé para o que parecia ser a realização de algum brinde. O oficial de tiro deu a "última forma", cancelando a sequência, para logo a seguir retomar rapidamente para a etapa de preparação, confirmação e execução.

Os supressores abafaram o som das armas, mas o deslocamento de ar levantou folhas e afugentou pássaros. A porta de vidro blindado foi retirada dos seus batentes com a força do impacto, que ultrapassou o vidro com facilidade; era possível ver cada uma das seis perfurações. Os alvos um e dois foram arremessados para trás, chocando-se com a parede da sala. O alvo um perdeu o braço esquerdo, parte do ombro e do peito, arrancados pelo impacto. O alvo dois, por estar de lado para os atiradores, teve a parte superior do tronco rasgada na linha do tórax.

O oficial de tiro pediu a confirmação dos acertos e recebeu a resposta positiva de cada um dos atiradores.

Teve início uma grande correria no local. Traficantes e seguranças se misturavam no momento de confusão. Alguns pulavam o muro da casa para dentro enquanto outros pulavam para fora. Começaram a atirar na floresta em frente, mas sem direção.

O oficial de tiro pediu que desfizessem o breve acampamento e desmontassem as armas, o que foi feito rapidamente. O rádio da Polícia Federal anunciou que um intenso tiroteio estava em andamento dentro da residência.

A van retornou pelo mesmo caminho e deixou as caixas de bebidas com as armas no depósito. Eles continuariam com as pistolas até o fim. Foram seguindo pelas ruas da cidade, cruzando com carros disparados e viaturas policiais com sirenes ligadas. As pessoas nas calçadas perceberam que algo estava acontecendo na cidade. A van passou a ser seguida pelos carros de apoio, que foram deixados próximos ao aeroporto com as chaves na ignição e pistolas no porta-luvas. Os carcaças conseguiram embarcar sem problemas no avião de volta. A operação estava terminada. O caos fora implantado na Rota Caipira.

A operação *Est* consistia na execução daquela conhecida como Mãe.

Foi decidido que a ação seria realizada em trânsito, no seu deslocamento diário entre casa e trabalho, em algum ponto com o menor número possível de danos colaterais. E à noite, pois, no horário diurno, as ruas estavam com muitos carros. O seu deslocamento foi acompanhado durante dois dias, nos quais os carcaças sempre conseguiram parar o carro que a levava, um BMW M6 branco e blindado, pois eles, com a ajuda de um HC2, tomaram o controle do último sinal de trânsito no caminho dela de retorno para a residência.

No momento marcado, eles realizaram o acompanhamento da sua saída do Senado por volta das 22h30. Um veículo passou a segui-la desde então, a uma considerável distância. No local preparado e com as ruas esvaziadas, acionaram o sinal vermelho. O veículo parou conforme o esperado. Dois homens em uma moto se posicionaram um pouco atrás e na zona cega do motorista. O carona colocou uma caixa no teto do carro, que se prendeu magneticamente. O HC comandou o sinal verde, e o veículo seguiu em frente. A dupla na motocicleta seguiu afastada até que o alvo entrou na sua rua. O BMW aguardava o levantamento completo do portão para entrar. O detonador foi acionado.

Por uma fração de segundo, uma bolha laranja se formou no teto do carro, para logo a seguir desaparecer e ser seguida por um gigantesco baque seco. Uma grande pancada auditiva de uma nota só produziu uma onda de choque que desequilibrou o motociclista, mesmo parado a cem metros. Todos os vidros das casas ao redor foram quebrados, e os muros caíram para dentro das residências. No local, o silêncio era substituído pelo som das peças metálicas caindo no asfalto e o eco ao fundo varrendo a esplanada. Podia-se ver a metade dianteira do carro. Não havia sinal da parte traseira.

Os dois homens na motocicleta passaram lentamente entre os escombros e as primeiras pessoas que chegavam ao local. O único corpo era o do motorista espalhado pelo painel e vidro dianteiro. A sua bacia e as duas pernas ainda estavam no banco, presas pelo cinto de segurança. Eles passaram ao lado do que parecia uma perna de mulher ainda com o sapato de salto. A Mãe possuía vários contatos na política e era frequentadora assídua de muitos gabinetes de pessoas que a Base suspeitava estarem trabalhando para o Systema. Agora, todos seriam investigados por causa desse suposto atentado terrorista.

O Systema agia como os insetos. Ele gostava do escuro. Apreciava as frestas. Vivia e crescia nos orifícios das engrenagens do governo, e agora os seus olhos iriam doer com a luz da Polícia Federal e da imprensa, uma combinação nada bem-vinda para quem deseja trabalhar nas sombras.

47. CONFIANÇA

Lynda seguia em uma acelerada picape da Polícia Federal para o Hospital Salgado Filho, no Méier. Um telefonema informara que um policial de nome Monteiro fora deixado inconsciente na emergência da unidade em uma maca com soro e alguns poucos equipamentos de monitoramento.

Chegando ao local, Lynda e o perito médico da federal que a acompanhava desceram do veículo e se dirigiram a um senhor, em cujo jaleco se lia a inscrição "Diretor" bordada em azul, que os aguardava.

— Bom dia. Meu nome é Lynda. Sou a superior imediata do policial Monteiro. Este é o perito médico André.

— Bom dia. Me chamo doutor Graça Wagner, sou o diretor. Vamos entrando, porque eu tenho algumas coisas pra mostrar antes de irmos até o policial. Por favor, me acompanhem.

Eles entraram pela emergência, e um vigilante abriu uma porta que separava a lotada recepção das áreas internas da unidade. Lynda não pôde deixar de reparar na multidão esperando para ser atendida.

Em instantes, os três chegaram a uma região vazia num andar superior. Parecia ser uma área administrativa, e o diretor abriu a porta da sua sala para que Lynda e André entrassem. O perito faria a transferência e o acompanhamento de Monteiro.

Todos se acomodaram. Wagner pôs a mão em uma pequena pilha de grandes envelopes na sua mesa e disse:

— Ele foi operado por alguém, e está estável. Aparentemente fora baleado pelas costas. Nas suas pernas estavam estes envelopes. Um conjunto grande de ressonâncias, hemogramas e um relatório técnico sobre a cirurgia, procedimentos realizados e medicações ministradas. São estes aqui.

Lynda o escutava, calada.

— Funcionários da unidade me informaram que no seu peito estava presa uma folha com instruções, nome, profissão e o telefone de contato da sede da polícia. — O médico entregou a folha à delegada.

— Ninguém viu quem o entregou?

— Na hora, não, senhora. Recebemos centenas de ambulâncias, e uma a mais ou a menos não faz diferença. Mas calma, tenho algo pra vocês.

O médico apanhou em uma gaveta um par de controles remotos. Apertou um dos botões e ligou a TV, para logo a seguir usar o outro e mostrar um vídeo do circuito de segurança da entrada.

— 210 —

— Depois de algumas invasões de traficantes na emergência para resgatar os seus feridos, instalamos essas câmeras. Veja que nos próximos vinte segundos eles aparecerão no vídeo.

Na tela, Lynda pôde ver a ambulância parando e um grupo de quatro pessoas utilizando roupas e bonés brancos retirando a maca do veículo. Eles acionaram o travamento das rodas, verificaram se todos os aparelhos de monitoramento estavam bem presos e foram embora, deixando-o sozinho no estacionamento. O procedimento chamou a atenção das equipes das outras ambulâncias, que gritaram para que voltassem. Quando chegaram perto e viram o papel no peito dele, acionaram os seguranças que apareceram no vídeo.

— Nesse momento, fui avisado. Eu desci e fui entender o que estava acontecendo. Pedi que o colocassem na área do pós-operatório e chamei vocês.

— Podemos vê-lo? — perguntou o perito médico, que verificara os exames e o resto do material deixado.

— Sim, claro. Mas levem esta cópia das imagens das câmeras. — Wagner entregou um envelope com um CD-ROM.

Lynda agradeceu ao diretor e o seguiu, junto com André, para ver Monteiro.

— Lynda, foi um trabalho de primeira. Impecável. Está tudo bem documentado — o perito a informou, durante o trajeto.

— E a nossa ambulância?

— Está a caminho. Chegará a qualquer momento. Estou acompanhando.

Entraram na sala do pós-operatório, e Lynda se aproximou de um Monteiro inconsciente. Ela se emocionou ao vê-lo de novo. Era um grande amigo e estava desaparecido. Wagner apoiou a mão no ombro dela e garantiu que ele iria ficar bem. O perito informou que a ambulância chegara, e o diretor pediu que ele fosse preparado para descer.

— Uma pergunta, delegada. Como vocês vão transferi-lo, eu poderia ficar com essa maca e todos esses equipamentos? Seriam de grande ajuda por aqui.

Ela olhou para o perito, que deu de ombros.

— Temos tudo na ambulância. Vou mandar subir a nossa maca, e iremos com ela.

O médico pegou o rádio e pediu que um dos seguranças acompanhasse a equipe que chegara até o local onde todos estavam. Monteiro foi transferido para um hospital particular, e Lynda o acompanhou na ambulância, não sem antes avisar uma das filhas para onde estavam indo.

Monteiro abriu os olhos e começou a se movimentar lentamente na cama. Tão logo a sua visão entrou em foco, ele viu uma pessoa sentada próxima, que não reconheceu. Era um negro grande e forte, com manchas brancas de vitiligo na pele. Não fazia a menor ideia de quem fosse.

— Quem é você?

O homem se levantou da cadeira para responder.

— Fala, meu camarada. Não tenta se mexer, não. Você foi operado. Eu sou o cara que te resgatou em frente à casa da moça. Você levou um tiro nas costas.

— Que moça?

— A Yasmin. Você foi lá por ela.

— E como ela está?

— Morreu, mas o bebê nasceu e está sendo cuidado por nós. Você finalizou dois vermes, mas um outro te pegou pelas costas.

— Meu Deus do céu! — Monteiro fez uma careta. — Então é por isso que tá doendo!

— É, fizeram uma grande cirurgia. Você quase ficou paralítico.

— Muito obrigado então. Você é de qual polícia?

— Eu já fui. Não sou mais.

Monteiro ficou confuso.

— Não se preocupe com isso. Eu vim aqui primeiro pra entregar uma coisa que é sua. — E Cavalo de Índio lhe deu um envelope pesado. — É a sua arma, Monteiro. Ficou caída na rua.

— Obrigado. Está comigo há anos. Gosto dela.

— Fez bom uso e com boa pontaria. Os caras não tiveram chance.

— E este cartão aqui no envelope, negão?

— É um e-mail especial. Se você precisar de alguma coisa, alguém aparecerá.

— Você parece que iria falar mais alguma coisa... Não sei o seu nome.

— Tranquilo, meu camarada. Me deixa te dar uns alertas.

— Alertas?

— É. Essa turma que te pegou é barra-pesada. Eles te identificaram, então é melhor sair do radar, com as suas filhas.

— Você está me ameaçando?

— Não, camarada! Que é isso? Nós salvamos a sua vida! Estou só te avisando. Eles são gente que não presta. São vingativos, e você matou dois deles.

— Começo... a me lembrar.

Monteiro tentou ficar em uma posição mais elevada e sentiu uma forte fisgada nas costas. Não pôde conter o urro de dor. Cerrou as pálpebras, com lágrimas nos olhos, e ao tornar a abri-los o gigante negro já não estava mais lá. Talvez fosse fruto da sua imaginação... Porém, o envelope com a arma estava na sua perna e com o cartão.

– 212 –

As suas filhas chegaram e entraram todas ao mesmo tempo, correndo direto para os braços do pai, que suportou o impacto sem reclamar. Ele beijou as suas cabeças, estreitando-as junto a si. Conhecia o cheiro do cabelo de cada uma.

Elas choravam e falavam sem cessar. Ele não tinha vontade de responder nada. Queria apenas o contato com as suas meninas. Eram todas maiores de idade. A mais velha tinha vinte e seis anos, e não estava ali. Monteiro perguntou por ela, e as garotas disseram que não haviam conseguido contato, mas que enviaram mensagens.

Monteiro contou tudo o que ocorrera. As suas meninas eram fortes, e ele nunca escondera delas nada da vida. Elas o escutaram atentamente e ficaram pensativas. Todas eram independentes, com trabalho e estudos. Largar tudo para se esconder era uma ideia súbita e indesejada, mas necessária. Assim, elas concordaram que iriam pedir férias imediatas ou demissão, bem como seguir a orientação do pai, com quem se reuniriam tão logo ele tivesse alta. Monteiro pediu que elas fossem para o interior, de carro, e que levassem as suas pistolas. Todas eram praticantes de tiro.

— Gabriela, Micaela e Cristina, vocês precisam falar logo com a sua irmã Isabel. Já ligaram de novo?

— Sim, pai — confirmou Cristina, a segunda filha. — Ela está com namorado novo e anda meio sumida mesmo.

— Por que não estou sabendo disso?

— Ah, pai... Ela quer ver primeiro se vai dar certo antes de falar com você. — Micaela piscou para ele.

— Então é uma conspiração contra o papai?

Todas se olharam e começaram a rir, mas foram interrompidas pelo telefone de uma delas.

— Quem é, filha? É a sua irmã?

— A sua chefe! Foi ela quem trouxe você pra cá e nos avisou, pai.

— Alô? Lynda?

— Monteiro! Como é bom escutar a sua voz, meu amigo!

— Que dureza, hein, chefe?

— Como está se sentindo?

— Dor nas costas. Já tive duas visitas, mas ainda não falei com um médico.

— Você lembra o que aconteceu, Monteiro? Peraí! Você disse duas visitas? Quem esteve com você além das suas filhas?

— Um cara. Não conheço. Um negro alto e forte, com vitiligo. Ele disse que fez parte da equipe que me resgatou. Devolveu a minha arma. Disse também que eu e a minha família estamos em perigo. Que tinham me reconhecido e que viriam atrás de mim e das meninas.

— Meu Deus! Monteiro, quem são esses caras?

– 213 –

— Não sei, mas eu confio neles. O que o negão falou confere com o que ouvi do tal Smoke. O que por sua vez bate com a sua transferência. Lynda, eu vi os caras espancando a noiva do Hallcox. Foi terrível. Eu deitei os dois, mas fui acertado pelas costas. Foi quando esse pessoal chegou pra me resgatar. Eles levaram a Yasmin, mas ela morreu. O cara me informou que o bebê nasceu e que está com eles.

— Estou em choque, Monteiro. — A mente de Lynda, a mil, tentava juntar essas novas informações.

— Acho que os meninos estão com eles, em segurança. Mas eu é que pergunto. Quem é essa gente com todos esses recursos?

— Não sei, e isso me dá medo.

— Lynda, nós não somos nada. Temos que nos cuidar agora. Aproveite essa transferência e suma daqui. Vou manter contato por telefone e, por favor, anote um e-mail que vou te passar. O cara deixou comigo e disse que, se precisasse de alguma coisa, poderia entrar em contato.

Lynda anotou o e-mail, despediu-se e desligou.

Ela estava no estacionamento de um supermercado, aonde fora comprar algumas coisas para comer, pois ficaria até tarde arrumando a sua mesa para a transferência. Lynda abria a porta do carro quando uma simpática senhora com um sorriso no rosto se aproximou depois de sair de um automóvel parado na vaga para idosos. Ela segurava uma garrafa de água mineral pequena junto ao peito.

— Bom dia, moça, posso falar com você?

Lynda retribuiu o sorriso.

— Claro! Bom dia.

— Posso te chamar de moça, né? — A senhora riu de leve. — Sabe como é, já sou velhinha, e isso tem lá algumas vantagens.

— Pode sim, senhora.

— Minha filha, eu tenho aqui comigo uma coisa de que você vai precisar.

Lynda franziu as sobrancelhas. A senhora colocou a garrafa no teto do carro e procurou algo nos bolsos.

— Aqui. Achei. — A velhinha ofereceu um pedaço de papel à delegada.

Lynda o pegou e o desdobrou. Nele estava escrita uma lista de nomes. Ela levou um tempo para entender. Eram policiais da sede. Quatro deles.

— O que é isto, senhora?

— Lynda, esses são os policiais que participaram do vazamento de informações da sua operação.

— Como a senhora sabe o meu nome?

— Fique calma. Tenha confiança. Estamos do seu lado.

– 214 –

— Quem são vocês? — Lynda deu um passo para trás e sacou sua pistola. — Que porra é essa, minha tia?!

— Lynda, confie em nós. Estamos aqui apenas pra ajudar.

— Nós quem? Jesus!

— Veja o caso desta garrafa. A gente compra no comércio, abre e bebe. Isso é confiança! Ela é captada em uma fonte natural, engarrafada em plástico que deriva do petróleo extraído em alto-mar que levou milhares de anos pra ser produzido. Passou por uma enorme cadeia industrial até virar um composto químico que se transforma em uma garrafa na fábrica. Depois existe toda uma logística pra fazer com que essa garrafa chegue à fonte de água. E novamente toda uma logística pra que ela chegue à prateleira de um supermercado como este. Há uma enorme rede de confiança entre todas essas etapas e nós nos acostumamos com isso. Abrimos e bebemos. Tudo o que te pedimos agora é que você confie. Beba dessa confiança.

— A senhora vem comigo agora! — Lynda, descontrolada, olhava para todos os lados.

— Nada disso. Eu voltarei para o meu carro e irei embora. Você vai pegar essa lista e tratar de investigar essas pessoas. Elas não estão do seu lado. Nós estamos. Confiança, Lynda. Confiança.

— Por que eu deveria confiar em vocês, porra?

— Porque se quiséssemos o seu mal você já estaria morta.

Nesse momento, a garrafa explodiu, formando uma enorme nuvem de água e assustando Lynda, que ao olhar para a senhora se espantou. Havia dois pontos de laser percorrendo o seu peito, mas ela sorria, brincando com a luz em suas mãos e seus dedos.

— Confiança, Lynda. Confiança! Confie em nós. Estamos do seu lado. Nós salvamos o Monteiro. Salvamos o bebê da Yasmin. Salvamos a mãe do Hallcox. Siga as recomendações que o Monteiro recebeu e as que te passei agora. Precisamos que você fique atenta dentro da Polícia Federal. Comece por esses. As evidências estão no seu banco do carona. Fotos e gravações.

A senhora se virou e retornou ao automóvel.

Lynda, atordoada, abriu a porta do seu carro e, conforme informara a velhinha, achou um envelope no banco. Ela jogou a arma no chão em frente ao banco do carona e lutou com o volante, rosnando de raiva. As suas conhecidas prepotência e arrogância por ser uma agente intocável da justiça estavam reduzidas a pó. Descabelada, com saliva escorrendo da boca e lágrimas nos olhos, lembrou-se da frase de Monteiro: "Não somos nada perto dessa gente".

E desejou estar com a sua mãe.

48. MEDO DA LUZ

Para surpresa de Mr. Fat, minutos antes de sair do seu dormitório para o terceiro dia de aulas, Hover bateu na sua porta com uma aparência melhor. Mr. Fat o recebeu com um sorriso amigo de sincera alegria e o lembrou de que na parte da manhã estariam em uma aula geral. Seria a primeira.

Tão logo deixaram o refeitório, eles acompanharam o fluxo de pessoas nos corredores e foram todos na mesma direção: um pequeno anfiteatro com um grande tablado de madeira com quinhentos lugares, mas com cento e cinquenta e três assentos ocupados naquele momento, de acordo com a contagem dos rapazes. O painel de iluminação da entrada indicava a cadeira de cada um. Os lugares de Mr. Fat e Hover ficavam em frente ao tablado.

Um senhor de cabelo branco e desalinhado entrou por uma porta lateral, colocou alguns livros na mesa e ajeitou o jaleco. Uma luz mais forte incidia sobre o professor e produzia uma leve penumbra nos alunos, que mantinham conversas paralelas. O professor continuou ali de pé, olhando-os com seriedade. Pouco a pouco, o som foi diminuindo, até que atingiu um silêncio absoluto. Ele deu dois passos adiante, e todos ouviram o som do seu sapato no piso de madeira. Balançando a cabeça positivamente, disse:

— Percebam que na quase totalidade, embora tenham mais de vinte anos, vocês são todos infantis. — O professor arqueou uma sobrancelha e prosseguiu: — Simone Weil dizia que a atenção é a forma mais rara e pura de generosidade e, porra!, vocês não conseguem se manter quietos! Isso é falta de disciplina, de educação, de maturidade e de respeito.

O único som na sala era o dos seus passos no tablado.

— Tenho péssimas notícias! As suas existências não são necessárias. O universo não precisa de vocês, e se não estivessem aqui, outros estariam. Pra nós, que fazemos isso há um bom tempo, vocês são o que temos de mais inferior. Eu não consigo expressar o quão merdas vocês são.

Ele caminhou mais um tempo, olhando para o chão.

— No futuro, irão concordar comigo e se lembrarão deste choque. Lembrarão do meu cuspe hidratando os seus egos. Vamos ter, mais uma vez, a árdua tarefa de transformá-los em *hackers* de campos, os HCS. Não basta a parte técnica, tenho que fazê-los virar homens. Inclusive as mulheres que aqui estão. Todos que chegarem ao fim terão três bolas no saco. Serão todos tratados como homens. E terminarão honrados, sérios, desprovidos de frescuras e realizados como verdadeiras máquinas eficientes.

O professor foi até a pilha de livros na mesa e pousou a mão no topo.

— Muito do que falarei aqui não será novidade. Não ligo, assim como não me importa se alguma dessas regras irá desagradá-los ou se vocês discordarão de algo. Não tenho como mensurar o tamanho da minha indiferença para com os seus sentimentos. É tudo, pra mim, um grande foda-se! — Ele retornou à ponta do tablado. — Vejam que coisa... eu não me apresentei. Todas as turmas me dão apelidos, mas o meu nome é um só. Fui batizado como Dante.

Nenhum comentário, nenhum murmúrio.

— Pois bem, todos já sabem que aprenderão as regras da Base, bem como sobre protocolos tecnológicos, redes, funcionamento de vários equipamentos etc. Saibam também que terão uma rotina física, aulas de filosofia, medicina, sobrevivência urbana básica, culinária prática, química, segurança de instalações, operações de rua, operações internas, protocolos operacionais, estudos de casos, condução de veículos, comunicação além das palavras e muito mais. Hoje, no entanto, falaremos sobre o nosso grande inimigo: o Systema.

Dante colocou as mãos nos bolsos e respirou fundo.

— Muito do que os senhores escutarão parecerá estranho e exagerado. Não importa. Lembrem-se sempre de que eu sou o Dr. Foda-se. Estou fazendo uma descrição objetiva da realidade que muitos não estão vendo, mas que, em síntese, é o inimigo que toda essa estrutura, em que os senhores estão sentados, combate. Pessoas morrem nessa tarefa. Há entre os senhores, aqui conosco, um hc que teve a noiva estraçalhada e o pai fuzilado pelo Systema nas últimas quarenta e oito horas.

Os alunos olharam para os lados, curiosos e comentando em voz baixa. Hover baixou a cabeça.

— Volto a lembrá-los de que a realidade chegou às suas portas, e ela não costuma tocar a campainha. Sendo assim, peço que levem a sério o que ouvirão.

Ele os fitava com olhar penetrante, como se desejasse reconhecer alguém.

— O Systema é um movimento mundial. Nós só lutamos no território brasileiro. Já sabemos hoje que tudo surgiu com um grupo intelectual, uma "elitezinha" com lastro financeiro e amparo político que resolveu criar, do nada, um novo conceito de civilização muitas décadas atrás, e todo esse movimento está passando bem longe do horizonte de consciência da nossa sociedade. Embora existam livros que arranhem o tema... — Dante retirou *Tragedy and Hope* da pilha sobre a mesa e o colocou em pé. — ... e estejam todos nos maleiros do armário dos seus quartos, trata-se de um movimento imenso que escapa à atenção do público em geral. Só quem participa e quem luta contra é que sabe o que está realmente acontecendo.

Dante olhou para o teto, fechou e abriu os olhos e prosseguiu:

– 217 –

— Há um movimento mundial de pressão sobre o cristianismo. O plano consiste em criar mecanismos de controle em escala global, enfraquecer as tradições e depois trocar por uma religião biônica obrigatória. Isso está em andamento. Os sinais estão por toda a parte. Os pilares da civilização ocidental estão sendo destruídos.

Ele, então, sacou outro livro mais fino, que também colocou em pé no tampo, de frente para o público.

— Não se enganem, senhores. Esta é uma pequena obra, mas de grande valor. Foi escrita por um sobrevivente do holocausto nazista, um psicólogo chamado Viktor Frankl. Ele tem uma passagem muito interessante explicando que os animais conseguem conduzir as suas vidas inteiramente baseados em instintos, coisa que o homem não é capaz de maneira alguma, embora ele também tenha os seus instintos, claro. Após milhares de anos, o que ajudou o homem a saber o que fazer foi um negócio chamado tradição. Não havia dúvida entre o que era instinto, lazer e obrigações. Hoje, com o ataque massivo contra as tradições, temos multidões de pessoas que não encontram sentido na vida, pois não sabem o que fazer. O homem que não sabe o que quer pra si resolve querer o que os outros fazem, e isso se chama conformismo; ou fazem o que os outros querem, e isso se chama totalitarismo. Quebre as tradições e você produz manadas de pessoas que não sabem o que fazer ou fazem uma merda atrás da outra.

Ele voltou a caminhar.

— O ataque é ininterrupto. Está em todas as universidades do mundo, escolas, redações de jornais, nas empresas, nos centros de pesquisas, nos movimentos que abundam em financiamento e que pedem direitos sobre tudo. É uma camisa de força que prende qualquer um que não tiver um comportamento esperado. A criação da Base foi um milagre do qual vocês só terão conhecimento quando chegarem ao nível 4 de HC. A razão da nossa existência é a luta contra o Systema. Se perdermos, não mais existiremos. Vencer é sobreviver.

Dante fez uma breve pausa e continuou com o seu monólogo:

— O Systema sempre deixou rastros da sua existência, mas nunca foi possível ter uma ideia exata do todo. Agora temos uma boa noção do que ele faz aqui no Brasil, seja no ramo cultural, educacional, econômico ou político. Muito do financiamento de todas essas ações é oriundo da política. Existe dinheiro vindo do exterior, mas o Systema precisa se alimentar localmente. E ele se alimenta dos grandes fornecedores que escolhe. É um organismo atento e que atua em todas as esferas administrativas do país. São milhares de olhos e mãos trabalhando, mas nem sempre conscientes do que fazem, apenas se alimentam do jogo. O dinheiro não é o objetivo. O objetivo sempre foi o poder. No poder, o dinheiro é ilimitado. Os chefes do Systema são como abelhas-rainhas que não pensam no mel, pensam apenas em manter a colmeia funcionando. O mel é consequência, e retroalimenta o conjunto. A única ideologia é o Systema. Nada pode ficar no seu caminho. Ou você é uma peça que funciona ou você está fora.

Um funcionário foi ao tablado para colocar uma bandeja com água e café para o professor Dante, que nesse momento tentava retirar outro livro de sua pilha sem deixar que ela desmoronasse.

— Ideologia! Ah, a palavra que serve de escudo pra tanta gente... Para o Systema, não passa de papel higiênico. Este livro que mostro agora é do romeno Andrei Pleşu: *About Joy in the East and in the West*; algo como "Da alegria no Leste Europeu e na Europa Ocidental". Grande povo o romeno... Grande povo!

Dante abriu o livro na página onde estava o marcador amarelo.

— Andrei diz que ideologias são construções rápidas de ideias, surgidas de um interesse privado ou de grupo, que têm como escopo a modificação da mentalidade pública, das instituições e da vida social. O ponto de partida delas não é a realidade propriamente dita, mas um interesse de classe ou de categoria social. Em consequência, o ideólogo não quer entender o mundo. Quer modificá-lo, de um modo que coincida com os seus princípios e escopos: é, portanto, uma natureza mais utópica e ególatra. Ele se crê chamado a decidir acerca da forma ótima de organização do mundo, e acredita que o seu jeito de entender a felicidade aplica-se a toda a humanidade.

Ele fechou o livro e o pôs na mesa.

— Ora, o crítico literário Alfonso Berardinelli está corretíssimo ao afirmar que intelectuais não são um grupo, nem um partido da verdade: estão aqui e ali, não têm poder; e se buscam o poder, terminam a serviço de quem tem o poder. Ou seja, perdem a sua liberdade, a sua individualidade. Vejam, senhores, sem os intelectuais não teríamos as ideologias, e sem as ideologias, o Systema perderia o seu oxigênio. Tudo o que eles querem mudar na cultura, na educação ou na política começa dentro das universidades. Tudo sempre começa inocentemente em pequenos artigos, publicações e debates para, em uma ou duas décadas, já estar na cultura, no direito e no cotidiano. O Systema utiliza as ideologias e os ideólogos o tempo todo, e depois, limpa a bunda com eles, que vendem essas ideias desgraçadas com alegria. O libanês autor do *Antifrágil*, Nassim Nicholas Taleb, os chama de "intelectuais, porém idiotas".

Dante ergueu as mãos e tornou a baixá-las.

— Se o Systema é uma grande máquina azeitada funcionando em nome de determinados objetivos, os intelectuais são as ferramentas que fazem nela os ajustes. O Systema, claro, é o dono da fábrica de ferramentas. Ele as constrói conforme as suas especificações. Se por algum acidente surgir uma ferramenta não projetada pelo Systema, com ideias diferentes ou contrárias, ela não terá uso nas engrenagens disponíveis no mercado e no governo, e acabará por definhar solitária até que se submeta à higienização imposta pelos seus pares. Ou não! Pois ainda há os que não perdem o contato com os seus princípios e valores, e é por isso, senhores, que precisamos ler, debater, discutir e, principalmente, entender tudo sobre o nosso inimigo.

Sem pressa, ele despejou um pouco de água no copo e bebeu.

— Quando o Brasil, ainda no século xix, chutou o regime que nos deu o maior período de estabilidade, ordem e crescimento, por um travesti político, não sabia que estava abrindo caminho pra que mais tarde não houvesse como resistir à construção dessa coisa. O nosso império, como qualquer um em construção, tinha os seus problemas, mas o que veio a seguir foi um estupro massivo e continuado da ordem e das regras que mantinham este país funcionando com algo que pudéssemos chamar de normalidade. Em um século, tivemos mais de vinte presidentes não escolhidos pelo povo, e apenas cinco dos eleitos pelo voto terminaram os seus mandatos. A desordem política é uma constante na nossa República, e diante desse corpo com muito pouca saúde, nada é mais fácil do que a instalação de uma doença. Sim, uma doença que está nos escravizando; que sequestrou o futuro de todos em troca de poder para alguns. Esse pesadelo começou no fim dos anos 1920.

Dante encarou a plateia.

— Vamos relembrar o contexto. Depois do desastre daqueles dois bundas-moles do Deodoro e do Floriano, já na virada do século, e eu espero que vocês saibam o mínimo da história do seu país, iniciou-se um período conhecido pela prática da política do café com leite, ou seja, a presidência do Brasil era alternada entre um político de São Paulo, grande produtor de café, e um de Minas Gerais, grande produtor de leite. Funcionou como um relógio. Quatro anos com um paulista, café. Quatro anos com um mineiro, leite. Os políticos combinavam, e acontecia. Eu pergunto a vocês: e o povo? E o voto?

Ele meneou a cabeça.

— Perceberam que apareceu ali uma máquina de falsificar eleições? Se o povo votava e sempre dava o resultado do acordo político nas urnas, então tinha fraude. Mas além da fraude temos que reparar que já não tínhamos mais um poder moderador pra chutar a bunda de todo o mundo. Agora o país dependia do tempo da justiça pra resolver os seus problemas, e ela tardava e falhava. As instituições já estavam podres. Em tão pouco tempo, tudo se perdeu. No entanto, o mundo estava atento e um grupo de pessoas viu a oportunidade de tomar o controle dessa máquina de gerar presidentes e colocar lá quem ele desejasse. Desde então, essa máquina vem sendo aprimorada eleição após eleição, viabilizando todos os governos. Como eu já disse: tivemos mais de vinte presidentes não eleitos pelo povo num país em que o chefe de Estado é escolhido pela sua população. Não lhes parece que algo acontece sistematicamente nos bastidores?

Dante deu de ombros.

— Os populistas são os que mais facilitam o trabalho esquivo do Systema. Populistas gostam de ter o controle. Gostam de poder. O Systema aprecia a centralização. Quanto mais centralizado, mais fácil se torna controlar a máquina e quem entra e sai da engrenagem. Qualquer um fora da sintonia do Systema gera instabilidade, tem o seu poder reduzido ou é retirado de lá. A engrenagem rapidamente se movimenta para retomar o seu espaço. Para o Systema, o bom político é aquele que pensa em si e no seu grupo. Ele é bom porque não interfere na engrenagem que está rodando. Reparem que há uma regularidade no perfil moral e ético do nosso corpo político mais relevante. O bom político é aquele que atua como um lubrificante; que adere ao jogo. Esse tem recursos garantidos. Os que criam ruído no Systema não conseguem trabalhar, e também não conseguem se reeleger. Se você pudesse conversar com cada um dos nossos mais de quinhentos deputados, veria que, na sua maioria, eles estão intelectualmente abaixo do nível necessário para compreender as leis que aprovam. Algumas são obras de arte cirúrgicas. Tudo é elaborado pelos seus assessores. Que conversam com os assessores dos outros políticos, que sofrem influências externas de grandes juristas, de escritórios de advocacia, de empresários, de ativistas nacionais e internacionais, de lobistas. O que nos deixa duas perguntas.

Ele encarou a audiência.

— Primeira: quem são as pessoas que estão pensando as leis do nosso país? Segunda: em que lugar nisso tudo está a vontade popular? Lembrem que o Systema é que mexe as cordinhas dos bonecos que fazem a apuração e contagem de votos. Já repararam como existe uma luta pra manter a nossa tecnologia eleitoral na vanguarda do atraso?

O professor voltou à mesa para beber mais um pouco de água.

— Existem três premissas mundiais pra que uma eleição eletrônica possa ser considerada confiável. A primeira é que deve haver, além do voto eletrônico, uma prova material do voto, um papel com a cópia do voto pra permitir verificação por amostragem e principalmente recontagem. A segunda é a construção de máquinas que não sejam capazes de alterar um voto de maneira não intencional ou intencional. A terceira é um processo de contagem que possa ser realizado por qualquer cidadão, sem a necessidade de ele ser um funcionário público altamente treinado. Se o povo não é capaz de contar os seus votos, nada feito. O Brasil não tem nada disso. Os tribunais lutam contra isso e ainda tem a pachorra de dizer que possui o sistema mais rápido do mundo. Mas agora eu lhes pergunto: para que uma mágica produza efeito não é preciso que o mágico a faça com velocidade? Há fraudes? Eu não tenho dúvida disso, assim como a Base. Porém, a resposta mais lógica seria dizer que não sabemos, pois é impossível auditar o processo. Nenhum brasileiro pode garantir que tudo foi bem, assim como não pode dizer que tudo foi mal. Não é permitido olhar.

O professor puxou uma cadeira no palco e se sentou. Descalçou o sapato e começou a fazer uma massagem no pé.

— Estou com fascite plantar. Coisa da idade. Se eu ficar muito tempo em pé, começa a me doer a sola. Mas deixem-me continuar. O Systema cresceu muito ao longo dos anos. Tal como um parasita, não permite que o hospedeiro, o país, seja saudável. É preciso gerar instabilidade política e social de maneira sistemática. O doente precisa ser crônico pra consumir as suas doses de medicamento. Mas não pode morrer. A morte do hospedeiro mata o parasita. Sendo assim, os anos de prática fizeram com que o Systema aprendesse que existe uma perfeita fórmula cíclica de melhora na saúde, uma nova crise, ajustes no tratamento, cama, melhora na saúde, crise, ajustes, novos cuidados, melhora. Ou seja, crescimento baixo, crise fiscal, ajustes, contenção de gastos, arrocho popular, novas regras e leis cirúrgicas do Systema que aumentam o poder do governo, estagnação, novo baixo crescimento, crise... e assim segue cada vez mais alimentando e dando forças ao Systema através do governo e sua intromissão em nossas liberdades.

Dante parou com a massagem.

— O Systema é uma criatura antiga e ardilosa que já sentiu o nosso cheiro e sabe que estamos caçando nas sombras. Antigamente, nós atuávamos só no campo militar e tecnológico, como pode ter sido a impressão de muitos. Mas, nos últimos dez anos, começamos a combater também no campo cultural com várias ações na sociedade em auxílio dos que se mostram mais capazes e com os valores mais corretos. Não podemos atacar diretamente o Systema, não somos páreo pro seu tamanho. A nossa tarefa é feri-lo, envenená-lo, sangrá-lo até que deixe um rastro que nos leve aos seus verdadeiros mentores. Sim, sabemos que a parte central do Systema está fora dele, sendo passado de geração em geração dinasticamente. No dia em que chegarmos a essas pessoas, sairemos das sombras com todas as nossas forças para, num simples trabalho de eliminação, utilizar todo o nosso poder intelectual e militar. Essa é uma missão que, pra nós, também é dinástica. É incrível como existe gente que não acredita em uma ordem cósmica. Toda bondade tem o seu antagonista, assim como toda maldade. É uma regra universal. Vocês nunca verão o bem agindo sozinho por um longo tempo sem que apareça algo para se contrapor a ele; e o mesmo para o mal. O equilíbrio é divino.

O professor se levantou da cadeira consultando o seu relógio.

— Sigam agora todos pro refeitório e voltem em meia hora, quando serão mostrados alguns estudos de caso de operações do Systema e as reações da Base.

– 222 –

Os alunos começaram a se levantar para sair quando, no meio do grupo, alguém pronunciou a palavra "medo". Dante, que tornava a formar a sua pilha de livros, sem interromper o que fazia disse, em alto e bom som:

— "Podemos facilmente perdoar uma criança que tem medo do escuro; a real tragédia da vida é quando os homens têm medo da luz." Platão.

Todos saíram em silêncio.

49. PIRANHA BRABA

Smoke desceu do táxi no Catumbi. No outro lado da rua, um imenso portão de ferro de mais de oito metros de altura guardava a entrada do Cemitério de São Francisco de Paula.

Ocorreu-lhe que não existem situações fáceis quando se tem que ir a um cemitério. Tumumbo estava enterrando a mãe, e Smoke sabia que, em parte, a culpa era sua. Ele falhara na sua promessa de protegê-los. Conseguia enganar a todos, menos a si mesmo. A sua vontade era ir embora e esquecer tudo, mas ao mesmo tempo se sentia um devedor moral. Ele teria vergonha de compartilhar esses pensamentos com alguém.

Na região das capelas, Smoke pôde ver pequenas aglomerações. Observou algumas delas em busca de Tumumbo, mas não o avistou. Olhava para dentro de cada sala. Algumas estavam vazias, outras com poucas pessoas. A penúltima tinha alguém sozinho, sentado ao lado do caixão. Smoke foi se aproximando lentamente e pôde reconhecer Tumumbo de costas. Com o braço esquerdo repousando sobre o peito da mãe, ele a olhava com atenção e ternura. O véu esbranquiçado escondia um pouco dos seus hematomas. Smoke se surpreendeu com o comprimento do caixão. Ela era bem alta. As suas feições refinadas lhe conferiam uma aura de realeza. Não era uma mulher qualquer.

Smoke pousou a mão no ombro de Tumumbo, que virou a cabeça para olhá-lo. A sua expressão, então serena, foi se alterando para uma tristeza visível, e logo a seguir, o início de um choro silencioso.

Smoke não sabia o que fazer. Sentiu uma enorme dor no coração, e aquilo chegou a lhe dar certo alívio, pois temia ficar insensível diante da dor de Tumumbo e da perda daquela que, para ele, era o que existia de mais valioso no mundo: sua mãe, sua única família em um continente estranho e longe de casa.

Tumumbo se levantou e abraçou Smoke, o que fez aumentar ainda mais a sua sensação de pequenez humana. Sentindo-se um filho da puta completo, ele passou a mão na cabeça de Tumumbo, que soluçava contra o seu peito. Olhou mais uma vez para a mãe do garoto, com vontade de pedir desculpas. Não conseguiu pronunciar nada. A emoção não permitia.

Tumumbo se afastou lentamente e perguntou se ele queria água. Era só o que tinha para oferecer. Smoke pegou uma cadeira no canto e se sentou ao lado daquele que queria muito chamar de amigo; mas que direito teria ele de fazê-lo?

O seu sentido de obrigação em protegê-lo aumentou. Minutos antes, Smoke estava dividido entre atravessar ou não a rua, e agora não tinha mais dúvida do que seria o certo a ser feito. Mais do que nunca, a frase do psicólogo Juan Alfredo César Müller, ensinada na Base, fazia sentido: "Quando você não souber o que quer fazer, faça o que é do seu dever".

— Obrigado por ter pago o enterro. — Tumumbo enxugou as lágrimas.

Smoke não conseguiu responder; apenas levantou as mãos, fazendo um sinal de que não era nada de mais. Olhou para baixo, querendo se recuperar.

— Obrigado mesmo, seu Smoke. Eu não sabia o que fazer. Quando o hospital liberou o corpo junto com a polícia, fui abordado por algumas pessoas que queriam me ajudar com tudo, mas eu não tinha dinheiro. Se estivesse na minha terra, bastaria enterrá-la na nossa propriedade, ao lado da minha avó e do meu pai. Ela ficaria feliz.

— Você sabe chegar à sua terra? Ao local onde moravam?

— Não, senhor. Mas sei o nome do local, e acho que, chegando lá, reconheceria tudo, e conseguiria quem me ajudasse.

— Podemos planejar isso, Tumumbo, e levar a sua mãe pra lá.

— Seria um presente. Eu não teria como agradecer-lhe, seu Smoke.

. Smoke olhava para Tumumbo, um rapaz tão simples em seus desejos, e ali na sua frente sendo esmagado pelo mundo. Tudo desabando, e ele só pensava em fazer o que seria o mais correto para o enterro da mãe. Muitos estariam satisfeitos em apenas enterrar no cemitério mais próximo, mas ele tinha as suas tradições tão fortes quanto a sua ligação com a terra natal. Smoke passou a ver que diante de si não existia apenas um menino africano, mas uma verdadeira escola moral que ele deveria copiar, pois admirava o que vinha dele ao ponto de invejá-lo.

— De todo modo, *brother*, hoje enterramos aqui a sua mãe, mas em breve nós a levaremos pra casa. Eu faço essa viagem com você. Dinheiro não é o problema. Devemos isso a ela.

— Eu devo sim, seu Smoke. Mas o senhor, não. O senhor não teve culpa, como imagina que teve. Já pensei muito sobre isso e concluí que a culpa é de quem fez isso com ela, não do senhor.

Smoke ficou surpreso e, ao mesmo tempo, aliviado.

— Bem, seu Smoke, eu já me despedi da minha mãe. Vou chamar o rapaz que trabalha aqui pra levá-la ao túmulo.

— Não vai esperar ninguém chegar?

— Não, senhor. Não tem ninguém pra chegar. Aqui não tínhamos ninguém. Éramos apenas nós dois. Eu era tudo o que ela tinha.

Smoke pensou no quão terrível poderia ser atravessar toda uma vida para, no fim, não ter ninguém no seu enterro.

— Sabe, seu Smoke, quando o meu pai morreu, veio gente de muitos cantos da África. Teve até gente da Inglaterra. Ele era pessoa famosa. Fez muitas coisas boas. Era respeitado. Morreu salvando gente na savana. Se a minha mãe estivesse em casa, teria bastante gente também. A família dela é antiga.

Cerca de quarenta minutos depois, eles estavam na cantina do cemitério. Smoke precisava se alimentar, pois não tomara café nem almoçara. Tumumbo comia enquanto conversavam.

— O que você vai fazer da vida agora, *brother*? — perguntou Smoke, após uma mordida no seu salgado.

— Não sei. Não parei pra pensar nisso direito. Acho que vou procurar um trabalho. Preciso conseguir um lugar pra morar e me sustentar.

— Onde você ficou esses dias?

— No primeiro dia, dormi no hospital. Depois que me informaram que o corpo da minha mãe iria pra perícia, eu fui para aquele prédio lá.

— O IML, o Instituto Médico Legal?

— Acho que é isso. Dormi lá mesmo, pois não tinha pra onde ir e queria ficar perto dela. No fim do dia seguinte, eles liberaram. Encontrei aqueles policiais que foram lá no morro, e um deles me reconheceu. Eu expliquei tudo, e eles me deram um dinheiro pra comer. Ofereci o meu telemóvel em troca, mas não aceitaram. Foi quando o aparelho tocou e o senhor conversou comigo. Se não fosse o senhor, eu não sei como teria feito tudo.

— Posso te fazer uma proposta?

— Sim, senhor.

— O que me diz de a gente procurar esse trabalho juntos?

— O senhor é muito bom. Os rapazes falavam. Vai achar fácil. Eu sou mais burrinho.

— Que nada. Acredito que podemos nos completar. Você faz bem a parte de infra. Eu posso te ensinar várias outras coisas.

— Eu aceito, seu Smoke.

— Façamos o seguinte. Eu te contrato pra trabalhar pra mim e te dou um salário. Já posso pagar o primeiro hoje. Não. Vou depositar dois anos de salários de uma vez. Te deixo lá em casa. Eu tenho um canto cheio de computadores e livros sobre todos os assuntos que você possa imaginar. Aproveite pra comprar umas roupas no shopping que fica próximo. Vou conversar com os meus avós e te apresentar.

— Eu não tenho conta em banco, senhor.

— Hum... nesse caso, te darei um cartão da minha conta e a senha. Você usa no que precisar.

· ·

No começo da noite, Smoke se achava numa acirrada conversa com a avó, tentando explicar que Tumumbo não era seu namorado. Seu avô teve que usar o nebulizador, de tanto que ria do nervoso do neto, que não conseguia convencer a avó.

Eles simpatizaram com o jeito humilde de Tumumbo, mas também por terem tomado conhecimento de que ele enterrara a mãe naquele mesmo dia e das condições em que a morte ocorrera. Tumumbo, durante o lanche da noite, fez elogios sinceros a cada uma das guloseimas preparadas por Emma, a avó de Smoke.

· ·

Ao acordar, no dia seguinte, Smoke foi ao encontro da avó, que preparava o almoço na cozinha. Ele perguntou por Tumumbo e soube que ele saíra cedo com Oscar para comprar algumas coisas no mercado.

— O seu avô descobriu que o menino sabe dirigir e o pegou pra chofer. Saíram os dois pirilampos naquele carro velho dele. Disseram que iriam passar antes na feira pra comer pastel e tomar caldo de cana, pois o rapaz comentou que nunca tinha comido. Acho que o seu avô vai fazer tudo o que fez com vocês quando eram pequenos.

Smoke tomou o seu café e foi se sentar na varanda para tomar sol. Não demorou muito e viu o carro chegando. Tumumbo dirigia, ao lado do seu avô, que mantivera o velho hábito de andar com o braço para fora da janela. Tumumbo subiu na calçada para entrar na garagem, enquanto o avô buzinava como uma criança de cinco anos. O banco de trás estava cheio de sacolas.

No mesmo instante, um outro automóvel parou na frente da casa. A porta se abriu, e uma linda mulher com um vestido curto desceu e andou na direção dos três, que a olhavam, paralisados.

— Bom dia, meninos. Eu gostaria de lhes fazer uma proposta.

Smoke franziu as sobrancelhas e observou em volta.

— Se o Smoke e o Tumumbo entrarem no carro, nada vai acontecer com o vovô e a vovó.

Todos pararam de sorrir. Smoke olhou para Tumumbo, que já estava olhando para ele.

— Ninguém sairá daqui, vagabunda! — Smoke falou alto.

— Entendo. Vai querer fazer do jeito difícil? Não vejo ninguém da Base aqui pra te ajudar, senhor HC3.

Smoke gelou. Estava diante de alguém do núcleo do Systema. Sabia do que eles eram capazes.

Oscar estava sério, escutando. De esguelha, Smoke viu que a câmera da varanda focava exatamente o local onde a mulher se achava.

— Meu neto, acho melhor você fazer o que essa piranha braba pede.

Smoke pensou na total desvantagem do cenário. Não tinha alternativa.

A mulher voltou para o carro. Smoke se dirigiu ao avô:

— Toma cuidado. Eu mando notícias assim que puder. Cuida da vó.

— Seu Smoke, vamos encarar essa juntos. — Disse Tumumbo.

— Vamos sim, *brother*.

Quando abriu a porta, Smoke constatou que a parte traseira do veículo era uma espécie de gaiola, sem acesso ao motorista. Ele deixou Tumumbo entrar, e logo em seguida sentou-se também. Os vidros eram escuros ao ponto de não permitir enxergar nada do lado de fora.

Oscar viu o carro partir e entrou na casa. Teresinha observava o circuito de TV com o cenho franzido.

O telefone tocou, e Oscar atendeu:

— Alô? Sim, você viu? Está tudo bem com a sua mãe, filho. É. Aquela piranha falou da Base e chamou o teu filho de HC3. Isso mesmo. O Systema levou o teu filho. Veja se não perde o garoto de novo. Esse teatro ridículo já deu. Tá bom. Vou falar com ela. — Ele desligou. — Emma, o teu filho vai mandar uma equipe pra cá. Disse pra você não se preocupar.

— Eu me preocupo com o meu neto. — Ela dobrava e desdobrava um pano de prato molhado. — Ele parecia estar voltando ao normal. Esse inferno nunca acaba. Uma vida inteira perdendo a minha família pra Base ou pro Systema. Tem hora que cansa, meu velho. Eu perco as forças.

– 227 –

50. RETALIAÇÃO

A brisa vinda do mar abrandava o tradicional calor carioca na fila de entrada de um famoso restaurante no Leblon, onde a filha mais velha de Monteiro, Isabel, e seu namorado aguardavam. Naquela noite, ela pretendia realizar uma despedida do tipo "volto já", antes de viajar com as irmãs no dia seguinte.

Isabel e o namorado se conheceram no trabalho e logo se apaixonaram. Embora no começo do relacionamento ela tivesse detectado as muitas divergências ideológicas que havia entre eles, resolveu tentar fazer dar certo. O rapaz era muito educado e bonito, e os dois estavam naquele estágio delicioso em que riam de qualquer coisa.

Ela queria comer um bife de chorizo, mas ele era vegetariano; então, decidiram-se pelo local que melhor pudesse atender aos dois. Eles não se importavam de encarar uma fila. Era até melhor que sentados, pois estavam o tempo todo abraçados. O casal da frente andou dois passos, e duas garotas entraram no espaço.

— Oi, meninas, boa noite — disse Isabel. — A fila é lá atrás.

— Nós sabemos. Só queríamos falar com você.

— Comigo?

— Esse é o seu namorado?

— Sim, é. — Isabel franziu as sobrancelhas.

— Bonitão. Mas peça pra ele ir embora. Queremos conversar com você.

O namorado deu um passo à frente, dizendo:

— Calma aí, meninas, esse papo tá muito louco.

As duas lentamente retiraram pistolas da cintura.

A fila desapareceu, assim como a funcionária que administrava a entrada de clientes. Isabel sacou a sua arma, despreocupadamente, e as três ficaram se encarando, mas com as armas ao lado do corpo e com o braço relaxado. Desde o aviso do pai, ela passara a andar com a sua 9mm na bolsa.

— O meu namorado não vai a lugar algum, e eu quero saber que porra de papo furado é esse!

— Amiga, escolha melhor os seus homens. — Uma delas indicou atrás de Isabel com um gesto de cabeça.

Ao olhar para o lado, Isabel não encontrou o namorado. Ele havia sumido com o restante da fila. Ainda deu tempo de vê-lo lá longe, correndo em disparada pela rua.

— Puta merda... Caco de homem — Isabel resmungou.

— Papelão mesmo. — A garota olhava na mesma direção que Isabel.

— Depois desse favor que te fizemos, vamos voltar ao nosso assunto. — A outra deu um sorriso sarcástico. — Temos a missão de te levar a um lugar. Disseram pra primeiro te pedir e, caso não aceitasse ir conosco, que fizéssemos algumas ameaças. Tipo, estas fotos.

Ela retirou algumas fotografias do bolso de trás da calça e entregou a Isabel, que pegou com a mão esquerda. Eram imagens das suas três irmãs, feitas dentro da rotina diária de cada uma. Fotos tiradas a partir da visão da mira de um *sniper* — podia-se ver o ponto vermelho na roupa ou no rosto de cada uma delas.

— Eu não vou com vocês a lugar algum.

— Tá. Vou te dizer o que pode acontecer se não vier conosco. Nós iremos embora e, daqui a alguns dias, você receberá a notícia da morte de uma das suas irmãs. Ou de todas. Aqui no Rio de Janeiro ou lá naquela cidadezinha tão fofinha pra onde vocês vão amanhã.

As duas guardaram as armas e, rindo, se dirigiram ao carro, parado em frente ao restaurante. Isabel notara o veículo desde a sua chegada. Era um modelo que ela gostaria de comprar, e isso chamara a sua atenção. Nesse momento lhe ocorreu que durante todo o tempo as duas estiveram paradas em frente ao restaurante. Antes mesmo de ela chegar, já sabiam que viria.

Isabel pensou no seu namorado; mas o bolha não teria capacidade para isso. Ela devia estar sendo observada, pois o inimigo já sabia até da viagem. Eram certamente do grupo dos desgraçados que o seu pai matara. Havia pouco a ser feito diante de tamanha chantagem. Nem fizeram questão de desarmá-la. Não havia o que fazer.

Isabel andou na direção do automóvel. Uma das moças mantinha a porta traseira aberta, à espera de que ela entrasse.

— E faça-nos um favor: ligue pro seu pai e diga que estamos com você.

— Vocês não vão pegar a minha arma ou o celular?

— Não faz diferença. Pode ficar, Isabel. A sua cabeça é o seu guia.

Isabel se sentou, e a porta foi fechada. A parte interna do carro era como uma gaiola com os vidros escuros. Ela colocou a arma entre as pernas, pegou o celular e procurou pelo contato de Monteiro.

— Pai?

— Oi, filha!

— Eles me pegaram.

Monteiro gelou. Sentiu um fraquejar nas pernas. A sua têmpora pulsava no ritmo do coração.

— Pai, estou no Leblon. Eu ia jantar com o meu namorado. Fale com as irmãs, elas sabem quem é.

— Diga tudo o que está acontecendo, filha.

– 229 –

— Fomos abordados por duas garotas com cerca de vinte anos, que já estavam me esperando em frente ao restaurante. Elas sabiam da nossa viagem amanhã. Estavam armadas, mas não trocamos tiros. Conversamos calmamente na calçada. Várias pessoas viram. O carro é um Honda Civic vermelho. Estou no banco de trás e livre. Deixaram-me com o celular e com a minha arma, pai.

— Filha, o que elas disseram pra te convencer a entrar nesse carro?

— Me mostraram fotos das minhas irmãs, todas tiradas por algum *sniper*. Dava pra ver a mira e o ponto vermelho do laser no rosto das meninas. Disseram que, se eu não fosse, matariam todas em alguns dias. Pai, eu não tive escolha.

— Eu entendo, filha. Você sabe que o papai vai atrás de você, né?

Isabel, embora falasse com tranquilidade, tinha uma lágrima no canto esquerdo da face.

— Sei sim, pai.

— Você sabe que o papai não vai parar enquanto não te achar, então aguente firme.

— Tá.

— O papai vai usar aquele e-mail. Vamos com tudo. Vocês são os meus tesouros.

— Pai... — ela sussurrou: — Estou com medo...

— Eu sei, amor. Você consegue ver onde está agora?

— Não, os vidros são muito escuros. Pelo som, ainda não passei por nenhum túnel, nem pelo litoral, nem pela lagoa. Devo estar ainda nas ruas de dentro. O trânsito está pesado, e o carro para nos sinais. Tem um ônibus atrás da gente. Dá pra ouvir, então estamos nas ruas que são itinerários de ônibus.

— Filha, deixa o celular ligado e continua falando comigo. Vou usar outro telefone pra acionar todo mundo. Não desliga.

— Tá.

Uma janelinha se abriu e Isabel pôde ver o rosto de uma das meninas.

— Diga ao seu pai que estamos indo pro Morro do Vidigal, mais precisamente pra rua da Felicidade. Peça pra ele aparecer. Vai ser uma alegria.

E a janela se fechou.

— Pai? Pai?

O telefone estava mudo, mas podia-se ouvir ao fundo que Monteiro estava em outra ligação.

— Alô, filha?

— Pai, a menina me disse que estamos indo pro Morro do Vidigal. Pra rua da Felicidade.

— Anotado! As suas irmãs estão vindo pra cá. Vamos te buscar.

— Eles estão de olho nelas, pai.

– 230 –

— Eu sei, filha.

— Pai, vem logo. Parece que estamos subindo mesmo ruas mais íngremes. Assim que o carro parar eu vou guardar o telefone, mas deixarei ligado.

— Filha, eu estou na linha, não se preocupe.

Monteiro pôde ouvir a abertura da porta do carro e a chegada de algum som ambiente. Alguém disse algo como "Bem-vinda ao Vidigal" e a ordem de subir uma escada. Logo depois, a ligação caiu.

Monteiro amaldiçoou os irregulares serviços de telefonia celular. Tudo naquela cidade era problemático. Mesmo sabendo o local do cativeiro de Isabel, a polícia não podia entrar sem um grande efetivo. São áreas fora do controle do Estado. Mais do que nunca ele deveria enviar aquele e-mail.

Rapidamente descreveu a situação e enviou. Não sabia quanto tempo poderia levar até que alguém lesse. Não havia o que fazer a não ser garantir a segurança das outras filhas, e isso fora deixado a cargo da sua equipe na Polícia Federal, que não tardou a informar que estavam com elas a caminho da sede na praça Mauá. Monteiro estava sendo consumido pela impossibilidade de sair pela porta para salvar a sua outra filha.

Quinze minutos depois, o celular tocou. Monteiro atendeu, e uma voz desconhecida informou que haviam recebido o e-mail e que alguém já chegava ao local para observar o cativeiro da filha. Montariam uma operação de resgate, mas ele teria que acatar algumas condições.

. . . .

No início da rua da Felicidade, um mendigo surgiu carregando um saco com quinquilharias. A sua longa barba, o corpo sujo e as roupas imundas faziam com que a maioria das pessoas saísse da sua frente. Ele caminhou de lixeira em lixeira até parar e sentar na calçada em frente a um Honda Civic vermelho. Do outro lado da rua, dois traficantes faziam a segurança da porta de uma escadaria que levava para o segundo andar. O mendigo tirou algumas fotos com o seu celular e transmitiu uma de cada vez. Ao final, enviou uma mensagem de voz:

— HC4 Salieri. Confirmado local da descrição. O carro do sequestro está aqui. A placa seguiu nas fotos. Durante a subida, contei dezoito seguranças armados com fuzis. Nem todos são do local. Vestem-se diferente e não estão integrados com o morro. O trânsito de veículos está mais restrito. Há um ponto de controle duzentos metros antes da casa. Não escuto nada, nem com os captadores direcionais que carrego. A casa está calma.

Em pouco tempo, recebeu uma resposta escrita: "Equipe de resgate em uma hora. Permaneça no local e reporte. Chegada de cima para baixo".

Após quinze minutos, o HC4 enviou outra mensagem de voz:

— Aborte resgate. Dois novos veículos vieram buscar o alvo. Estão deixando o local. Placas nas imagens.

Mais tarde, ainda naquele dia, Monteiro apareceu na sede da Polícia Federal em uma van que o ajudou a recolher as três filhas e suas bagagens.

Ele nunca mais foi visto, nem as meninas.

51. DESMOBILIZAÇÃO

Todos os supervisores se reuniam mais uma vez na Catedral. A convocação fora extraordinária e externa. Os diretores raramente apareciam na Base, mas um estava vindo. Todos já sabiam o motivo da reunião e também a seriedade do tema. O diretor não usava a mesma entrada dos HCS. Poucos sabiam que acesso era esse e como se dava, mas ele chegava.

Quando um diretor estava presente, seguranças, secretárias e convidados eram excluídos. Somente supervisores poderiam estar no mesmo ambiente que ele. Os corredores de acesso, elevadores e o que mais estivesse no caminho eram fechados para a sua passagem. O segredo era necessário. Diretores conheciam tudo abaixo na organização e tudo acima. Eram as peças mais raras e importantes.

Não demorou muito para que ele aparecesse pela porta acompanhado por dois seguranças que não eram da Base, embora utilizassem roupas e divisas dos carcaças. Parou em frente à inscrição no chão da entrada, feita em letras góticas num transparente azul de resina, e leu o lema dos catedráticos:

— *Ultima ratio*. A última razão. O último argumento. Nada mais adequado para o dia de hoje, senhores.

Ele aparentava ter cerca de cinquenta anos de idade. Tinha mechas brancas na lateral do cabelo penteado para trás, feições europeias e quase um metro e noventa de altura. A barba estava impecavelmente feita, e seu terno era sob medida. Ele expelia vaidade, mas não estaria nesse cargo se não fosse também muito eficiente.

Passou atrás dos supervisores, cumprimentando-os com movimentos de cabeça e curtas palavras de saudação. Contornou a grande mesa redonda e afastou uma das cadeiras de costado mais alto e largo. Tão logo se acomodou, ativou o computador da sua posição, que surgiu da mesa lentamente. Colocou um pen-drive em uma das entradas, digitou alguns códigos, deixou que a sua pulseira fosse lida e, por fim, colocou o polegar num scanner. O diretor abriu a imagem do seu computador para todos os monitores e deu início à sua apresentação:

— Bom dia, senhores. Vivemos tempos difíceis. Como já é sabido, o nosso S2 compartilhou uma série de evidências que mostram de maneira inequívoca que a Base deverá ser exposta em um curtíssimo espaço de tempo. A informação chegou pra vocês, mas não as evidências. Eu estou aqui pra ajudá-los, de maneira muito breve, a tomar as decisões que essa situação demandará. Primeiro, vejamos estas fotos.

Foram mostradas algumas imagens que pareciam tomadas a partir de um helicóptero. Eram fotografias dos transportes da Base, que estavam editadas com setas vermelhas e ampliações que permitiam ver as placas e, em alguns casos, algumas características mais marcantes dos veículos, como um adesivo ou alguma avaria na lataria.

— O próximo conjunto de fotos agora.

Eram fotografias dos rostos dos motoristas em algumas situações de retirada ou entrega de HC. Cerca de cinco motoristas foram identificados pelos supervisores.

— E, seguindo, mais um conjunto de fotos.

Agora, eram imagens de alguns HCs. Todas ampliadas para identificação dos seus rostos. Os supervisores reconheceram a maioria como sendo pertencente ao grupo que fora exterminado poucos meses atrás.

— E, para terminar, mais este conjunto de fotografias. As mais interessantes de todas.

Podia-se ver claramente o local em que o transporte acessava a garagem da Base. Eram imagens bastante ampliadas de veículos entrando e saindo, feitas de uma grande distância. Um dos supervisores pediu permissão para falar e a recebeu.

— Essas fotos têm ao menos três meses, pois aquele veículo da segunda foto, um Toyota Corola branco e mais antigo, foi destruído na prensa.

— Sim, sabemos a época das fotos. No geral, a informação de que o Systema mais uma vez sabe a localização da Base é, por si só, muito preocupante. A primeira pergunta que podemos fazer é: por que ainda não atacou? Essa é uma questão que será respondida rapidamente se verificarmos toda a documentação capturada pela equipe de campo do nosso S2.

A nova imagem mostrava uma série de documentos com explicações sobre as imagens. Diziam ser veículos de uma grande organização criminosa que atuava no Rio de Janeiro e com conexões internacionais.

— Pois bem, os senhores viram que cada um desses documentos na imagem é a primeira folha com um dossiê de fotos e relatos completos de algumas operações da Base. Cada um desses conjuntos de documentos foi entregue aos maiores canais de notícias do Brasil no início desta semana e, ao que parece, é uma retaliação pela morte da Mãe e a posterior investigação da imprensa e Polícia Federal.

O clima estava tenso na Catedral.

— A Polícia Federal também recebeu esse dossiê, já sabendo que a imprensa também o tinha. Foi realizada uma reunião inicial pedindo que ninguém divulgasse nada até que fosse montada uma operação. As coisas estão andando muito aceleradas, e a federal deslocou pro Centro do Rio muitas dezenas de policiais e delegados de outros estados. Quatro equipes do Comando de Operações Táticas estão de prontidão. Uma operação dessa monta indica que a invasão deste local é iminente. O Systema está devolvendo a dose de veneno que nós mandamos. Ele nos deixou apenas duas opções.

— Sim, nos defender ou fugir! — disse o S3 responsável pelas operações.

— Corretíssimo. Mas, diante do fator imprensa e do fator Polícia Federal, teremos que, mais uma vez, executar o protocolo de retirada da Base. Meu S4!

— Senhor?

— O que sugere?

— Depende do nível de evacuação, senhor. Serão só pessoas? Serão pessoas e os ativos da Base? Temos alguns níveis de protocolos de evacuação prontos.

— A sugestão que recebi foi de deixar tudo aqui no concreto e depois queimar o que restasse. Sei que o tempo é curto, mas precisamos pensar nas possibilidades. S3, S1 e S5 podem falar livremente.

— Recomendo interromper a chegada de qualquer transporte, e desde já iniciarmos a desmontagem geral de tudo com o pessoal que aqui está. Vamos reunir todos no auditório e informá-los do que sabemos. Mostramos as imagens e começamos a trabalhar. Cada um no seu quarto e depois nos locais de estudo e trabalho. As áreas comuns possuem as suas equipes, que podem desmontar tudo.

— S4? — solicitou o diretor.

— A logística é absurda. Seria muita coisa a ser retirada daqui e num curto período. Precisaríamos de muitos caminhões, o que comprometeria o fator segredo dessa retirada. Recomendo levar o essencial e destruir o resto. Não vai dar pra levar tudo.

— Também pensei nisso. — O diretor meneou a cabeça. — Mas façamos assim. Diante do tempo curto, aconselho usarmos o acesso subterrâneo pelos trilhos antigos utilizando os trens pra transporte do pessoal e do que for mais relevante dos nossos ativos. Isso permitirá deslocar a nossa saída para alguns quilômetros daqui.

— Quantos trens temos, senhor? — perguntou o S4.

— Três. Que podem ser configurados pra ficar mais compridos. As locomotivas são elétricas e bem conservadas, mas o nosso deslocamento é bem lento, pra não

– 234 –

causar trepidações por onde passa. Vamos utilizar linhas antigas que não foram aproveitadas pelo metrô e ficaram abandonadas.

— Pra onde vamos, senhor? — quis saber o racional S1.

— Ainda não posso revelar. Após a conclusão da retirada, o trem fará uma parada pra que todos saiam e se dispersem. Cada grupo de HCS e seus respectivos carcaças deverá ser montado pelo S1 e pelo S3. Os destinos serão atribuídos pelo S9 e entregues individualmente. Depois, seguirei adiante com os senhores supervisores para um outro local, onde faremos o desembarque do material; muito será descartado e muito será armazenado. A Base interromperá a maior parte das suas operações que demandam acompanhamento. Vamos alinhar isso depois. Agora o foco é a desmobilização e, claro, não é a primeira vez que fazemos isso. Desse modo, espero que conduzam as coisas com a costumeira eficiência. Dúvidas?

— O senhor ficará por aqui?

— Sim, S1, eu conduzirei a operação de desmobilização junto com vocês.

— Mas e o seu segredo de imagem?

— Não vou carregar caixas, senhores. Ficarei aqui em cima. Somente na hora de irmos para os trens é que terei de descer pra abrir o caminho. Talvez eu use um macacão e uma touca ninja. Até lá, será preciso passar pra cima o que conversamos aqui. Por motivos óbvios, esta foi uma reunião gravada. Mas preciso imediatamente falar com o meu chefe. Dúvidas?

O S4 pediu a palavra.

— O protocolo diz que, pra esse caso, todo o combustível dos geradores será utilizado pra queimar o que ficar pra trás. Retiramos o pessoal, desligamos o sistema anti-incêndio e tudo é incendiado.

— Que bom. Então, providenciem rapidamente a reunião geral com todas as pessoas desta Base no auditório central. Tenho um outro assunto pra discutir.

Alguns supervisores já se preparavam para sair quando voltaram a atenção para o diretor.

— Há uma série de eventos desastrosos acontecendo com alguns indivíduos ligados a um novo HC que o sistema da Base nomeou como Hover. Creio que estão todos cientes e acompanhando.

— Sim, senhor — todos responderam.

O Monstro do Vidro se reclinou na cadeira com uma nítida cara de poucos amigos.

— Junto com essa documentação que mostramos vieram dados de outras ações do Systema. Um HC3 recentemente banido foi sequestrado junto com um exilado africano que teve a mãe morta dentro dos desdobramentos do ingresso de três novos HCS e a megaoperação que executamos contra o Systema. Essa mesma documentação

– 235 –

traz informações sobre uma mulher que parece ser a filha de um policial federal que resgatamos. Pois bem, todos estão sendo levados para um mesmo local. Uma base remota que desconhecíamos. Já enviamos recursos aéreos pra identificar a movimentação na região. Pelo tempo e pela distância, se eles tiverem mesmo indo pra lá, ainda estarão em trânsito.

Os supervisores já faziam alguma ideia de onde aquela conversa terminaria.

— O africano e a filha do policial são problema de vocês, que têm autonomia pra essas coisas. A minha preocupação está em deixar um HC3 nas mãos do Systema. Quero uma operação de resgate. Se não for possível, ativem o protocolo Aníbal. Isso não é negociável. Ninguém fica na mão do Systema. Tragam o Smoke!

O Monstro do Vidro comentou:

— Saudade do Marechal!

— Vou deixar os senhores agora e me recolher à minha sala abandonada. Eu deveria ter vindo aqui mais vezes, mas agora já era.

O diretor, à medida que se encaminhava para a saída, admirava os detalhes do teto da Catedral e os seus vitrais. Sempre apreciara a cúpula de estrela-do-mar — o símbolo da Base.

52. O VAZIO

Hover, Ponytail e Mr. Fat, no auditório, mantinham-se atentos à descrição que vinha sendo feita por um dos supervisores da Base. Monarka lhes dissera que reuniões como aquela eram muito raras — todos os supervisores estavam presentes na primeira fila. Pelo cálculo dos rapazes, havia aproximadamente mil pessoas, sentadas e em pé. Eles não faziam ideia de que a população interna na Base pudesse ser tão massiva.

Era grande a diversidade de uniformes, e a disciplina, muito rígida. Estavam atravessando uma longa explicação sobre as operações deflagradas recentemente contra o Systema e as consequentes reações. Muitas daquelas informações eram desconhecidas do trio, que vira imagens das mortes recentes. Foi um choque para todos a visão de Cláudio e de Niara. Mr. Fat, vendo o amigo cabisbaixo, passou a mão pelo seu ombro.

— 236 —

Foram mostradas também imagens das retaliações e a confirmação de que a Base nunca deixava uma ameaça sem resposta. A morte da Mãe foi exibida em vídeo e despertou furor entre os presentes. Em seguida, o tiro coordenado na Rota Caipira e a execução de Alberto a partir das imagens da câmera do *sniper*. A cena do mordomo fazendo um sinal de positivo para os atiradores causou uma gargalhada generalizada. Logo a seguir, vieram as imagens aéreas dos transportes da Base e alguns e-mails capturados em operação recente.

Continuaram mostrando as trocas de informações entre o Systema e a imprensa, os documentos que comprovavam a conversa entre a Polícia Federal e os diretores das redações de jornais para não propagação de informações e imagens.

— A invasão é iminente! — afirmou o supervisor.

O silêncio se tornou absoluto.

— Para os mais antigos, informo que desta vez tudo será diferente. Para os mais novos, informo que não será a primeira vez que seremos atacados. No entanto, como agora enfrentaremos as forças regulares de segurança do país, não revidaremos. A decisão foi pela desmobilização da Base. Temos menos de quarenta e oito horas pra fazer isso e precisaremos de todos os senhores. Peço agora que o nosso supervisor de logística nos explique os detalhes do protocolo que será ativado.

Uma hora e meia depois, as pessoas começaram a sair do grande auditório, todas com passos decididos, após receberem as orientações sobre cada uma das camadas do protocolo e tudo o que deveria ser feito. A informação era de que no dia seguinte o S9 forneceria as instruções de deslocamento e destino após a saída da Base.

Monarka, que esperava do lado de fora, pediu que Hover se aproximasse.

— A Base liberou pra mim a localização da sua mãe e da sua filha. A bebê já está com a sua mãe. Com essa mobilização toda, eu consegui com o S1 a sua liberação pra ficar esse tempo com elas. Quando as coisas acalmarem, nós te chamamos de volta.

Hover nada respondeu. Apenas deu um abraço no Monarka.

— Haverá um transporte especial pra você em uma hora. Arrume as suas coisas. O resto que não for levar, deixe na porta, conforme o combinado na reunião. Espero te ver em breve.

Hover, Ponytail e Mr. Fat saíram em passo acelerado e comemorando discretamente.

Era admirável a organização da Base. Diversas caixas de papelão montáveis, marcadas com o codinome de cada indivíduo, já estavam empilhadas em frente às portas dos alojamentos. Todos os pertences deveriam ser colocados dentro delas. O que ficasse para trás seria destruído. As equipes de coleta, em um trabalho ininterrupto, levavam o que estava pronto para o subsolo da Base.

Hover teve ajuda dos amigos, que combinaram de terminar a arrumação dele primeiro, para que pudesse pegar o seu transporte.

Duas horas depois, Hover desembarcava no Centro do Rio. Voltara a ser Hallcox.

Ele comprou um celular novo com carregador automotivo, pegou dinheiro no banco e tomou um táxi até o Aeroporto Santos Dumont. Utilizando os novos documentos e cartões entregues pela Base, alugou um carro e um GPS. Já possuía um enorme saldo em conta-corrente, e isso dava um conforto que ele nunca tivera antes. Sentiu culpa. Ainda não conseguia lidar com a realidade de que aquele dinheiro viera a um custo que ele em sã consciência jamais aceitaria.

Ajustou o GPS no painel do automóvel e o programou para o seu destino. Eram aproximadamente quinhentos quilômetros e sete horas até um sítio em Minas Gerais, na cidade de Alto Caparaó.

A quase totalidade do trajeto era composta por montanhas, florestas, pastos e plantações. Muito pouca presença humana entre as pequenas cidades. As rádios vinham e iam. Hallcox falava sozinho, cantava, meditava, acelerava, reduzia, cantava de novo, lembrava de passagens da sua vida, ria, se entristecia, chorava, se recuperava, e os quilômetros não acabavam.

Experimentou mudanças de clima. Teve sol, chuva e neblina. Hallcox fazia um exercício mental que aprendera viajando com o pai. Sempre que via uma casinha isolada no meio da floresta ou na encosta de um morro, imaginava aquela família e o primeiro almoço reunido. O primeiro Natal. O primeiro filho nascido ali. Os problemas, as alegrias, as brigas e os amores que ela teria testemunhado, as doenças e as mortes. Fazer esse exercício, dizia seu pai, o colocava em contato com a realidade das pessoas. A dificuldade que era vencer na vida. O quão difícil era superar a miséria. Talvez os filhos daquele morador não morassem mais naquelas condições por conta do seu esforço. Puderam começar em um nível mais alto. Nem todos reconheciam. Nações são criadas assim, por gente que pede muito pouco, e quando pede é para os seus, seu Senhor e sua fé.

Hallcox voltou para a realidade com um caminhão buzinando, piscando farol, e o sempre amigo motorista profissional de estrada fazendo um sinal com a mão: todos os dedos retos, com a palma virada para baixo. Era o aviso sobre a presença de animais na pista. De fato, logo uma boiada atravessava o asfalto, com cinco vaqueiros montados a cavalo na frente, dois em cada lateral e três na parte final. Um deles, mais adiantado, emitia o toque do estradão no berrante para apressar o gado. Hallcox nunca vira isso ao vivo. O trânsito estava parado, mas havia só dois carros de cada lado. Ninguém com pressa. As crianças em um dos veículos estavam eufóricas, acenando para os animais que seguiam aquele som gostoso de se

– 238 –

ouvir. Era um Brasil raiz, longe das artificialidades das grandes cidades, que sem isso não se sustentariam.

O GPS lhe informou que se aproximava um outro momento especial de qualquer viagem. Hallcox deveria deixar a rodovia e entrar em uma pequena estrada sem calçamento. A condução era mais lenta. Ele se desviava dos buracos e aproveitava os trechos mais lisos. A floresta fechava cada vez mais, e o som de pássaros e macacos chegava aos seus ouvidos. Restavam oito quilômetros.

Ele passou por uma ponte de madeira sobre um rio veloz, estreito e de águas ruidosas. Seguiu até parar em uma porteira de madeira que fechava o seu caminho. O GPS mandava seguir em frente.

Hallcox desceu do carro e se aproximou para procurar alguma tranca. Antes que colocasse a mão na porteira, ela se abriu, e a sua mão ficou no ar. Ele constatou que existia um dispositivo eletrônico próximo das dobradiças; decerto haveria alguma câmera nas árvores. Chegara ao território da Base.

Seguiu por mais quinhentos metros, até avistar a casa que era muito bonita. Ele continuou até o mais próximo que pôde chegar dela sem subir no gramado. Parou o carro, saiu e bateu na porta.

Hallcox pôde ver que havia várias pessoas dentro da residência nos seus afazeres. Ao longe, um senhor de barba branca cuidava de um canto do jardim, cantarolando alguma música. Hallcox estava tenso. Seria a primeira vez com a sua mãe depois do incidente. Na última ocasião, Yasmin e seu pai estavam vivos, e todos almoçaram juntos.

Deitado na varanda estava o seu cão, Iron, que levantou a cabeça e começou a abanar o rabo com força. Podia-se ouvir a batida seca e repetitiva no chão. Ele tentava se erguer, mas não conseguia, por conta das ataduras e dos curativos dos seus ferimentos. Iron gemia e latia sem sair do lugar, dizendo, na sua linguagem, o que acontecera e como fizera para salvar os seus pais. Hallcox se aproximou, com lágrimas nos olhos. Queria acalmar o seu amigo antes que ele se machucasse. Iron urinou de alegria e repousou a cabeça na perna de Hallcox, que se agachara. Ele arfava, olhando nos seus olhos e catando o braço com uma das patas. Ambos estavam com a respiração alterada. Hallcox, emocionado, coçava a cabeça dele, o seu pescoço, as suas costas, da maneira que ele gostava.

Entao, Hallcox se levantou para entrar na casa.

Ele abriu a porta com cuidado e, lentamente, foi olhando cada pedaço que se revelava com a entrada da luz. Deu um passo adiante; o cômodo estava vazio. Mais um passo e reconheceu na parede uma antiga foto da família. As cores já haviam se perdido, fazendo-a parecer mais velha do que era. Juntou dois dedos na boca, deu neles um beijo e o levou até o retrato.

– 239 –

A sala era grande. Havia uma televisão ligada com o som baixo. A sua mãe, sentada no sofá com uma atadura grande no peito e clavícula, também se recuperava. Ela estava a uns quinze metros, olhando para ele desde o começo. Hallcox sabia que ninguém o olhava como a sua mãe. Ele percebia nos seus olhos um amor incondicional. Uma presença sempre pronta a lhe dar conforto, independentemente do incômodo que pudesse causar. Era o amor verdadeiro que só uma mãe pode dar.

Elaine ergueu a mão esquerda, querendo dizer algo, mas não conseguiu. A emoção era demasiada.

Hallcox se apressou até ela, chorando, ajoelhou-se e a abraçou pela cintura. Ela pousou a mão na cabeça do filho. Eles choravam juntos, e Hallcox, sem parar, repetia a frase:

— Me perdoa, mãe...

Uma enfermeira se aproximou e conversou brevemente com Elaine. Depois de ministrar-lhe alguns medicamentos, ela voltou para o interior da residência, mas não sem antes cumprimentá-lo, chamando-o de Hover.

Mãe e filho seguiram por um corredor mais bem iluminado para, logo a seguir, à direita, adentrar um quarto vazio. A janela estava aberta. Elaine disse:

— Amor, olhe pela janela e me diga o que vê lá, naquela direção do terreno.

— Perto daquela senhora?

— Sim!

— É uma casinha, mãe.

— Não. É um galinheiro.

— Ah! Legal. Você sempre quis ter um.

— Sim, eu que pedi pra construírem. As galinhas chegam esta semana. Aquela senhora lá longe é a sua sogra.

Hallcox se surpreendeu. Jamais esperaria encontrá-la ali.

— Como ela está, mãe?

— Não quer falar com você. Ela te culpa pela morte da Yasmin.

— E a culpa foi minha. Coitada... Não imagino o que ela deve estar sofrendo. Como veio parar aqui?

— Esse pessoal da sua empresa que trouxe. Eles são bonzinhos. São rápidos e não poupam despesas. Deixaram uma psicóloga com ela, que fica aqui o tempo todo. Acho que estão preparando o almoço. Todo o mundo se ajuda.

— Eu tinha que falar com ela. É minha obrigação lhe pedir desculpas.

— A indicação da psicóloga é que você não faça isso.

— Vocês sabiam que eu viria?

— Sim, eles avisaram.

— Tudo bem então. E aí, vamos almoçar?

A mãe pediu que ele segurasse a sua bengala, e tão logo o filho obedeceu, ela lhe deu um forte tapa na cabeça. Hallcox se assustou, ouvindo a mãe gemer de dor pelo esforço.

— O que foi isso?!

— Almoçar o caralho, garoto! Você vai ver a sua filha agora!

Eles entraram em outro quarto, esse com equipamentos médicos. Uma pediatra monitorava o bebê, enquanto lia um livro. Hallcox nunca tinha visto um ser humano tão pequeno. Caberia facilmente na palma da sua mão.

— A sua sogra não sai daqui. Pensa que é mais avó que eu.

— Tadinha, mãe... Acho que só restou o bebê como família.

— Pensando desse jeito, é verdade.

— Qual o nome dela? — Hallcox apontou para a filha.

— Ainda não tem. Estávamos te esperando.

— Não faço a menor ideia.

— Pai desnaturado — disse a médica, em meio à sua leitura.

— Mas não sei mesmo. Fui pego de surpresa. — Hallcox foi até a janela e viu a sogra trabalhando com o jardineiro. — Vamos deixar que ela escolha. Perdeu a filha, a minha... — A voz embargou. — Peça pra ela escolher.

Hallcox sentia a dor da culpa, pois nada sentiu pela filha, embora costumasse se emocionar com facilidade.

— Tá bem, filho, vou falar com ela, acho que vai gostar. Agora, venha comigo até o meu quarto. Quero te mostrar algumas coisas que o seu pai gostaria de passar pra você.

No outro cômodo, Hallcox se sentou na beirada da cama, de frente para a escrivaninha que era do seu pai. Ela havia sido adquirida pelo seu avô no fim dos anos 1930 para que o filho pudesse estudar como um adulto e com todo o suporte de gavetas, porta-lápis e estante incorporada de livros. O pai a manteve por toda a vida.

Hallcox começou a sentir uma emoção diferente. Aquele simples móvel também fora parte da sua infância. Ele costumava imitar o pai rabiscando folhas e colocando os seus óculos. Aquela cadeira vazia, as marcas de uso, as suas canetas, os seus lápis, o seu mata-borrão, os seus papéis. Tudo estava como antes, mas a presença do vazio era maior. Ao pousar a mão no dorso da cadeira, ele chorou de saudade. O vazio na escrivaninha era imenso. Eles nunca estiveram separados, e ela perdia o sentido sem ele. Embora Hallcox soubesse que o dia da morte do pai chegaria, não imaginava que a sua ausência pudesse doer tanto.

— Me perdoa, pai...

53. O ATAQUE

O anúncio de que a Base deveria ser esvaziada se dera dois dias antes. O serviço de inteligência identificou que a Polícia Federal já realizava reuniões operacionais com a polícia militar, o início da operação era iminente. Os trabalhos na Base já estavam reduzidos e se concentravam na retirada de mobílias, armários metálicos, embutidos, estruturas de cabeamento elétrico e refrigeração. A maior parte das equipes e HCS já havia se dispersado, conforme o protocolo aplicado.

A escolha do Systema de jogar as forças regulares contra a Base pareceu inicialmente uma cartada de mestre. Eles sabiam que a Base não matava gente comum, e jamais mataria militares fazendo o seu trabalho. O que o Systema não calculou foi que a estrutura de Estado é um superpetroleiro que necessita de vinte quilômetros para desacelerar e fazer a volta. A Base precisava de dois dias, e o Estado, se esforçando ao máximo, lhe dava mais que isso.

Os supervisores, que se encontravam com frequência dentro da Catedral, deixaram ligadas algumas câmeras externas: na garagem, nos corredores de acesso e no túnel do trem.

Dentro da sede da Polícia Federal, no centro da cidade, já não cabiam mais carros. Com o deslocamento de agentes de outros estados para engrossar a operação, o pátio se tornou caótico.

Lynda fora convocada, e aproveitou a situação para conversar com os seus antigos comandados. Ninguém sabia de Monteiro. O seu desaparecimento era um completo mistério. Ele corria o risco de perder até a sua aposentadoria. As suas filhas também haviam sumido. Lynda oscilava entre a esperança de que estivessem escondidos e o temor de que aquele monstro do Systema tivesse feito algo contra eles.

A delegada entrou pelo local designado como centro de comando da operação. Havia muitas figuras de escalões superiores ali, e ela tratou de ficar quieta, só observando todo o material pelas paredes e a projeção. Foi apresentada à coordenação das ações de ataque ao quartel daquela que parecia ser uma das maiores quadrilhas do país. A quantidade de crimes atribuídos à instituição não parava de subir. Niara e Yasmin constavam na lista, e aquilo bastava para que Lynda entendesse que o Systema estava ali na frente dela. Ela olhava os rostos de cada um daqueles policiais graduados se perguntando: quem seria? Quantos estavam a par realmente? Todos sabiam ou estariam apenas cumprindo ordens?

A polícia militar iria fechar os acessos à rua, e os policiais seriam conduzidos ocultos dentro de alguns caminhões de carga. Um carro de reconhecimento do COT

— Comando de Operações Táticas — iria se aproximar e testar o acesso à garagem. Haveria suporte aéreo e ambulâncias. Não existiam plantas do local. Tudo continuaria um mistério até o momento da invasão.

Lynda estava em uma equipe intermediária que seria lançada depois da liberação por parte dos grupos de infiltração. Eles deveriam recolher o que existisse de material tecnológico, a especialidade da sua turma. Os caminhões já estavam prontos na porta da Polícia Federal.

A delegada e a sua equipe foram em duas vans. Passaram todo o tempo acompanhando os caminhões até próximo do local, que não era muito distante da sede da polícia. Esse era um dos pontos intrigantes de como uma operação daquelas dimensões poderia operar próximo ao centro da cidade sem que despertasse suspeitas. Perguntas ainda sem respostas.

Os televisores na Catedral mostraram que um veículo preto parara em frente à garagem. Os seus quatro passageiros desceram olhando em volta e tentaram abrir o portão. Um dos supervisores dera a ideia de se colocar a maior corrente disponível, assim como um enorme cadeado, no portão principal, pois seria preciso destruir o portão ou cortar as correntes com um maçarico para entrar. Foi enviada mensagem geral na Base para que todos interrompessem as atividades e rumassem para o subsolo.

Os carcaças que ficaram para o apoio final estavam preparados para fazer uma última linha de defesa da fuga. Todos usavam máscaras, pequenos tanques de oxigênio nas costas, armamentos pesados, muita munição e granadas diversas.

A um engenheiro da brigada de incêndio ocorreu abastecer com combustível as caixas d'água que faziam parte do sistema anti-incêndio. Eles quebraram vários sprinklers em cada um dos locais que não foram totalmente esvaziados. Ao serem ativados, borrifariam combustível e alimentariam os coquetéis molotov deixados acesos em cada ambiente.

Um carro-forte se chocou de ré contra o portão de acesso à garagem da Base. A operação de invasão já não era mais segredo. O cadeado e a corrente se mantiveram, mas o portão se deslocou do trilho, abrindo passagem para a primeira tropa, que entrou a pé. Os homens desceram vários níveis e encontraram a garagem escura, que impressionava pelo tamanho. A única câmera do local acompanhou o deslocamento até o momento em que foi atingida por um tiro de um dos policiais.

O S3 avisou nos rádios que eles já estavam nas garagens. O chefe da brigada respondeu que só restavam os supervisores e os carcaças para que o sistema de incêndio fosse ativado. O Monstro do Vidro se dirigiu aos seus pares:

— Eles ainda vão levar um bom tempo pelos corredores e os salões de identificação e acesso. Está tudo trancado, vazio e escuro.

— Dietrich, os sistemas automáticos de armamentos foram desligados?

— Não deu tempo de retirar as armas grandes. Retiramos apenas as munições. O sistema elétrico independente vai funcionar, mas não terá disparo real.

— O que você quer dizer com isso?

— Calma, González, tínhamos algumas munições de festim. Pouca, mas vai segurar mais um pouquinho.

— Sádico! Mas bem pensado.

Pelo monitor da câmera da garagem, embora não tivesse imagem, ainda se podia escutar o som no local. O primeiro grupo invasor tentava arrombar a porta usando a força, mas o trabalho era infrutífero. Jamais conseguiriam êxito contra portas com aquele nível de blindagem.

Poucos minutos depois, ouviu-se uma grande explosão. Em meio à poeira que flutuava em frente a câmera do corredor foi possível ver que a polícia avançava lentamente.

— Senhores, vamos embora! — disse o S3.

Os supervisores correram para as escadas. O elevador já havia sido desmontado, e as suas portas, soldadas. O S3 falou no rádio:

— Por favor, prossigam com o lacre do acesso à Catedral.

O chefe da brigada pegou uma pequena caixa com vários fios que seguiam na direção da mesma escada pela qual os supervisores saíram, sacou uma chave em formato "T" especial e começou a encaixá-la. Ele olhou novamente para o S3, que fez um sinal positivo com a cabeça, girou a chave, e uma forte explosão aconteceu alguns andares acima. O chão tremeu.

— Pronto, senhor. O acesso à Catedral agora está impossibilitado, mas a Catedral continua inteira. Talvez com alguns vidros quebrados.

Os policiais do lado de fora sentiram o tremor da explosão. Pelos rádios, em frenesi, várias equipes falavam ao mesmo tempo e informavam que estavam bem. Disseram que o som viera do interior da estrutura. O procedimento de invasão foi acelerado. Os corredores eram longos, e a caminhada lenta deixava o primeiro grupo exausto. O comando enviou outros grupos que invadiam a garagem em uma onda humana que disputava espaço para passar pela pequena brecha no portão.

Os supervisores receberam dos carcaças algumas armas que eles prontamente municiaram. Poucos sabiam, mas um supervisor também era um HC5 com a adição do treinamento dos carcaças. Logo após a colocação geral das máscaras de oxigênio, o chefe da brigada pediu permissão para ligar o sistema de incêndio. O S3 fez um novo aviso aberto no rádio de todos, informando que, se ainda existisse alguém na Base, que se pronunciasse no próximo minuto. O silêncio serviu como resposta. Ele fez um sinal com a cabeça e o sistema foi ativado. Todos colocaram as suas máscaras e ativaram o oxigênio. Não haveria explosão. Um pequeno incêndio tomaria grandes proporções em cerca de dez minutos e rapidamente deixaria o ar irrespirável. Eles seguiram escadas abaixo. O último carcaça soldou a porta com um maçarico portátil.

Já havia cerca de noventa agentes na garagem e muitos outros seguindo pelos corredores de acesso à Base. Foi utilizado o carro-forte para arrancar o portão. O acesso estava aberto. Carros com os faróis altos iluminavam a garagem e o início do corredor. As portas depois da garagem estavam sendo arrebentadas com cargas de C4.

A primeira equipe ficou presa em uma esquina de corredor. Um feixe de laser dançava diante do grupo abrigado na curva. Parecia buscar algum suposto alvo. A origem era o fim do corredor que evitavam. O grupo parou, aguardando a chegada do segundo e terceiros times para somarem escudos no avanço pelo corredor.

O som era ensurdecedor. Eles seguiam em frente sem serem atingidos, mas o barulho não cessava. Não entendiam o que estava acontecendo, mas, aos trinta metros, puderam identificar uma metralhadora .50 fixa na parede, que possuía ao seu lado um mecanismo que emitia o feixe de laser. A metralhadora acompanhava o local em que o ponto vermelho parava e realizava os disparos do que pareciam tiros de festim. Antes que chegassem aos vinte metros, o som cessou por falta de munição, mas o movimento da arma, não; assim como o atuador do gatilho, que continuava emitindo os cliques comandados pelo sistema automático. Um dos agentes interrompeu o laser com a mão e, ao movimentar o braço, viu que o cano da arma o seguia.

— Não teríamos tido a menor chance se fosse munição real — disse um deles pelo microfone do capacete.

Eles seguiram adiante na próxima curva, e o som retornou. Era outro mecanismo. O som era mais forte. Dessa vez, seguiram mais confiantes até o momento em que o pedaço de um escudo foi arrancado. Parecia que, em meio à munição de festim, restara um cartucho verdadeiro. Foi o suficiente para que voltassem a andar de modo compacto atrás dos três escudos.

No subsolo da Base, o S3 acompanhava o trabalho de demolição do acesso aos trilhos. O plano era deixar os últimos cinquenta metros de escadas como escombros. Todos já estavam embarcados e aguardando apenas o supervisor e o chefe da brigada quando novamente o chão tremeu. Uma grande nuvem de poeira chegou aos trilhos, e dela saíram o Monstro do Vidro e o chefe da brigada caminhando com toda a calma. O S3 subiu no último vagão e acompanhou o brigadista rodar um grande volante na parede que liberou um consistente jato de água no local. Como o acesso se dava num nível mais baixo da rede de trilhos, praticamente em uma descida de fim de linha, iriam inundar o local. O cálculo feito indicava que a quantidade de água

– 245 –

não seria suficiente para inundar a Base, mas apenas os acessos aos trilhos. A ideia era demovê-los da intenção de seguir adiante quando encontrassem um lençol de água logo abaixo dos primeiros metros de entulho.

Os policiais sentiram um novo tremor, e os corredores mais adiante apresentaram um odor característico de queimado. Podiam ver mais à frente uma luminosidade. As equipes de ponta passaram todas as informações para o centro de controle. Com o aumento da fumaça, tiveram que recuar. Em poucos minutos, já havia fumaça saindo pela porta da garagem, o que fez com que a concentração de policiais se transferisse para a rua em frente. Todos acabaram por sair. Não seria possível continuar entrando com um incêndio em andamento. Os bombeiros foram acionados.

No caminhão do posto de comando da operação, os líderes dos primeiros três grupos mostravam nos mapas o percurso que fizeram, enquanto desenhavam o que poderia ser o verdadeiro mapa das instalações. As suas anotações de distâncias e direções levaram-no a identificar algum lugar abaixo da estação de metrô da Carioca como o ponto do incêndio. O chefe da manutenção do metrô se encontrava no local com os mapas dos trilhos e instalações. A sobreposição dos mapas mostrava que deveria ser realmente embaixo de uma estação. O chefe informou que existia ali uma outra estação que consumira tanto ferro e aço quanto o estádio do Maracanã, mas que fora abandonada alguns anos antes, em uma mudança de governo. Distância e inclinação confirmavam que os corredores levavam, sim, para algum lugar abaixo daquela estrutura. Mas nada existia nos mapas.

Lynda a tudo acompanhava em silêncio. A sua conclusão foi que a organização que detivesse aquele tipo de estrutura era realmente grande.

Dois dias depois, e logo após a extinção do incêndio, policiais conseguiram entrar no local que já era notícia em todo o país. Lynda estava entre eles com a sua equipe.

De fato, existia uma enorme estrutura, mas tudo estava retorcido pelo calor ou simplesmente destruído. Todas as paredes e todos os objetos restantes estavam cobertos de fumaça e sujeira. Havia muita lama pelo chão e restos de tetos queimados, o que dava ao chão a aparência de um sanduíche de papelão molhado.

Um dos agentes chamou a delegada pelo rádio e pediu que ela seguisse pelo corredor até o final, pois tinha algo que ela deveria ver. Lynda, naquele momento, lia uma enorme placa de madeira com a frase "É fácil atacar aquilo que ninguém defende ou defender aquilo que ninguém ataca", que repousava ao lado de uma metralhadora 20mm embutida na parede e com um mecanismo de enquadramento automático. Ela nunca vira uma arma daquele porte. O policial que estava próximo, ao ver a curiosidade da delegada, se aproximou e comentou:

— Eu disse isso ao pessoal! Se essas coisas estivessem ativas, não teríamos tido a menor chance.

— Qual é a sua teoria?

— Acho que quem estava aqui desligou tudo e foi embora. Não sabemos por onde, mas escaparam. Não queriam lutar conosco. Essas armas não eram pra gente.

— Faz sentido.

Lynda pediu licença e seguiu pelo corredor, conforme solicitado por um policial da sua equipe. Ela percorreu os duzentos metros que os separavam e o encontrou de pé no local. Ele pediu a ela que o seguisse.

Naquele ambiente escuro, eles caminharam por um bom tempo pelos escombros, empunhando as suas lanternas, e entraram em um curto corredor com alguns quadros cobertos de fuligem. Lynda passou a mão no vidro e pôde ver a pintura do que parecia ser um padre ou um santo calvo de barba branca. Parte do nome estava queimada e só era possível ler a palavra "Pietrelcina". Ela repetiu a ação em outro quadro um pouco maior, que parecia ser um brasão de alguma casa real.

A delegada se surpreendeu com o tamanho do cômodo que se abriu à sua frente. Parecia ter sido um alojamento ou um banheiro, em virtude da grande quantidade de armários de metal. Muitos estavam caídos sobre os bancos de concreto ou retorcidos. O agente parou diante de uma das portas e a abriu.

— Use a lanterna.

Lynda iluminou a parte interna, que estava vazia. Na porta havia três fotografias. Ela não acreditou no que viu. Embora as fotos estivessem parcialmente queimadas, era nítido o rosto de Monteiro abraçado com as suas filhas. Lynda tapou a boca com as mãos para conter um grito de alegria. Retirou as fotos rapidamente e saiu do local com um sorriso no rosto maior do que ela supôs ser capaz de produzir. Precisava vê-las à luz do dia. Na passagem pelo corredor de saída, deu um beijo nas pontas dos dedos e os encostou no rosto da figura no quadro do sorridente homem de barba branca.

Não resistiu e levou o quadro também.

54. O CEIFADOR

Um grupo de seis carcaças desembarcou de um voo fretado no Aeroporto de Boa Vista, em Roraima. Todos carregavam grandes mochilas com enxovais completos de selva: roupas, armamentos e munições conforme a especialidade de cada um. Um HC3 de nome Arthur os acompanhava para fazer o trabalho tecnológico em conjunto com o líder da operação.

Essa era apenas a primeira parte do voo. Restavam mais trezentos e trinta quilômetros de outro voo na direção oeste, região de Alto Alegre, Roraima, em uma pequena área de pouso nas coordenadas 2°50'06.5"N 63°38'59.2"W. Foram incorporados três carcaças que fizeram o reconhecimento da região e desceram pelo rio Parima até a área de resgate. Dali eles seguiram num grande helicóptero amarelo na direção norte, no apêndice do território brasileiro que entra pelas florestas venezuelanas.

O desembarque do helicóptero aconteceu seguindo o curso do rio Uauaris, num pequeno planalto com uma breve abertura na densa floresta, e ainda distante quinze quilômetros do acampamento. O resto do progresso foi feito a pé. O combinado era que a aeronave deveria estar no mesmo local e horário em cinco dias para buscá-los.

Um dos carcaças ficou com o piloto como garantia de que retornaria, e eles voaram de volta para o local de reabastecimento. Ao pousarem, um homem bem-vestido se aproximou com um sorriso no rosto, fazendo um sinal de positivo com o polegar. O piloto e o carcaça aguardaram a redução das rotações da hélice para desembarcar e andaram juntos na direção do desconhecido. Não chegaram a trocar palavras. O homem esticou o braço e rapidamente baleou os dois com uma pistola Lugger.

O alemão ficou olhando os corpos em espasmos, e com a sombra das hélices a passar pelos rostos retorcidos em ritmo cada vez mais lento — como se contassem os últimos ciclos de vida daqueles homens. Foi como uma ampulheta que os acompanhou até paralisar completamente com um último suspiro e o relaxamento dos músculos. Uma morte simples e eficiente. Digna de um manual da Stasi.

Ele via na sua ausência de fé uma virtude, mas no seu excesso de emoção, uma fraqueza. Sempre esteve em contato com a morte, mas ela nunca veio e se foi como um pedestre vê um carro seguir na estrada. Para ele, todos os carros param e os seus motoristas sobem nas suas costas. O alemão se lembrava de cada uma das mortes que realizou e sentia o peso se acumulando pelos anos. Nunca conseguiu se afastar da maldição do ceifador; daquele que interrompe o futuro e torna definitivo aquilo que as pessoas eram até o momento em que o tempo termina e elas entram na eternidade.

Tomou o assento do piloto e sacou o mapa guardado ao lado do banco. Utilizou a bússola e rabiscou algum ponto. Fez um breve cálculo de distância e deixou o mapa semiaberto em frente dos seus instrumentos. A aeronave possuía GPS, e ele, as coordenadas do próximo pouso. Decolou e levou a aeronave embora.

Era sempre assim. Tão logo se dissolvia a adrenalina no seu sangue, uma profunda tristeza o abatia. Sozinho e voando rente às árvores, ele soluçava, chorando rendido a um sentimento de ausência de sentido naquilo que fazia. Durava pouco, mas sempre acontecia. A próxima onda era de alegria por ter conseguido concluir mais aquela atribuição profissional, o que fazia com que ganhasse mais um pouco de relevância no mercado negro das mortes. Exultante e enxugando as lágrimas, recordava que fora ideia dele, e mentalmente se gabava: "Quero ver agora como eles sairão de lá".

O alemão agora era parte do Systema e deveria avisar ao acampamento que a Base estava chegando.

55. O JEQUITIBÁ

O grupo de oito carcaças avança pelo interior da selva amazônica. Embora do alto parecesse um terreno reto, abaixo da copa das árvores era uma sequência interminável de subidas e descidas, charcos e vegetação intransponível. O ambiente era hostil, quente e úmido. Obrigatoriamente o deslocamento devia ser silencioso e sempre atento à possibilidade de encontrarem traficantes, produtores de coca, madeireiros, garimpeiros, contrabandistas, índios agressivos, grandes felinos, mosquitos, cobras, insetos dos mais diversos tamanhos, formigueiros e outros animais que poderiam ser espalhados pelas cheias dos rios ficando em pequenas formações de água, como jacarés, peixes carnívoros e peixes-elétricos. Na selva, sobrevive aquele que primeiro vê a ameaça; então, não se pode relaxar na tarefa de observar. A mente deve estar vazia e focada apenas no que está à frente, nos lados, atrás, acima e abaixo. Não há trilhas. Nem sempre se pode ver o céu. Não há pontos de referência. A navegação deve ser cuidadosa e realizada apenas por aqueles mais experientes. Felizmente, fazia parte da formação dos carcaças sobrevivência e guerrilha na selva. Estar na selva era sempre uma luta pela sobrevivência, e essa luta se iniciava na mente. Na selva, o espírito é que comanda o seu destino, e eles levavam aquela missão muito a sério, diante do ineditismo do sequestro de um HC3 e do altíssimo risco a que estavam submetidos.

Durante o deslocamento, um dos carcaças fazia pequenas marcas nas árvores mais predominantes do local, para que os auxiliassem no retorno à zona de pouso em caso de perda do GPS. Estavam se aproximando de um primeiro marco. Eles resolveram, durante o planejamento, marcar algumas posições do eixo de progressão do mapa como pontos de encontro em caso de separação ou desorientação no retorno. Eram locais com características mínimas no relevo, tais como uma pequena clareira ou uma enorme sumaúma — árvore que pode atingir até noventa metros de altura —, também conhecida como telefone de índio: a pancada no seu tronco ecoa pela floresta — e serve para comunicação restrita em código Morse. Além disso, ao subir acima da copa de outras árvores, é possível ver as sumaúmas no horizonte e tê-las como referência direcional em conjunto com a bússola.

A restrição do ambiente também fazia com que crescesse a importância da audição. Uma pessoa treinada poderia identificar o som de um facão abrindo caminho e de um machado abatendo árvores, latidos revelando a presença de habitações, ruídos de galhos se quebrando e denunciando deslocamento de seres humanos, sons de armas sendo engatilhadas, vozes e o falso som de pássaros. Na floresta existe uma persistência maior dos odores, e pode-se perceber um perfume, o cheiro de loção pós-barba, urina, fezes, animais em decomposição, cigarros, restos de comidas, fogueiras, pólvora e óleo de armas.

Eles estavam conseguindo realizar um deslocamento de quinhentos metros por hora e combinaram que fariam uma parada para beber água. O café foi reforçado, mas o almoço deveria ser leve para então capricharem no jantar antes de dormir.

Com um equipamento especial, o HC3 Arthur monitorava as frequências de rádio na região, pois sofriam grande variação devido à vegetação, ao relevo e a condições climáticas. A maior incidência desses sinais também indicava a proximidade de alguma habitação ou, no caso do grupo, do acampamento que era o seu objetivo.

Ao final do primeiro dia de caminhada, montaram acampamento em uma depressão seca e com bons conjuntos de árvores para amarração das camas suspensas de náilon com mosquiteiro. Não se dorme no chão da floresta.

O dia correu sem transtornos. A única alteração foi a passagem de um helicóptero amarelo que parecia rumar na direção do acampamento inimigo. Fizeram um jantar fortalecido e montaram filtros abastecidos com água que pegaram no caminho. Eles usavam também um comprimido que adicionava cloro, o que evitava problemas intestinais em decorrência de alguma impureza na água. A comida ainda era a boa ração desidratada da Base, complementada por vitamínicos em cápsulas. Todos foram obrigados a realizar um trabalho de higiene completa nos pés. Os turnos se alternariam em uma guarda simples de uma hora para cada integrante dos carcaças. Nessas situações, dorme-se abraçado com a arma e plenamente vestido.

Antes da primeira guarda da série e de todas as refeições, todos realizavam uma oração. Os anos de estudos na Base e a inescapável realidade violenta das suas operações curiosamente fizeram com que o grupo dos carcaças acabasse por se tornar o corpo mais próximo da fé e também da filosofia. Eles eram os que estudavam por mais tempo a matéria e os que mais debatiam. Os supervisores em nada intervinham, pois, além de o tempo livre desse grupo ser maior do que o dos HCS que estavam em formação contínua, a maioria dos carcaças ingressara na Base após algum tipo de tragédia pessoal. Eram militares em sua maioria, muito bons no que faziam, mas ao chegar estavam à beira do suicídio. Não passavam de escombros humanos que, com o tempo e a ajuda dos pares e de Padre Brown, aprendiam que aqueles que conheciam o Verbo, a eternidade e principalmente a história dos sacrifícios humanos ao longo das eras alcançavam um alto nível de disciplina, desarmavam o espírito e não temiam a morte.

O segundo dia de caminhada não seria tão fácil quanto o anterior. A previsão era de que chegariam ao objetivo ao entardecer. Fariam algumas horas de observações e aproveitariam a noite para realizar o ataque. O carcaça de número um, comandante da operação e abreviado para C1, aproveitou a hora do almoço para repassar com todos as instruções:

— Senhores, tão logo cheguemos ao objetivo, o Arthur vai passar a primeira hora monitorando as atividades de rádio, de eletrônica e de telefonia via satélite para que possamos ter uma ideia do efetivo e da distribuição no terreno. Pra isso ele posicionará uma pequena antena receptora, e cada *sniper* levará também uma antena pra que fiquemos com três e ele possa triangular os sinais. Elas serão penduradas em árvores, o mais alto possível, e voltadas para o acampamento. O C7, com a função de *sniper* suprimido, se posicionará às dez horas do acampamento, e o outro *sniper* suprimido C8, às catorze horas. Eu ficarei com o HC no ponto das seis horas, no suporte por rádio para o grupo, deixando a rota de fuga desobstruída. O C6 vai avançar somente até a entrada do acampamento e fará a cobertura na retração. Será o último homem a sair dos que vão entrar.

Todos o ouviam com completa atenção.

— C5, C4, C3 e o sub C2 entrarão no acampamento com a autorização dos *snipers*. O C5 será o responsável pelo HC Smoke. O C4, pela Isabel, e o C3, pelo

Tumumbo. O C2 estará com vocês o tempo todo. Iniciando a invasão, todos poderão eliminar qualquer alvo e em qualquer situação. Durante todo o tempo, o HC Arthur irá ativar o dispositivo de geração de ruído pra anular todas as frequências de rádio, menos a nossa. Ele fará o monitoramento pra inutilizar a comunicação do acampamento e numa possível perseguição. Na rota de retração, ainda conseguiremos anular comunicações próximas de nós por mais uma hora.

— Arthur, a que distância isso vai? — perguntou o C2.

— Alguns quilômetros em local aberto. Cerca de trezentos metros na floresta.

— Dúvidas, senhores? — indagou o C1.

— Não, senhor — afirmaram todos em uníssono.

— Então é isso. Surpresa e simplicidade. Muito cuidado nos últimos quinhentos metros, pois os caras podem ter minado o campo em volta. Será nesse ponto, o marco oito, que vestiremos as nossas camuflagens com os dispositivos noturnos. Deixaremos as mochilas no marco. Qualquer um que se perder, basta ir pro marco sete ou pro seis, e assim por diante. Vamos deixar a marca de "volta", pra que saibam que já estivemos ali na retração. Se não tiver marca, aguarde no local pelo tempo que julgar necessário. Depois, retraia para o marco anterior, seguindo sucessivamente até o marco zero na zona de pouso em DOIS DIAS. Quem chegar à zona de pouso vai embora. Se alguém ficar perdido, terá que fazer uma marcação na zona de pouso. O pássaro só pousa se tiver a marcação. Será a última chance. Caso alguém só chegue do terceiro dia em diante, a recomendação é que siga o fluxo do rio e encontre algum povoado. Sobreviva o máximo que puder e tente enviar uma mensagem, uma chamada, ou até mesmo uma carta. Todos sabem pra onde ligar ou escrever. Alguém virá, como sempre. Dúvidas?

— Não, senhor — responderam todos, novamente.

— As limitações da visibilidade na floresta reduzem os campos de tiro a pequenas distâncias. Esses fuzis IA2 são verdadeiras caixinhas de música, e vamos ter baile! Atenção aos *snipers*! Os senhores irão retrair por caminhos diferentes, nos encontrando no marco sete. Sairão depois, um dando cobertura para o outro e eliminando todos os que forem na nossa perseguição. Eles não saberão de onde estão vindo os tiros.

O alemão, mais adiante na floresta, não gostava nada do que via. Ele pousou o helicóptero sem ser incomodado e andou calmamente até a grande barraca com os sequestrados. Viu alguns grupos relapsos conversando, dormindo, comendo, espalhados pelo local sem disciplina alguma. Continuou em frente e entrou na maior barraca. Encontrou os três acordados e em jaulas feitas de bambu.

Faziam uma refeição entregue pelos traficantes, que cheirava bem, e bebiam Coca-Cola. Eram mercadoria que não lhes pertencia, e a ordem de cima era que deveriam ser bem tratados. Aquele grupo de paramilitares foi escolhido por conta da vasta experiência com sequestrados nas selvas da Colômbia. Uma tradição de mais de quarenta anos passada de pai para filho a serviço das FARC. Ninguém os perturbava dentro da floresta.

O alemão não escutou português, só se falava espanhol. Ele se abaixou próximo da cela e ficou olhando para a cara de Smoke. Lembrava daquele rosto pendurado na parede da casa, que era a central das suas investigações, conversando com Tumumbo, que estava na jaula ao lado.

— Agora eu sei de tudo, senhor *hacker* de campo.

Smoke fez um sinal feio com o dedo. O alemão ficou ereto e se aproximou de um soldado ao lado das jaulas.

— Quem está no comando aqui?

O soldado parecia ser o mais sério de todos; ao menos tinha uma postura militar.

— *No entiendo, señor.*

O alemão, diante daquela bagunça, não fez a menor questão de falar em espanhol.

— Quem comanda?

— *¡Ah, sí! Es Gilberto, señor. Él está sentado leyendo el periódico en aquella mesa, señor.*

O alemão foi na sua direção, mas o tal Gilberto já o acompanhava com os olhos desde a entrada.

— *¿Qué quiere, piloto? ¿No sabe el camino de vuelta?*

O alemão sentiu vontade de não falar nada. Por dois segundos, torceu pelo sucesso da Base.

— Tenho um aviso pro senhor. Veio de cima.

Gilberto mudou de expressão e se pôs de pé, muito sério.

— *Piloto, vamos hablar allá afuera.*

Eles caminharam para fora da barraca, e o alemão começou a falar:

— Não muito longe daqui se encontra um grupo com nove soldados bastante experientes que está vindo pra cá com o objetivo de recuperar aquelas pessoas. — O alemão apontou para dentro da enorme barraca. — Devem chegar aqui hoje à noite ou amanhã de manhã. Prepare-se para a chegada deles.

— *¿Cuál es su nombre, piloto?*

— Meu nome? Pra que você quer o meu nome?

— *Manoel, Hernández y Romero, vengan aquí, por favor. Voy a hacer una llamada. Quédate de ojo en él. Si ese puto es un intruso, acaben con él. Ya vuelvo.*

– 253 –

— *¿Su nombre, puto?* — foi a pergunta ríspida.

— Me chamam de alemão.

Os homens ergueram lentamente as armas na direção dele. Claro que eles não estavam fazendo aquilo pela primeira vez, mas um ex-agente da Stasi não tem medo de armas nem de ameaças. Ele usa a razão e a lógica. Jürgen estava ali a mando do Systema, portanto, não tinha com o que se preocupar. Ele sorriu para os homens.

Gilberto desligou o telefone. A conversa, fosse lá com quem ele tivesse falado, fora rápida.

— *Fueron a comprobar y volver a llamar.*

Ficaram ali, um olhando para o outro. O telefone tocou. Gilberto atendeu e de imediato ficou rígido como uma árvore, e de olhos arregalados. Devagar, ele passou o telefone para o alemão.

— *Él quiere hablar con usted.*

O alemão pegou o aparelho e o levou ao ouvido.

— Pronto.

— Como vai, meu caro?

— Ah, é o senhor? — O alemão riu.

— Sim, sou eu. Diga-me como estão as coisas, por favor.

— Conforme o plano, eu confirmei que realmente foram eles os transportados pra cá. Digamos que... eu cancelei o voo de volta, e eles não terão como sair daqui voando. Agora estou no acampamento cuja localização o senhor me passou, pra avisá-los que estão chegando.

— Alemão, três grupos diferentes chegarão na próxima semana. Um vai levar o HC para interrogatório. Um outro levará a garota pra Europa, pelo mar. Os sicários querem um acerto de contas com o pai dela. O negrinho vai pra Rota Caipira; eles ainda querem recuperar um dinheiro perdido, e isso também não nos interessa.

O alemão pressentiu que as coisas não ficariam boas. A retirada de todos só aconteceria em uma semana ou mais. Não havia garantias de que conseguiriam resistir ao assalto de um grupo profissional. Na verdade, dificilmente resistiriam. Ele poderia se oferecer pra melhorar as defesas, mas os paramilitares não estavam com cara de bons amigos.

— Senhor, deixe-me fazer uma pergunta.

— Pois não.

— Se o HC é a única coisa que lhe interessa, e a Base está a algumas horas de chegar pra buscá-lo, por que não o tiramos daqui e acabamos com esse risco?

— Como você faria isso?

— Estou com um helicóptero aqui, senhor. Posso resolver isso em cinco minutos.

— Estávamos sem meios, e agora você os viabilizou. Realmente você parece ter sido uma boa aquisição. Vou agradecer ao senador. Proceda dessa forma. A gente se fala em breve.

— Senhor, vou devolver o telefone ao chefe dos paramilitares. Diga-lhe que está me autorizando, sim?

— Ok, passe o aparelho pra ele.

56. QUE DEUS TE GUARDE

Ao fim do dia, parados no marco oito a quinhentos metros do acampamento, os carcaças terminaram a sua oração pedindo proteção. Esconderam as mochilas — menos os *snipers*, que levariam as suas — abaixo da vegetação e marcaram três árvores do local. Estavam ao pé de um enorme jequitibá com uma floração branca, fácil de distinguir no manto verde.

Os *snipers* avançaram pelas laterais do acampamento, que ficava em uma clareira de uns cem metros de raio. Procuraram os pontos mais altos do terreno deslocando-se lentamente pela noite sem luz. Os equipamentos de visão noturna auxiliavam no trabalho de localizar qualquer fio metálico esticado em meio às folhas. Deitados, camuflados, suprimidos e com toda a visão lateral do acampamento, eles fariam uma boa colheita.

Os dois atiradores informaram o "pronto" para o C1. O acampamento estava em prontidão. Foram montadas trincheiras com sacos de areia em volta das barracas. Mas a disposição da defesa mostrava que a direção do ataque era desconhecida. O C1 pediu que aguardassem pelo fim do trabalho do HC, que, com um pano preto encobrindo a cabeça e o monitor do notebook, fazia a identificação dos sinais no local. Já haviam se passado quinze minutos.

— Eles sabem da nossa aproximação — o HC informou ao C1. — Estão em posição de defesa circular com os rádios ligados, mas em silêncio. Ainda bem que estão ligados. Conto por volta de quinze rádios, ou seja, estimo algo como cinquenta pessoas. Não vejo sinais nas árvores. Estão todos no acampamento. Se tem alguém no mato, não mantém o rádio ligado ou se encontra bem longe das antenas.

O C1 passou as informações para o resto da tropa e pediu que todos se preparassem. A ativação do mecanismo de anulação das frequências de rádio seria o sinal para que a operação começasse.

O HC pediu autorização, e o C1 confirmou. Ele colocou a mochila com a bateria e o dispositivo nas costas, apertou as fivelas e verificou novamente o seu fuzil suprimido. Apanhou um fio grosso que saía da mochila e apertou um botão na sua ponta. O silêncio dos rádios dos paramilitares foi substituído por um chiado ininterrupto.

— Iniciar! — comandou o C1 no rádio.

Os *snipers* começaram anulando todos os pontos de iluminação, acertando uma sequência de tiros no gerador. Tudo ficou escuro, dando início a um forte tiroteio em todas as direções.

— C7 e C8, não atirem nas barracas. Fogo à vontade. Estamos aguardando o seu sinal — disse o C1.

Calmamente os dois foram derrubando cada um que surgia, sempre das posições mais próximas da grande barraca para a borda da floresta. O caos estava instalado quando o C1 recebeu uma mensagem de um dos *snipers*:

— Eles estão perdidos. O terreno nos fundos do barracão está limpo. É melhor entrar por ali.

— Afirmativo.

O resto do grupo foi liberado para avançar com a nova informação. Todos ligaram os seus dispositivos noturnos e avançaram com cautela, em fila indiana e agachados. Também usavam silenciadores.

Rapidamente abriram um rasgo nos fundos da barraca e entraram em meio ao barulho ensurdecedor. Anularam pelas costas os guardas que estavam ali dentro tomando posição contra a porta de entrada. Não esperavam um ataque por trás.

Eles estouraram os cadeados que trancavam as jaulas e encontraram Tumumbo e Isabel muito assustados. Disseram que eram da polícia e que os estavam resgatando. Os carcaças designados colocaram neles um colete à prova de balas e um capacete balístico. O C5, responsável por Smoke, percorreu toda a barraca, mas nada dele. Tumumbo informou que ele havia sido levado mais cedo. Não estava no acampamento.

— C1, o HC foi levado mais cedo. Não está aqui! — o C5 falou em meio ao forte som de tiros.

— Saiam todos. Vamos retrair.

Que Deus te guarde, pensou o C1.

O alemão, em pé ao lado do helicóptero em uma posição mais elevada e a uma distância de três quilômetros, observava os clarões e o intenso tiroteio no acampamento. Não via a ação, mas escutava tudo. Ao seu lado, sentado no banco traseiro do helicóptero e com a porta aberta, estava Smoke, algemado ao banco, comendo algo e bebendo um refrigerante. Ele também assistia silenciosamente ao espetáculo de luzes.

— Quase um *réveillon*, hein, Smoke?

— Vá se foder, *brother*!

O alemão gargalhou.

A retração do grupo estava em andamento. Faltavam uns vinte metros para que chegasse à borda da floresta pelo mesmo caminho pelo qual viera. A escuridão e muita fumaça encobriam o deslocamento com os reféns.

De súbito, todas as luzes se acenderam novamente. Um segundo gerador fora ativado. Era possível ouvi-lo trabalhando, mas os *snipers* não o encontraram. Todo o acampamento pôde ver o grupo, que já se aproximava da floresta com os prisioneiros. Houve uma grande concentração de tiros naquela direção. Os carcaças corriam, com os reféns à sua frente, com a mão em seus ombros para dar a direção. O C6, que protegia a retraída, devolvia fogo para as bocas de chama mais próximas. O C1 se aproximou arremessando as duas granadas de fumaça que carregava, para logo a seguir também abrir fogo. O HC Arthur apareceu na frente do C3, que empurrava Tumumbo. O carcaça já arrastava a perna direita. O C3 passou um braço pelo ombro do HC, e os três seguiram pela rota de retração.

O C2 estava caído, inerte. Alguns disparos continuavam acertando o seu corpo. Os snipers tentavam a todo custo continuar eliminando os que atiravam em direção ao resto do grupo. Isabel arrastava o C4, que levara todos os tiros endereçados a ela. Ele não conseguia se manter de pé. O C5 chegou ao seu lado e pediu que ela corresse na frente, seguindo Tumumbo. Os tiros continuavam batendo nas árvores ao redor e balançando as folhas.

O C7 abatia todos que tentavam persegui-los. A poucos metros dele, dois paramilitares estavam à sua procura. Nada conseguiam ver na floresta. Apenas orientavam-se pelo som suprimido da arma. A camuflagem escondia o seu corpo rente ao solo. Os paramilitares, sem saber onde ele estava, jogaram duas granadas na região do som e se protegeram atrás das árvores. O C7 conseguiu ver uma das granadas parar em frente ao seu apoio do fuzil, que explodiu junto com a outra ao seu lado. Ele não teve chance. A atenção do C8 do outro lado do acampamento foi capturada pela explosão fora da área de ataque. Ele posicionou a arma na direção do som e viu os dois atirando contra o corpo inerte do C7. Abateu os dois e falou no rádio:

— Perdemos o C7.

— Copiado. Dê-me um relato de situação — pediu o C1.

— Confirmo que perdemos também o C2.

– 257 –

— Copiado.

— A retração está sendo seguida por cinco elementos. Foram os que eu não consegui acertar. O acampamento está anulado. Só vejo feridos e mortos. Os que restaram inteiros estão nas trincheiras, e não parece que vão sair. Atiram para o alto pra fazer figura.

— Copiado. Faça o seu caminho.

Ao olhar ao redor, o C8 viu a direção em que a fumaça do acampamento seguia e atirou uma granada de fumaça. Levantou-se, ajeitou a mochila no ombro e o aparelho de visão noturna, para continuar em frente lentamente. Faria um caminho paralelo à rota de retração se encontrando no marco sete. Caso não estivessem lá, rumaria direto para o marco seis.

O C_1 e o C6 aguardavam os perseguidores enquanto os feridos e reféns se afastavam em direção às mochilas no jequitibá. Tudo o que precisariam, relativo a água, comida e medicamentos, estava ali.

* * *

O HC pegou a mochila do C_3 e a colocou nas costas de Tumumbo. Então, disse no rádio:

— Estou com o C_3 e o Tumumbo no marco oito. O C_3 está ferido na perna.

— Proceda para o marco sete. Lembre-se, direção nove horas do jequitibá.

— Copiado.

Isabel chegou ao marco oito, seguida pelo C5, que carregava nas costas o C4 desacordado. Ele deitou o amigo no chão e verificou que ainda tinha pulsação. Olhou para uma seminua Isabel, que corria pela floresta só de roupas íntimas e empunhando a arma do C4.

— Sabe usar isso aí? — o C5 quis saber.

— Sim, sei. O meu pai é da Polícia Federal e me ensinou a atirar desde cedo.

— Coloque a mochila do C4 nas costas.

Isabel prontamente o obedeceu.

— C_1 na escuta? — indagou o C5.

— Prossiga!

— Estou com o C4 desacordado e com a Isabel, indo pro marco sete.

— Proceda!

— Levo a mochila do C_2?

— Não. Você já está com um ferido. Deixe que nós levamos.

— Copiado.

O C_1 e o C6 começaram a ver, nos seus equipamentos noturnos, as silhuetas dos que os procuravam. O C_1 pediu ao C6 que segurasse o fogo até o seu comando.

Esperou uma aproximação maior até uma distância de trinta metros, e então derrubaram cinco. Aguardaram mais alguns minutos, e não apareceu mais ninguém. Apenas ouviam os gemidos dos feridos próximos. O C6 jogou uma granada no local, e a explosão se colocou acima de todos os outros sons para, logo a seguir, cair o silêncio. Apenas longínquas vozes humanas no acampamento e tiros esporádicos. O C6 arremessou outra granada com toda a força na direção do acampamento. Não chegaria lá, mas daria mais um motivo para eles retardarem alguma perseguição, caso ainda pensassem nisso.

— Retrair! — ordenou o C1 no rádio.

O C1 e o C6 se apressaram na direção do jequitibá. Pegaram as suas mochilas e cada um uma alça da mochila do C2.

Uma hora depois, todos se encontraram no marco sete. O C1 chamou o C8 pelo rádio, e recebeu uma resposta em forma de estática. A distância era muito grande para que pudesse responder. Assim, o C8 utilizou a estática para enviar uma mensagem em código Morse. O HC rapidamente identificou e traduziu:

— O C8 disse que há um grupo entre ele e nós que seguiu o rastro até um ponto logo no início e parou. Ele escutou que aguardarão amanhecer pra rastrear melhor. Disse também que vai se afastar, esperar amanhecer e se orientar diretamente pro marco seis.

— Responda que estamos bem e que nos veremos lá.

O C1 fez a verificação dos feridos e constatou que não estavam nada bem. O C3 ganhou um torniquete na perna, e o C4, uma maca improvisada para que pudessem carregá-lo. Ele recebera dois tiros que entraram pela região lombar, fora do colete. O C1 suspeitava que ele não teria chance, tão longe de uma mesa de cirurgia. Tudo o que podiam fazer era tentar estabilizá-lo da melhor maneira e continuar em frente na velocidade que fosse possível. Precisavam ganhar o máximo de terreno em relação aos seus perseguidores.

Quando, após duas horas, eles chegavam ao marco seis, o C4 morreu. O C1 pediu que retirassem as roupas e os coturnos dele e os passassem para Isabel, que deveria evitar o frio da noite e proteger pés e corpo contra insetos. O C4 foi enterrado em um local onde o solo mais poroso permitiu que uma cova fosse aberta. Um rito religioso foi realizado, no qual pediram por todas as almas que partiram naquela noite. O C1 anotou a coordenada do GPS e a passou para todos. Um dia voltariam para buscá-lo.

Já não conseguiam mais contato com o C8. A distância era grande demais. O C6 descobriu que recebera um tiro de raspão na perna esquerda. Na hora fora imperceptível, mas naquele momento latejava e atrapalhava o seu deslocamento. Cada passo era uma agulhada na carne. A bala pegara algum músculo.

— C5, a Isabel agora é sua responsabilidade. Como está aí, C3? — perguntou o C1.

— O Tumumbo não dá trabalho. Está me ajudando, tranquilo. Eu é que estou com esta perna assim. — Ele mostrou a tala.

— HC, cola no C6, ele vai precisar de um apoio, com essa perna ruim — ordenou o C1. — E como está a região?

— Sem sinal de rádio.

— Teremos que descansar um pouco. Vamos jantar e, logo a seguir, otimizar essas mochilas. Coloquem o máximo de coisas na minha mochila e na do C5. Veremos se dá pra reduzir a quantidade sem jogar nada fora. Serão importantes pra nós.

O dia amanheceu trazendo a luz que despertou o grupo. O C5 estava na última guarda. Tomaram um bom desjejum e saíram, após deixar a marca de "volta" na árvore para o C8. Mais uma arrumação nas mochilas e conseguiram reduzir para cinco ao todo. O próximo ponto era o marco cinco.

Foi um dia inteiro de caminhada até a chegada à zona de pouso. O C3 e o C6 resistiam bravamente, caminhando sem parar apesar das dores. Estavam medicados com analgésicos e antibióticos.

O não aparecimento do C8 preocupava o C1, que pedia constantemente para o HC verificar se encontrava sinais de rádio. O C8 deveria ter chegado antes deles e até mesmo ter passado pelos marcos. Porém, não havia marcas.

Todos perderam o voo de volta. No dia seguinte e na parte da manhã, seria a última chance. O HC e o C5 fizeram um sinal de sorriso na zona de pouso e se retraíram para a floresta, para aguardar.

Almoçaram e jantaram na borda da mata, sem que a aeronave aparecesse.

57. ENCANTAMENTO

Três dias haviam-se passado desde que os carcaças conseguiram resgatar os sequestrados do acampamento paramilitar. A tática de utilizar o marco sete, bem distante da rota de fuga, ou seja, guinar noventa graus e progredir na maior velocidade possível, despistou os seus perseguidores, deixando-os longe de perigo, embora exaustos. Dois estavam feridos a tiros; o restante, com escoriações das incontáveis quedas pelo caminho e a natural fadiga do ambiente. Isabel e o C_5 apresentavam um quadro de febre alta. Ela teve de ser acordada à força para tomar o café. A suspeita era de que Isabel estivesse com alguma doença tropical, e o C_5, com uma infecção causada pelo ferimento. A comida estava racionada.

Se continuassem mais alguns dias naquele inferno verde, morreriam de fome ou pelos ferimentos. Alguns já não conseguiam andar. A caça era quase nula, e as frutas, escassas. O C_1 usava a sua arma silenciada para caçar, mas com poucos resultados, pois não podia se afastar muito. O HC e Tumumbo eram os enfermeiros. À noite não podiam acender uma fogueira para se aquecer, e o HC também começava a apresentar um quadro febril, com produção de catarro e muita tosse.

Permanecer naquelas condições seria morte certa. O que lhes restava era uma caminhada de dezenas de quilômetros até o povoado mais próximo à taxa de duzentos metros por hora ou o resgate.

Em condições normais, poderiam viver por semanas, pois tinham treinamento para isso. O problema era que, dos sete vivos, somente o C_1 e Tumumbo estavam aptos para prosseguir. O restante da comida permitia que tivessem uma dieta de quatrocentas calorias por dia, quando deveriam ter algo próximo a duas mil. O C_1 já havia feito essa conta e não estava gostando do cenário. Os carcaças se impunham a responsabilidade quase sagrada de cumprir as suas missões, e no cenário atual, como o único inteiro e líder, o C_1 sabia o peso do dever que carregava: seis vidas que dependeriam das suas decisões.

Aqueles homens eram diferentes. Não temiam a morte, mas sim a perda da confiança. Por conta dos seus longos anos de treinamento, o espírito de corpo criado era poderosíssimo. Eles se consideravam uma família e agiam como tal. Conheciam-se por números, nada sabiam sobre as vidas uns dos outros, mas estavam prontos para morrer lado a lado. E feridos, com fome e frio, já pensavam nessa possibilidade. Estava escuro e, pela posição da lua vista através da copa das árvores, passava da meia-noite. O C_3 quebrou o silêncio:

— Sempre pensei que morreria em combate. Como a maioria dos nossos trabalhos acontecem em ambientes urbanos, o foco do treinamento é sempre esse. E aqui estamos nós, longe de qualquer coisa. Nada! Apenas escuridão, frio e fome.

— É, isso faz a gente pensar.

— Pensar em quê, C_5? — O C_3 olhou para ele.

— Se não teria sido melhor ficar e levar um monte daqueles bostas com a gente. Seria mais honroso do que ficar aqui definhando.

– 261 –

— E a esta hora estaríamos felizes beijando a bunda do capeta — afirmou o HC, com o seu habitual sarcasmo.

— É, essa não foi uma boa ideia. — O C5 meneou a cabeça.

Eles riram.

Novamente um silêncio prolongado se abateu sobre todos. Não havia ali ninguém que não tivesse a real noção do tamanho do problema em que estavam metidos. Não poderiam voltar sem esbarrar nos seus perseguidores. Não tinham mais comunicações. As baterias acabaram. O mapa mostrava quilômetros de florestas em qualquer direção. Não havia alimentos. Eles sangravam ou lutavam contra infecções. O HC já mostrava dificuldade para respirar.

Tumumbo, que se sentia bem na floresta, levava água para os feridos de um lado para o outro. Isabel observava a todos, calada. Aquele tempo em sua companhia a fez gostar e respeitar aqueles homens, que superaram todos os obstáculos encontrados até o momento. Mas aquele era diferente. Era uma luta contra a natureza, e nesse sentido, o homem sem recursos tende a perder. Ela pensava no desperdício que seria se eles morressem ali. Todo o conhecimento técnico e tático adquirido tanto do HC quanto dos carcaças...

No escuro, e em um ponto mais elevado do solo, os carcaças estavam sentados em círculo, voltados para fora, com as armas no peito; Isabel, Tumumbo e o HC se protegiam na parte interior.

De repente, Tumumbo, o mais novo dentre todos, comentou, com o seu sotaque português:

— Em toda a minha vida, sempre estive cercado pela morte. Desde os tempos na África até os dias atuais. Não sei se é por conta disso, mas a morte não me assusta. Tenho mais medo das pessoas. O meu pai dizia que, ao ver alguém morto, sempre se perguntava: será que valeu a pena? Será que essa pessoa fez tudo o que queria ou deixou algo por fazer? Qual seria o seu... Esqueci a palavra. É quando a pessoa deixa coisas para os outros.

— Herança? — sugeriu o HC.

— Não. Não é coisa assim material.

— Legado? — Isabel deu de ombros.

— Isso mesmo, legado. Qual seria o legado desse indivíduo? Eu nunca esqueci essas coisas que o pai dizia. Jamais consegui fazer essa pergunta pra um morto, mas, agora que estamos todos aqui quase mortos, pergunto para os senhores: valeu a pena?

Isabel, embora deitada de lado e com os olhos ardendo de tanta febre, fitava o rosto de Tumumbo, pensando em quantas pancadas da vida aquele menino devia ter levado para falar daquela maneira. Ele mostrava uma maturidade incompatível com a idade. Ela torcia para que alguém respondesse.

E após instantes de um silêncio, quebrado apenas pelos sons da floresta, o seu desejo foi atendido pelo C1, o líder:

— Sim. Se eu renascesse, faria tudo de novo, mesmo sabendo que terminaria como está terminando. Sem dúvida. Não tive uma vida fácil, mas conheci a coisa mais valiosa do universo. Demorou, mas eu conheci.

Os carcaças olhavam uns para os outros. Eles nunca falavam de si mesmos. Ninguém sabia o nome verdadeiro do colega nem nada que antecedesse a entrada deles na Base. Era um momento raro aquele, e estavam todos em silêncio, esperando que ele continuasse.

— Pode parecer piegas. Coisa de filme, de novela. Mas eu conheci o amor.

E depois de mais uma pausa:

— Eu pensava que o amor não existisse como mostrado nos filmes e nas músicas. Sempre que via alguns casais na rua namorando, passeando, viajando e sempre com aquela expressão de calma e felicidade, eu achava que não passava de encenação. E como nunca fui bom nas artes cênicas, encontrava nisso a explicação para aquele vazio dentro do peito. Sim, eu olhava para os casais e acreditava que aquilo fosse falso, mas ao mesmo tempo experimentava uma dor enorme, sabe? Não era inveja. Era o eco provocado pelo vazio. Eu era uma pessoa oca, insensível, vagando pelo mundo. Tive muitas mulheres, tudo falso, mas houve uma que fez desabar tudo à minha volta. Foi uma explosão de sentimentos e também um mistério.

Nesse momento, o C1 se calou. Longos minutos passaram, com o som da última palavra reverberando no escuro da selva: "mistério".

O C1 viu que os demais esperavam que ele prosseguisse, e assim fez a sua narrativa, de maneira calma e com uma voz pausada que soava límpida a clara. Como era bom poder compartilhar esse segredo e o melhor momento da sua vida…

Ao seu redor, os companheiros de armas, que sofriam quietos, o HC e os ex-reféns escutavam com atenção. O que ele falava fazia sentido, e já havia sido experimentado pela maioria, tanto o sentimento quanto o mistério.

— Sabe, eu lamento profundamente por aqueles que nunca experimentaram isso. Basta uma única vez pra que toda uma vida tenha valido a pena. Não existe nada que nos deixe mais alertas, cuidadosos e ao mesmo tempo desastrados. Essa é uma das melhores coisas que podem acontecer. Não sabemos o motivo ou explicar como acontece, mas parece que durante toda a nossa existência, ao menos uma vez, algo nos convida ao encantamento.

Ele parou por um instante e suspirou.

— O amor, o sexo e a paixão são todos momentos únicos, mas existe uma pequena fração de tempo antes disso tudo na qual você se desliga do universo, e o mundo parece girar entre duas pessoas que estranhamente pouco se falam e não se tocam. Tudo acontece a distância e com os olhares. Olhar alguém nos olhos é algo bastante comum, fazemos isso milhares de vezes no decorrer da existência, mas esse olhar é diferente. Ele dura dois segundos, se tanto. É como se uma alma, através dos olhos, pudesse ver a outra. Existe uma conexão por esse breve intervalo em que ambos retêm a respiração, as suas pupilas dilatam e eles se encaram por um período mais longo do que o normal... e acontece uma química única. Mesmo que você nunca tenha experimentado, saberá que aquela é a mágica. O seu organismo vai reagir. O seu coração dará uma forte batida e depois parará. A sua nuca irá se arrepiar, a boca ficará seca, as mãos, suadas. Você pensa em falar e não consegue formular uma única sílaba. Algo primitivo em você desperta. Logo depois, os olhares se separam. Você gostou da sensação e busca novamente aqueles olhos. Surpreende-se, porque eles também procuram os seus. A coisa se repete e acaba por dominar por completo a sua mente. Você não consegue pensar em mais nada. O seu corpo assume o controle, os seus instintos afloram, você ganha um motivo pra viver, mas perde a razão. Se preciso fosse, eu morreria pra ter isso de novo. De fato, basta uma única vez pra que toda uma vida tenha valido a pena.

E ele repetiu mais uma vez, mirando as estrelas:

— Basta uma única vez pra que toda uma vida tenha valido a pena.

Um soluço forte interrompeu o relato. Era o C6, que chorava com as duas mãos cobrindo o rosto.

Tumumbo, sem entender a reação dele, se aproximou para confortá-lo, pedindo-lhe calma. As lágrimas escorriam; a sua boca estava aberta, mas não saía som. Era um choro de dor, profundo. O carcaça ao lado, também emocionado, o enlaçou pelo ombro, trazendo a cabeça dele de encontro ao peito.

O C6 respirou fundo e conseguiu falar um pouco. Os HCs estavam surpresos com a decisão do C1 em abrir para todos um pedaço tão importante da sua vida. Era estranho ver que os carcaças, os mais duros dentre todos os homens, não passavam de seres humanos normais. A maneira como os outros carcaças estavam lidando com aquilo fez o HC entender que aquela reação não deveria ser comum entre eles, pois estavam sempre em tensão máxima, e, na sua maioria, como era de conhecimento geral, esses indivíduos ingressavam na Base por terem desistido da sua outra vida.

— Isso aconteceu comigo. Eu senti isso também. — O C6 respirou mais um pouco e fez um sinal com a mão para que esperassem, pois queria falar mais.

Ele olhou para o amigo que o confortava, colocou a palma da mão no rosto dele e sorriu, triste, agradecendo o apoio. Largou o fuzil ao lado do corpo, virou-se para se sentar de frente para o centro da roda e apoiou as costas no tronco de uma árvore. Um facho de luar iluminou o seu semblante, e ele seguiu com seu relato:

— Eu me apaixonei perdidamente por uma mulher depois dos quarenta anos. Ela não era a mais bonita do mundo e estava longe de ser feia. Era uma mulher comum. Meiga, inteligente e, principalmente, tinha algo que me encantava: ela era simples. Simples em tudo. Nós nos conhecemos na empresa em que trabalhávamos. Eu estava viajando para a companhia quando ela foi contratada. E vê-la foi como você disse. — Virou o rosto em direção ao C1. — Um mistério.

O C6 meneou a cabeça.

— Lembro como se fosse hoje. Cruzei o corredor falando com muitas pessoas, e ela estava lá, sentada à sua mesa ao fundo da sala, bem longe. Ela ergueu a cabeça no instante em que eu passava. Cruzamos olhares. Foi um choque; parei de sorrir, perdi a linha de raciocínio. Já não lembrava mais o que fazia ali. Fui para a minha sala, me sentei, mas não consegui me concentrar. Fui várias vezes buscar água ou café, e em todas as oportunidades, ficávamos nos olhando. Eu não conseguia resistir; nem ela. O expediente terminou e, quando ela passou pra ir embora, corri até a porta, e ela olhou pra trás duas vezes. Eu vi que ela também estava perturbada, sem entender aquilo. Retornei à minha sala e, com as mãos tapando o rosto, fiquei ali, sem saber o que fazer. De repente, decidi escrever algo e deixar na mesa dela. Ainda me lembro do bilhete, escrito em letra de forma: "Eu adoraria dizer muitas coisas, mas confesso que fiquei sem palavras. Não sei explicar direito o que aconteceu, só posso afirmar que a sensação é muito gostosa, mesmo sabendo que é bastante improvável e inadequado. Desculpe o atrevimento, mas seria tão bom se você me telefonasse... Não se preocupe, não pretendo ir além disso, só gostei da sensação de estar vivo. Seria incrível conversar um pouco, mesmo que por telefone". E o deixei embaixo do teclado, com metade do papel pra fora, pra que ela visse que tinha algo ali.

Tumumbo, com os olhos arregalados e capturado pela narrativa, perguntou:

— Ela leu? O que ela fez?

O C6 se voltou na sua direção e, com dois filetes de lágrimas prateadas brilhando nas faces, esboçou um sorriso.

— Não resisti e telefonei. Acabamos conversando por quase uma hora, apenas sobre coisinhas bobas, tal como dois adolescentes; ao fim, aquela indecisão sobre quem iria desligar. Como aquilo era gostoso... No dia seguinte, recebi um e-mail, no qual ela dizia que sentia o peito apertado e uma saudade incontrolável. O problema era que eu sentia a mesma coisa. Estávamos apavorados com a ideia de nos encontrarmos e, ao mesmo tempo, apavorados com a ideia de não deixar aquilo acontecer; afinal, essa é a parte estranha da coisa, ambos éramos casados.

— Putz... — comentou o HC, olhando para baixo e coçando a orelha. — Isso sempre dá merda.

– 265 –

— Sim, eu pensei nisso — respondeu o C6 —, mas ela me falou algo que me fez parar pra pensar. Embora sentindo a dor do erro e ao mesmo tempo a cegueira da paixão, ela conseguiu fazer um comentário frio sobre os nossos casamentos. Disse que, no geral, os casais se conhecem dentro dos seus círculos de amizade ou de trabalho, e que isso não era garantia nenhuma de que fizeram a escolha perfeita. A maioria de nós não sabe responder se o seu par é realmente a sua alma gêmea ou se é apenas a pessoa que está com você no momento da sua vida em que você reúne as condições pra formar um relacionamento mais duradouro. Não sabe dizer até o momento em que ocorre aquilo que aconteceu entre nós. E estas palavras dela estão gravadas no meu coração: "Eu, hoje, não tenho a menor dúvida de que nasci pra você e você pra mim. A minha alma e o meu corpo te querem mais do que tudo".

Ele parou um instante, enxugou as lágrimas e seguiu em frente:

— Meses se passaram, durante os quais tentamos sem sucesso e por repetidas vezes terminar com tudo aquilo. Resolvemos, de comum acordo, que antes de qualquer encontro deveríamos fazer a coisa certa: nos separar dos nossos cônjuges.

— Isso é bem raro. — Isabel deu de ombros.

— A minha esposa, quando escutou a história, me interrompeu dizendo que queria o apartamento e o carro. Levei um susto, mas concordei. Ela desapareceu da minha vida, nunca mais a vi; parecia um passarinho que encontrou a gaiola aberta. Vendo aquela reação, me arrependi de não ter feito aquilo antes.

— E ela, a mulher que você amava? — quis saber Tumumbo, aflito.

— As coisas do lado dela não foram fáceis. O marido recebeu a notícia como um soco no coração. Ela me disse que ele caiu de joelhos aos seus pés, chorando; ela também se ajoelhou e o abraçou. Era um bom homem, dedicado à família e à esposa. Ela não o amava. Antes mesmo de me conhecer, já havia chegado a essa conclusão. Porém, respeitava-o, e estava decidida a passar o resto da vida com ele.

— Mas se ela não gostava dele, por que ainda fazia planos de ficar pra sempre?

— Essa é outra parte complicada da história, Tumumbo.

Alguns instantes se passaram, e todos se mantinham atentos para entender o que seria mais complicado, quando o C6 concluiu:

— Eles tinham uma filha de cinco anos.

— Ca-ra-lho! — O HC entendera todo o cenário. — Por isso o cara desabou. A decisão dela significava que, de uma hora pra outra, ele perderia o convívio diário da esposa e da filha. E a filha perderia o contato diário com o pai. É a pior puxada de tapete que um pai pode ter.

— Como eu disse — continuou o C6, com a voz embargada e se segurando para não voltar a chorar —, a dor foi muito forte, e ela amaldiçoava o destino por ter que tomar aquela decisão. Dava pra entender o porquê de algumas pessoas passarem a vida assim, em casamentos acabados, apenas pra não prejudicar os filhos ou não magoar seu par. Dá pra entender isso. Tem que ter um nível elevado de coragem pra tomar essa decisão. Pra quem está amando, é a coisa mais racional a fazer, mas quem está de fora pensa que é uma traição ao compromisso, ou que é um egoísmo imenso. Eu, por puro amor por aquela criatura, não queria que ela passasse por aquilo. Além do mais, a ideia de destruir uma família não me saía da cabeça. Havia momentos em que eu me arrependia de tudo. Entretanto, ela seguiu em frente. Chorando, deu um beijo na testa do marido, pegou a filha pela mão, uma mala, e deixou a casa, pra começar uma nova vida comigo. E então, as coisas pioraram ainda mais.

— Como seria possível? — indagou o até então calado C1.

— Ele tentou se matar.

Foi uma comoção geral. O círculo já havia se desfeito, e todos estavam próximos e concentrados, escutando o relato do C6.

— Ela havia combinado com ele que iria passar na casa pra buscar mais alguns itens e, quando chegou lá, o encontrou com os pulsos cortados e ainda balbuciando algumas palavras. Ao seu lado, no chão do banheiro, estavam algumas fotos do casamento atingidas pela poça de sangue. Ela não tinha a quem recorrer. O nervoso era tanto que só pensou em falar comigo. Quando ela me relatou o cenário, eu me senti como a navalha que cortara aquela pele. Liguei pro hospital próximo da residência; não havia ambulância disponível pra resgatá-lo. Assim, peguei a minha moto e atravessei a cidade como se a minha vida dependesse daquilo. Uma pessoa estava morrendo por minha culpa, eu não suportaria isso. Já bastava todo o sofrimento que eu provocara àquele homem, mas vê-lo morrer era demais pra mim.

O C6 chacoalhou a cabeça, profundamente infeliz.

— Chegando lá, eu o coloquei no seu carro e fomos para o hospital. Entrei pela porta, com ele nos meus braços, gritando por um médico. Ela corria ao meu lado, aos prantos. Alguns enfermeiros próximos, que faziam um lanche, se levantaram assustados com a gritaria. Dois médicos apareceram correndo e o conduziram pra sala de atendimento emergencial, dando dezenas de ordens para os enfermeiros ao redor. Todos sumiram por uma porta, e fomos impedidos de acompanhá-los. Cerca de uma hora depois, um médico apareceu com a camisa suja de sangue e, com um sorriso nos lábios, afirmou que eles tinham conseguido estabilizá-lo; portanto, ele iria ficar bem. Ela desmaiou com a notícia, e tive que ampará-la. Aquela foi a primeira vez que eu a toquei. Ao segurá-la junto a mim, pude sentir o cheiro do seu cabelo e a textura da sua pele. Quando ela voltou a si, eu a ajudei a sentar-se. Estava destruída emocionalmente. Eu fiquei ali, de joelhos no chão do hospital, segurando as suas mãos, olhando-a nos olhos lacrimejados. Dizendo que ela precisaria descansar um pouco, o médico deu-lhe um sedativo e a colocou em um quarto.

O C6 olhou para cima, como que para reunir forças.

— Quando o marido dela despertou, eu estava ao seu lado. Ele adivinhou quem eu era, e virou o rosto. Sem ver os seus olhos, eu escutei a sua voz, que me feriu como uma agulha. Quem sangrava, naquele momento, era eu.

"Você... tirou tudo de mim", ele começou. "Tirou a minha mulher, a minha filha, a minha alegria... Por que fez isso? Tantas mulheres no mundo e você vem pegar a minha. Agora nem deixar que eu me mate você deixa. Quer mesmo me ver sofrer..."

— Sem saber o que dizer diante da verdade, eu respondi: "Você não pode morrer". "Já estou morto. Ela era a minha vida." "Você tem uma filha, não pode abandoná-la." "Por que você não some daqui", ele disse. "Não posso, preciso me desculpar. Preciso te contar tudo o que aconteceu. E também te dizer que nunca tivemos nada. Ela nunca te traiu." "Não quero falar sobre isso. Onde ela está?" "No quarto ao lado." Ele se virou e me encarou: "O que houve com ela?!" "Nada de mais, só precisou de um calmante. Afinal, o homem que ela mais respeita no mundo tentou se matar." Ele ficou quieto, assumindo o ato extremo que praticara.

O C6 informou que ambos acabaram por conversar por um longo tempo, e que aquilo o confortara. Na manhã seguinte, ela ainda dormia quando o marido recebeu alta. O C6 o levou para o carro em uma cadeira de rodas e o acomodou no veículo. Quando ela despertou, a enfermeira tratou de avisá-la de que tudo estava bem. Ao chegar à porta do hospital, ela viu pela primeira vez os dois juntos, o que foi bem estranho. Caminhou na direção deles sem saber se sorria ou se ficava séria. O marido estava no banco da frente, sentado e de olhos fechados. O C6, deitado no banco de trás, com o sono de uma noite acordado cobrando o seu preço. Ela deu a volta no carro e abriu a porta do motorista. O som da porta se abrindo despertou ambos. Ela colocou a cabeça para dentro e disse: "Bom dia, meninos, vou levar vocês pra casa".

— E então, aconteceu a pior coisa que eu poderia presenciar na minha vida. — O C6 soluçou; não conseguiu se conter. — Um som de pneus freando se fez ouvir e um forte barulho de metal sendo amassado e vidros quebrando. No lugar onde antes estava a mulher da minha vida havia um borrão de cores. A porta desaparecera, e ela também. Quando olhamos para a frente, avistamos um ônibus ali parado, com várias pessoas descendo apressadas, e eu e o marido só pudemos ver as pernas dela inertes embaixo dos pneus traseiros do coletivo. Ficamos em estado de choque. O marido saiu correndo do automóvel e desmaiou. Eu ainda consegui rastejar pra debaixo do ônibus... pra encontrá-la sem vida.

— Meu Deus... — Isabel fez o sinal da cruz.

— 268 —

— Um mês depois, acordei no leito do mesmo hospital, sem saber o motivo. Ao tentar me levantar, constatei que os meus braços estavam presos na cama. Havia dois grandes curativos nos pulsos. Ao meu lado, cochilando na cadeira, estava o marido. Uma enfermeira entrou, despertando-o com o barulho. Ele me viu acordado e começamos a conversar. Ele disse que, depois da morte dela, decidiu acabar com a minha vida. Conseguiu uma arma e foi à minha casa pra me matar. Chutou a porta e, ao entrar, me encontrou caído na sala, envolto em uma poça de sangue com fotos da sua esposa. Nesse momento, ele olhou pra arma na sua mão e aquele corpo no chão. Fitou um crucifixo pendurado na parede, guardou a arma na cintura e me levou pro hospital.

Todos ficaram assombrados com a ironia do destino.

— Ele me falou que eu não partiria desta existência sem sofrer a dor que ele sentira. Ele ainda tinha um pedacinho dela: a sua filha. Mas eu nunca mais iria vê-la; nada restava dela pra mim. Ele estava ali pra garantir que eu soubesse a desgraça que fui na sua vida. Afirmou que nunca me perdoaria. Foi a minha vez de virar a cabeça pro outro lado. Ele se levantou e partiu. Nunca mais o vi. Agora, com a morte fungando nos nossos cangotes, me arrependo novamente de todos os males que fiz àquela família. E em nome do maior amor que senti, eu daria tudo pra que nunca a tivesse conhecido.

O silêncio reinou pelo resto da noite. Ninguém mais falou. Todos estavam imersos nos seus pensamentos e nas suas histórias. Isabel também fez a sua silenciosa reflexão. Estava como todos à beira da morte, mas também havia o mistério do amor. Ela acreditava estar sentindo saudade de uma metade que não encontrara. Experimentava o mesmo vazio descrito pelo C6. A tal dor do vazio pela ausência dos momentos que não tivera.

58. A OITAVA SUMAÚMA

Ao despertar pela manhã, o C1 conferiu como estava a guarda feita pelo HC, que, envolto em um cobertor, se esforçava para ficar de pé. Todos os enfermos e feridos apresentavam piora.

Ninguém viria resgatá-los. Escutavam helicópteros esporádicos pela região, mas não sabiam se eram pessoas comuns ou a serviço dos paramilitares. O C1 teria que deixá-los para buscar ajuda sozinho.

Ao se virar, o Cɪ deparou com um homem de pé, parado. Ele levou um susto e, instintivamente, deu um passo para trás. Era um índio baixo e idoso, que olhou firme nos olhos do Cɪ, e depois para todos os que estavam deitados. Tumumbo se aproximou com um sorriso no rosto, e o índio, até então com uma expressão séria e carrancuda, também sorriu.

— Eu nunca conheci um índio! — disse Tumumbo.

O índio respondeu em um português estranho, mas compreensível:

— Você de onde?

— Eu vim da África.

— Nunca conheci africano!

Eles riram.

— Aqui tem cheiro de doença — o índio afirmou.

— Eles estão feridos. Você pode nos ajudar? — perguntou o Cɪ.

— Posso, sim.

— A sua aldeia é aqui perto?

— Não. Cinco dias pelo rio.

— Que rio?

— Uauaris.

— No caminho até lá tem gente branca? — o Cɪ quis saber.

— No primeiro dia tem aqueles como vocês.

— Guerreiros?

— Sim.

— Mas eles são assim como nós ou falam outra língua?

— Falam língua do Brasil.

O Cɪ concluiu que deveria ser uma unidade do exército fora do mapa. A ideia de encontrar essa unidade começava a parecer muito boa. Certamente eles teriam médicos e recursos para atender a todos, além da possibilidade de comunicação. Ele correu até o ʜc e pediu um mapa.

— O índio ali está conosco.

O ʜc olhou para trás, achando que era brincadeira, mas constatou que era verdade.

— Que barato, um índio! Se aparecer um mecânico e um caubói, vamos formar o Village People!

O Cɪ achou que ele delirava. Realmente tinha que resolver aquilo rápido.

Voltando com o mapa, mostrou para o índio onde estavam e os marcos de referência da região. O índio confirmou o ponto em que deixara a sua canoa na margem do Uauaris. Disse que o Cɪ poderia pegar a sua canoa e ir chamar os soldados.

Todos já estavam acordados e conheceram o índio. Mal conseguiam se mover. O índio informou que poderia ficar aquele dia, mas que partiria pela manhã. O Cı agradeceu e informou a todos o seu plano. Não existia outra opção.

Ele montou uma mochila sem nenhum tipo de ração. Tentaria pescar pelo caminho. O índio pediu-lhe que trouxesse a canoa de volta, e mandou que ficasse atento, pois deveria contar oito sumaúmas. A primeira clareira do lado esquerdo do rio, depois da oitava sumaúma, levava aos soldados. Em seguida, ele saiu com Tumumbo para procurar ervas e algumas plantas que auxiliariam com a febre e a infecção.

O Cı não teve dificuldade em achar a canoa e, embora remasse contra a corrente, as águas eram serenas, quase paradas; assim, não fazia muita diferença se estava indo em uma direção ou na outra. A mochila ficou na frente da embarcação, e a arma, no meio. Na parte de trás estavam algumas frutas que ele conseguira pegar no caminho.

Foi possível impor uma boa velocidade, embora o sol e a ausência de vento exaurissem as suas energias. Ele tentava se refrescar com a água do rio, mas a sensação passava rápido.

Era a viagem mais inusitada da sua vida. A natureza da região era de uma beleza inigualável. O Cı avistou todo tipo de animais pelo trajeto. Até mesmo uma onça na margem, que ficou acompanhando a sua passagem. Ele percorreu inúmeras curvas, e já contava a quarta sumaúma.

Foi um dia cansativo, mas na sétima sumaúma as suas esperanças renasceram. Faltava apenas uma, que já poderia ser vista no horizonte, tão imponente como as outras. O que seria dele sem aquele índio?

O Cı chegou à oitava sumaúma com o fim da tarde. A pele dos seus braços e do rosto ardiam. Ele colocou nas costas a mochila, e também a arma. Não achou prudente adentrar uma unidade militar no escuro e com uma arma nas mãos.

A praia em que desembarcara continha uma estrutura para atracação, o que indicava estar no local correto. Ele seguiu na picada aberta por um quilômetro, trotando em uma corrida curta. Carregava consigo todo o peso da responsabilidade por aquelas vidas. Quando viu-se próximo, começou a bater palmas para se anunciar. Ele não sabia, mas já estava sob a mira de dois fuzis.

Os soldados da guarda pediram que ele se ajoelhasse e colocasse as mãos na nuca. O sargento da guarda se aproximou com outros soldados, e eles conversaram brevemente. O Cı fez um relato resumido da situação. O sargento o encaminhou para uma cela do acampamento e pediu que trouxessem suco de fruta com bastante açúcar e alguma comida. O oficial do dia chegou logo depois em um helicóptero, e tiveram novamente a conversa sobre a situação do grupo. O Cı lhes passou a posição do GPS, assim como a posição do acampamento paramilitar. O tenente confirmou que batedores já tinham descoberto esse local e que estavam montando uma operação de dissuasão para os próximos dias. O tenente conseguiu autorização para priorizar a busca do grupo de carcaças.

Uma hora depois, com a canoa amarrada embaixo do helicóptero, eles pousavam no local onde o C1 deixara os feridos, e puderam ver, com as luzes de frente do helicóptero, um menino correndo na sua direção. O C1 identificou Tumumbo e se alegrou. Ele conseguira. O resgate estava presente.

Todos desceram, e o C1, com um enorme sorriso no rosto, aguardava a aproximação de Tumumbo. O garoto passou pelos soldados e, finalmente, entrou na luz das lanternas de mão. Apavorado, ele segurou nos braços do assustado C1 e disse:

— Eles vieram, senhor.

— Quem, Tumumbo?

— Mataram todos!

O C1 sentiu as têmporas pulsando.

— Ah, não!

— Mataram, senhor! — Tumumbo falava com a voz trêmula. — Mataram e levaram a moça de volta. Foram eles.

— Eles quem?

— Foram eles.

— Eles quem, Tumumbo?

— Aqueles que mataram a minha mãe. Estavam com aqueles lá que falam espanhol. Vieram num helicóptero amarelo.

59. MENTIRINHA

DOIS ANOS DEPOIS

Sentado em um bar no Edifício Avenida Central, Monteiro olhava para o seu chope quente e esquecido. Lembrava-se da ocasião em que trouxera a sua desaparecida filha Isabel, então com dez anos de idade, à loja em frente ao bar, naquele mesmo local, para comprar o seu primeiro videogame. Ele nunca vira uma criança tão feliz. Tiraram uma foto diante do balcão do bar, e logo depois ele se sentou na mesma cadeira que nesse momento ocupava. Monteiro passou a mão espalmada no tampo do balcão, recordando o local onde o prato da sua filha ficara. Eram boas lembranças.

No mês anterior, Monteiro recebera fotografias anônimas mostrando a sua filha nua e desacordada sobre uma cama. O intuito de quem lhe mandara aquelas fotos era, sem dúvida, abalá-lo, mas não lograra êxito. Na verdade, as imagens causaram o efeito contrário em Monteiro. Ele pensara até então que ela já tivesse sido morta, mas ali estava a confirmação de que Isabel ainda vivia. Os miseráveis queriam mostrar que haviam vencido ao colocar a sua filha no mercado das escravas do sexo. Porém, isso renovou as forças dele. Monteiro ficou triste pelo que ela vinha passando, mas agora sabia onde Isabel estava. Ele entregou as fotos para a Base, que naturalmente possuía muito mais recursos e também queria vingar os carcaças executados na floresta.

Mercado de escravas na Bulgária, pensou Monteiro.

Durante algum tempo ele pensou em vingança, mas aprendeu com Padre Brown que o mais importante era ter a sua filha de volta. Aprendeu que a vingança era um veneno que você toma achando que fará mal aos outros. E ele não queria isso. Queria a filha ao seu lado.

Monteiro se lembrou de Smoke e seu desaparecimento. A Base continuava a procurá-lo. Ele foi o primeiro HC que o Systema pegou vivo. Lembrou-se do C8, que não voltou da floresta. Monteiro era atualizado pelos amigos, pelo padre ou pelos relatórios a que tinha acesso.

Estava ali à espera de Lynda para falar sobre a sua filha e a operação entre o Brasil e outras unidades da Base. Sorriu ao recordar que Tumumbo fora morar com os avós de Smoke. O garoto ficava por lá ajudando os velhos e estudando o material do neto deles. O garoto dava aula para a criançada de uma comunidade próxima. O danado ficara com a conta-corrente de Smoke. Assim, conseguira enterrar a mãe nas terras dos seus antepassados e ainda encontrara dois dos seus irmãos.

Em pé na porta estavam Lynda e Cavalo de Índio olhando para ele. Os dois se aproximaram e sentaram-se um à esquerda e o outro à direita de Monteiro.

— Então é aqui que o senhor está fazendo a sua terapia?

— É, senhora delegada. Trata-se de um consultório bacana.

Cavalo de Índio esticou a mão e pediu quatro chopes: um para Lynda, outro para Monteiro e dois para si. Bebeu o primeiro de um gole só e usou o segundo para fazer um brinde.

— Brindo ao meu camarada aqui ao lado, que em breve vai estar com a sua filha novamente.

— Obrigado, meu amigo. E você, delegada? Já resolveu o que vai fazer da vida?

– 273 –

— Ah, Monteiro, larga mão de ser chato! Você e o Cavalo são uns malas. Não quero entrar pra Base porra nenhuma. Me deixa quieta lá, pegando os bandidinhos pequenos.

O telefone de Lynda tocou. Era a sua mãe. Ela atendeu e passou para Monteiro:

— O que foi? — perguntou ele.

— A minha mãe quer falar com você!

— A sua mãe?!

— Também não sei o que é, mas você vai me contar depois.

— Vou o caralho. Dá o celular aqui. — Monteiro tapou o celular e falou para Cavalo de Índio: — A mãe dela é a maior gostosa. Vou passar o cerol!

Cavalo de Índio gargalhou, e Lynda deu uma cotovelada no braço de Monteiro.

— Alô? Como vai a senhora? Sim... sei quem é... Não brinca! — Monteiro riu alto. — Ah, essa é boa... pois é... quem diria... sei... Tá, então tá... passo, sim... Tudo bem... um beijo pra senhora. Tchau.

— O que ela queria?

— Pra você, não interessa, mas eu tenho uma coisa pra contar pro meu amigo aqui.

— Diga. — Cavalo de Índio ficou curioso.

Lynda franziu a testa, e Monteiro falou em voz alta, para que ela pudesse escutar:

— A Lynda tá namorando!

Cavalo de Índio soltou outra gargalhada que mais parecia um grito. Lynda socava o braço do Monteiro sem cessar.

— A culpa é sua, Monteiro! Foi você quem passou o meu telefone pra ele. Ele me contou!

— Quem é a vítima? — Cavalo de Índio quis saber.

— Um cara do BOPE.

— E esse cara tem nome? Já levantou a ficha dele?

— Mandei foi a ficha dela pra ele, Cavalo. Fiquei preocupado com o cara. Mas você sabe como chamavam o sujeito na academia?

— Não, conta!

— Monteiro... — Lynda o encarou, temendo o que viria pela frente.

— Mentirinha!

— Como? — Cavalo de Índio e a delegada perguntaram ao mesmo tempo.

— Isso mesmo. Mentirinha.

— Como assim? — Lynda arqueou uma sobrancelha.

— Porque ele tem as pernas curtinhas! — Monteiro fez uma simulação com os seus dedos correndo na mesa.

- 274 -

Cavalo de Índio quase caiu da cadeira de tanto rir.

— Eu queria conhecer o Mentirinha — disse Cavalo de Índio, buscando fôlego.

— Mesmo assim deve ser um titã pra aguentar essa aí!

Os três deram muitas risadas.

60. O SENTIDO DA VIDA

Hallcox estava de volta ao centro da cidade depois de passar dois anos entre Alto Caparaó e as aulas na nova Base. Era uma sensação boa. O centro lhe trazia muitas recordações, todas ligadas ao trabalho ou às aventuras de infância para comprar alguma revista ou jogos para o seu primeiro computador.

Ele olhava para as ruas, para a saída do metrô, para o ponto de ônibus e conseguia se ver no passado andando por ali. Dessa vez, era uma visita diferente, no entanto. Hallcox iria encontrar uma pessoa que no início detestou, mas de quem, com o passar dos anos, se tornou um bom amigo. Eles marcaram na pequena Igreja de Nossa Senhora da Lapa dos Mercadores, uma preciosidade do século XVIII e um dos muitos refúgios em meio à agitação da capital financeira do Estado.

Hallcox olhou os portões de ferro da igreja e entrou fazendo o sinal da cruz. Sentou-se à direita. Já avistara o seu amigo, e ele o veria em breve. Seguiu o rito da pequena missa em andamento. Contou seis pessoas apenas, embora não passasse dez segundos sem que alguém fizesse o sinal da cruz em frente à igreja.

Com o término da missa, o seu amigo, que já o havia localizado, lhe pediu, com um gesto de cabeça, que o acompanhasse até a sacristia. Hallcox, desviando-se dos fiéis que saíam, caminhou para o local.

— Hover, meu caro!

Hallcox não se acostumava com aquele codinome.

— Padre Brown... É bom te ver de novo.

— E você está numa linha só. Nunca te vi de terno antes.

— Que nada, padre, estive em um evento hoje. Tive que comprar um. É modesto, sem luxo.

— Humilde na aparência, modesto no traje, manso na voz e um lobo no pensamento.

— Santo Antônio?

— Isso mesmo, o nosso querido Martelo dos Hereges. Como vão os estudos?

— Indo, padre.

— Fiquei sabendo que você passa mais tempo com os carcaças do que com os seus.

— Com os HCS eu estudo coisas técnicas. Com os carcaças, filosofia e psicologia, que me ajudam a entender muitas coisas da minha vida.

— E como estão as garotas?

— Não estou namorando ninguém.

— Não, sua besta! — O padre deu risada. — Refiro-me à sua mãe, sua sogra e sua filha!

— Ah, sim! Tudo bem com elas.

— E a sua relação com a sua filha, depois desses dois anos?

— Ótima. Quando vai chegando a data da viagem, eu fico muito feliz. Ela é muito apegada a mim. Parece uma Yasmin em miniatura. Aprendi a amá-la com o tempo, e hoje é algo muito forte. Ela me lembra a mãe nas fotos da infância.

— E a sua sogra?

— Voltou pra casa, mas vive lá, visitando a neta.

— E a mamãe?

— A minha mãe é inexplicável. Parece uma máquina de trabalhar e fazer coisas para os outros. Eu não tenho a menor chance.

— Você reconhece, e nós já conversamos sobre isso, que tem uma dívida impagável com os seus pais, Hover. Lembra disso?

— Lembro, padre.

— Nunca um filho, por mais atencioso que seja, consegue superar os seus pais em dedicação, carinho e gastos financeiros. Não importa qual seja o departamento, temos que nos acostumar com a ideia de que jamais faremos o suficiente.

— Sim, seremos sempre devedores. Saber disso me ajudou a superar um pouco a minha decepção e esquecer tudo.

— Mas atenção! Você não pode abdicar do desejo diário de superá-los. Se não for com eles, que seja com os filhos. Essa é a ordem natural das coisas, e tudo que é natural numa espécie é também saudável. É uma busca impossível, que pode parecer não fazer sentido, mas da qual moralmente não se pode desistir. É o que te trouxe até aqui. É o que nos fará seguir adiante.

— A vida adulta é muito chata, padre.

— Quer escutar uma teoria minha?

— Sim, claro! — Hallcox respondeu automaticamente. A sua atenção havia sido capturada por uma enigmática bala de canhão guardada na parede da igreja.

– 276 –

— Acredito que o homem começa a entrar na fase adulta quando tem que pagar o primeiro boleto, e conclui a sua entrada ao enterrar os pais e se ver sozinho no mundo.

— Interessante. Nunca tinha visto por essa óptica.

— Então você é um quase adulto, filho.

— Faz sentido. Ainda me sinto criança perto da minha mãe ou de vários objetos daquela casa. Tem algo que me lembra a infância. Fica esse sentimento de que aquela era uma época boa, e agora não é.

— Já refleti sobre isso. Conversei com muita gente a respeito. Sei exatamente o que você está falando.

— O que é então, padre?

— É saudade do ninho!

— Como assim?

— Você é o passarinho que saiu pra voar e caiu do ninho. Seguiu pra vida se ferrando todo, mas sente saudade.

— Não entendi.

— Existem imagens, filmes, aromas, sabores e músicas que te catapultam para memórias boas do passado. Geralmente é de uma época ligada à juventude, à descoberta das paixões e dos grandes amigos. Estávamos saindo da guarda dos pais e conhecendo o mundo. O ser humano sente no coração saudade daqueles tempos mais inocentes e até mais simples. Olhamos no calendário e nos surpreendemos com a quantidade de anos que passaram. Até parece que existe um abismo entre os dias atuais e esse sentimento. O tempo voou e deixou um buraco preenchido com obrigações e responsabilidades. Perdemos aquele encanto, e por vezes parece que não valeu a pena, mas só quando olhamos para os nossos umbigos. Se nos dermos ao trabalho de olhar para o lado, veremos que proporcionamos esse mesmo tempo mágico para os nossos filhos. Entender isso é levar um tapa que te traz à realidade de que, na ordem natural das coisas, existia um casal nos bastidores da nossa juventude, se esforçando no dia a dia pra que pudéssemos vivê-la plenamente. É na criação dos nossos filhos que damos o verdadeiro valor aos nossos pais. É o ciclo natural da vida que nos entrega o desafio de sermos melhores que eles. Eu nunca vou conseguir. Alguns nem sequer tentarão.

— Você não tem filhos, padre, como pode afirmar isso?

— Eu tenho três, seu pateta!

— Três?! Que pouca-vergonha é essa, padre?

— Ô bocó, eu fui casado por trinta e oito anos. A minha mulher faleceu, e eu acabei indo parar no seminário.

— Que triste...

— 277 —

— O falecimento dela ou a ida para o seminário?

— O falecimento, padre, claro. Deve ter sido um período muito duro.

— Filho, o segredo da felicidade está em saber suportar os longos períodos de ausências de alegrias, e só o seminário me devolveu o sentido da vida. Eu fiquei perdido, mas não estou dizendo que você tem que virar padre.

— Quer dizer que o senhor está velhinho. Não aparenta a idade que tem.

— Velho é o teu passado. Eu sou antigo. — Ele riu, com o dedo indicador em riste.

— E os seus filhos, como estão?

— Dois estão bem. Tenho uma filha bem-sucedida, secretária executiva em uma estatal, mas parece que não vai me dar netos. Um dos rapazes está morando em Portugal, é um historiador apaixonado pela nossa terra mãe. E, por fim, o outro está desaparecido. O Systema o levou.

— O Systema?!

— Esqueça isso. Me diga: você ainda tem muitas dúvidas? — O padre dobrava a sua batina e arrumava uma mochila com as suas roupas. Ao sentar-se numa cadeira para calçar o tênis, pediu que Hallcox se acomodasse à sua frente.

— Sim. Muitas. E só o Padre Brown me compreende.

— Uma das características do homem maduro é não sentir falta de compreensão e afeição. Sabia?

— Já vai começar o espancamento? — Hallcox sorriu. — Só porque te chamei de velhinho?

O padre achou graça.

— Qual a sua dúvida principal, filho?

— A principal?

— Sim. A maior de todas.

— Nunca pensei assim, mas o senhor perguntando agora... Acho que não faz sentido nada do que aconteceu. Tanta violência... Não entendo as mortes. Não entendo o sentido. Não há vitória quando se morre.

— Você quer maior exemplo de vitória na morte do que Jesus?

— Ah, padre, Jesus não vale.

— Não?

— Ele não serve. É apelação. Vamos deixar Deus e o Diabo lutando fora desta conversa.

— Hover, as pessoas não percebem, mas o Tinhoso é só um funcionário de Deus. Acreditar que existe uma luta entre Deus e o Diabo é achar que os seus poderes são equivalentes. Achar que o Diabo está fora do alcance de Deus é dizer que o Criador não tem poderes sobre uma parte da própria criação. O Diabo é uma espécie de

– 278 –

funcionário da academia de Deus. Lá ele é o *personal trainer* que vai te impor um monte de sofrimentos e que ao final te deixará mais forte.

O padre deu risada, assim como Hallcox.

— Então você está dizendo que não há sentido em morrer por tentar fazer o bem?

— Sim, é isso o que não entendo.

— Hover, vamos andando para o ponto? Podemos continuar conversando pelo caminho. Eu gosto de andar por aqui.

— Claro, vamos.

Eles caminharam lentamente, naquela passada reduzida de quem conversa sobre um assunto que requer atenção. Seguiram na primeira rua à direita, na direção do Arco do Teles.

— Então, voltando à sua dúvida sobre morrer tentando fazer o bem, deixe-me explicar de outra maneira: você já reparou que as sociedades mais pacíficas também são as que possuem menos policiamento?

— Sim, constatei isso na Europa.

— Você quase não as vê!

— É verdade.

— As sociedades mais pacíficas, as que conseguem entregar a maior quantidade de bem-estar, são as mesmas que não possuem o mal cotidiano. O bem, antes de mais nada, é a ausência do mal. Assim como o mal é a ausência do bem. Mas, se colocarmos numa balança, o bem é mais normal do que o mal, embora o mal também seja natural. A diferença é que existe na maior parte do tempo uma presença maior do bem. A humanidade cresce e evolui. Do contrário, teríamos uma destruição completa, que é o que acontece nas guerras quando o mal se torna maior e mais constante que o bem. O resultado são os escombros, filho. Está me acompanhando? — O padre olhou para o rosto dele, quase na intenção de escutar as engrenagens da sua mente na busca do entendimento do que conversavam.

— Estou.

— A busca pelo bem passa pela necessidade de anular o mal, e pra isso precisamos de força, pois o mal não aceita argumentos. Ele quer se impor; então, o bem tem de ser mais forte. Porém, há momentos em que o mal é materialmente mais forte, e quem faz parte dessa luta não pode recuar.

— Por isso as pessoas morrem.

— Exato. Ninguém quer morrer. Permitir a presença do mal é alimentá-lo.

— Entendo — disse Hallcox, embora com fraca convicção.

— Por isso é que sociedades mais violentas, ou seja, com uma maior presença do mal, precisam de uma constante presença das forças que representam o bem, e acabamos por ver um aparato policial maior. É o sintoma de um desequilíbrio, e a busca pelo equilíbrio causa mortes. Se as pessoas de bem desistirem, o mal impera.

— Mas, padre, são muitas mortes.

— Você sabe que eu leio a maioria dos relatórios da Base, certo?

— Sim, sei disso.

— Você está a par de como morreu o pai do Tumumbo?

— Não, senhor, não sei nada da família dele.

— Deveria. A história é interessantíssima. Mas, como eu dizia, o pai do garoto morreu numa caravana salvando uma menina inglesa de um leão. Não tem sentido algum.

— Nossa...

— O Tumumbo tinha um irmão chamado Opankabi. Durante a revolução no seu país, ele e outros dois irmãos foram cercados. Opankabi lutou com os guerrilheiros para que os irmãos mais novos pudessem fugir. Foi metralhado, sem sentido algum. Metralhado.

— Ah...

— E a mãe do Tumumbo? Sabe como ela morreu?

— Sim, eu soube. Ela morreu defendendo o filho, que estava sendo espancado dentro de casa.

— Você leu o relatório da morte da sua Yasmin que o HAVOC conseguiu montar?

— Não.

— Em resumo, ela poderia ter fugido, mas preferiu voltar e esconder a mãe na casa do botijão de gás. A menina morreu pra proteger a mãe. E o seu pai, meu filho?

— Sim, eu li.

— O seu pai perdeu a vida salvando a sua mãe. E a filha do Monteiro?

— A que está desaparecida?

— Sim. Ela se entregou pra salvar as irmãs. Agora está desaparecida. E o Monteiro?

— Monteiro está vivo!

— De fato, mas largou trinta anos de Polícia Federal, aposentadoria, estabilidade e tudo o mais pra poder salvar as filhas.

— Puxa...

— Quantos carcaças morreram pra tentar salvar o Tumumbo, a Isabel e o Smoke?

— Oito, mais um HC, padre.

— Quantos foram salvos?

— Só um.

— Oito mortos pra salvar um. Faz sentido?

– 280 –

— Não mesmo.

— No relatório, o Tumumbo contou que, quando os paramilitares atacaram o acampamento, a Isabel, sabendo que estavam atrás dela, se ofereceu em troca da vida dos carcaças. Ela queria se entregar de qualquer maneira pra salvá-los. Os paramilitares, que estavam sofrendo muitas baixas, até gostaram da ideia, mas os carcaças naturalmente não aceitaram aquela imoralidade. Assim, trocaram tiros por mais de dez minutos, ficaram sem munição e acabaram todos mortos. Ela se sacrificou por eles, e eles se sacrificaram por ela.

— Sem sentido, padre.

— Me diga uma coisa, filho. Você já ficou sabendo de algum suicídio de favelado?

— Hum... Não.

— E de alguma pessoa que era rica, que tinha de tudo?

— Várias!

— Faz sentido?

— Não, nenhum. É o que eu estou dizendo, padre.

— Você agora está criando a sua filha, certo?

— Certo.

— Certo, não. Errado! Quem a está criando é a sua mãe.

— Bem... É!

— A sua mãe dedicou a vida a todos que estavam à sua volta, e continua fazendo isso, agora na criação da sua menininha. Como você diz, isso não faz sentido... mas faz! Ela está vivendo uma vida com um propósito. Ela se sacrifica em prol da família e daqueles que ama sem pedir nada em troca.

Eles atravessaram a rua e continuaram até o Paço Imperial. Pararam de frente para a edificação e de costas para o mar.

— Você conhece a história deste lugar, filho?

— Pouca coisa.

— Está vendo aquela varanda do meio? Aquela logo acima da porta de entrada?

— Sim.

— Em 13 de maio de 1888, naquela sala, foi assinada a lei que libertou os escravos no Brasil. Naquela sacada apareceu a sereníssima. A redentora. A princesa Isabel. Nesta praça, não cabiam mais pessoas. Foi uma festa generalizada por vários dias. Todos se abraçavam nas ruas e comemoravam pendurados nos postes. Chapéus arremessados para o alto. Todos os sinos de igrejas estavam tocando. Fogos de artifício. Até então, a maior comoção nacional em todos os tempos. Naquela mesma sacada, e ao lado da princesa, estava alguém que não comemorava. Era o barão de Cotegipe, um dos dois votos no senado contrários à libertação dos escravos, que não hesitou em dizer: "Vossa Alteza redimiu uma raça, mas perdeu o trono". A princesa respondeu: "Mil tronos tivesse, mil tronos eu daria para libertar os escravos do Brasil!". Um ano depois, e neste mesmo local, a princesa e a família real eram escoltadas para um barco que as levaria à força para o exílio. Se ela sabia que isso iria acontecer, por que o fez? Não faz sentido, correto?

— Não mesmo.

— Veja, vivemos numa época em que muitos querem poder tudo. As libidos estão incontroláveis. Os prazeres são praticados diariamente e em excesso. Há uma superoferta, e sempre que isso acontece há também uma inflação, uma desvalorização. E quando se tem tudo o que está disponível, não há mais o que desejar; aí as pessoas começam a querer determinar o que julgam certo para os outros ou o que os outros poderão ter. *Carpe diem*, vivem só o presente e com nenhuma responsabilidade para com o futuro. O futuro, aliás, deixa de existir, pois é irrelevante. Buscam uma vida sem sofrimento e acabam sofrendo a vida inteira. Um sofrimento sem sentido por terem caído em uma vida sem propósito. Isso é Victor Frankl, meu filho.

— Ninguém gosta de sofrer.

— O sofrimento tem um sentido quando você mesmo se torna outro. Não existe muito mérito em ser superior aos demais. O mérito está em ser melhor que o bosta que você era no passado.

Padre Brown fez uma pausa e pegou no braço de Hallcox para falar mais próximo:

— Hover, tem um autor que você já deve ter escutado falar na Base. O grande Edmund Burke.

— Já escutei, sim. O americano.

— Não! Irlandês.

— Perdão.

— Fica quieto e escuta. Ele dizia que existe um pacto entre os vivos, os mortos e os ainda não nascidos, e que é necessário um senso de lealdade entre todos pra que não percamos as bases do passado e a responsabilidade do futuro. Escute esta afirmação, Hover: todos nós somos inquilinos do nosso tempo atual!

O padre fez uma pequena pausa para deixar a frase entrar na cabeça de Hallcox.

— Isso significa que, como inquilinos, não somos donos de nada, e tudo o que está à nossa volta foi construído por gerações anteriores. Recebemos idioma, cultura, culinária, hábitos, ruas, igrejas, escolas, tudo. Como inquilinos, temos que manter e melhorar o que recebemos, pra que os nossos filhos repitam isso. Não pode haver dúvida sobre quais são os reais valores a serem preservados.

Hover escutava em silêncio. As coisas começavam a fazer sentido.

Uma van parou perto deles e buzinou. O vidro escuro foi lentamente descendo e entrando na porta. Na direção estava um senhor gordo de barba branca e sorridente, que fez um sinal com a mão para que eles entrassem. O padre respondeu-lhe em libras, pedindo que ele aguardasse um pouco, e continuou a falar:

— Isso me leva a te perguntar sobre o que existe de semelhante ao que aconteceu com o pai do Tumumbo, com o irmão do Tumumbo, com a mãe do Tumumbo, com a filha do Monteiro, com o próprio Monteiro, com os oito carcaças e o HC, com a Yasmin, com o seu pai, com a sua mãe, com a princesa e até com Jesus.

— Não faço ideia.

— Todos, sem hesitar, tomaram atitudes que pra você não fizeram sentido. Estavam todos cientes do que era o certo a ser feito. Eles viviam uma vida com objetivos claros, com propósito. Não tinham dúvidas sobre as suas obrigações e seguiram em frente mesmo diante de forças maiores do que eles. Fazer o bem muitas vezes significa enfrentar um mal muito maior do que as suas capacidades. Permanecer fazendo a coisa certa é o que todos eles fizeram, e isso nada mais é do que o verdadeiro sentido da vida.

— E qual seria, padre?

Padre Brown sorriu, abraçou Hallcox e o puxou com carinho na direção da van que aguardava. Eles caminharam alguns passos em silêncio até que o padre disse, em voz baixa, quase não desejando revelar uma conclusão de décadas de estudos e clínica médica:

— O sentido da vida é o sacrifício, meu filho. É o sacrifício.

AGRADECIMENTOS

Alan Cox e John Maddog Hall. Os gigantes da comunidade Linux que inspiraram o nome Hallcox Hall.

Uhlig, Godim, Marazo e Cabelo, os loucos que inspiraram Smoke, Mr. Fat, Tumumbo e Ponytail.

Tolkien. Meu Norte, que em março de 2002 me empurrou para escrever.

Alexandre Moreira, por reativar minha vontade de escrever ao esbarrar com o seu sinistro e divertido "Escuridão".

Eduardo Spohr, uma pessoa comum que publicou seu livro. Era possível, sim! Depois conheci o grupo Jovem Nerd e, por meio deles, o site do Spohr, que me levou ao podcast Ghostwriter. Existia um mundo pulsante da literatura que eu não conhecia.

Agradeço ao canal do Bunker do DIO, por muitas dicas de literatura.

Ao querido professor Rodrigo Gurgel, que muito me ensinou, e ao professor José Monir Nasser, um gigante que eu procuro honrar todos os dias com o site www.monir.com.br.

Ao meu pai e seu irmão Paulo, que cirurgicamente colocavam em minhas mãos obras que eu conseguia ler e ficar com fome de mais literatura.

Agradeço de coração ao Fábio Yabu por ter me apresentado o Software Scrivener em um *post*. Com esse programa específico para escritores consegui organizar todos os textos e ideias.

Agradeço aos escritores Affonso Solano, Carolina Munhóz, Raphael Draccon, André Vianco, Tammy Luciano e Rodrigo Duarte Garcia, por também mostrarem, com os seus trabalhos, que existia sim espaço para novos autores brasileiros. Sem esquecer um velho gigante de guerra, Alberto Mussa.

Ao amigo André Gordirro, que me ensinou sobre metas diárias de escrita e disciplina, e ao podcast Ghostwriter, por me inspirar e também me abraçar na equipe (Herdy, Modena, Marcelo, Matta e João).

Em dezembro de 2014, assumi a Gerência Geral de Tecnologia do Grupo Editorial Record. Conheci muitos escritores e o mercado editorial. Conheci a paixão dessas pessoas pelos livros. Agradeço ao Roberto Braga e ao Luiz Barreto pela oportunidade. Ao saudoso Sérgio Machado e a sua irmã Sônia Machado, pela receptividade na empresa da família. Foi uma experiência única. Quanta gente boa naquele lugar.

Renato "Snake", por comentar os primeiros rascunhos. Luis Uhlig pela ideia inicial do projeto cx. Kyanja Lee, a primeira parecerista; Oswaldo Chrispim Neto, o primeiro leitor; Jonathan, amigo e líder dos Tradutores de Direita, o segundo leitor; Artur Vecchi, terceiro leitor; Pedro Farnesi, o quarto leitor; Bruno Ayres, quinto leitor; Nina Farnesi, a sexta leitora.

Pedro Almeida, meu editor e uns dos maiores corações que já conheci. Agradeço a toda a equipe da Faro.

Ao querido amigo e Doutrinador, Luciano Cunha, pela estonteante capa.

Ao meu grande mestre Olavo de Carvalho. Aquele que preservou minha sanidade. Que me entregou a solidão da vida intelectual e a alegria de encontrar amigos eternos que amam e rejeitam as mesmas coisas.

Agradeço a Deus por ter me dado a oportunidade de viver; minha mãe, por ter sido minha cegonha e dedicada guardiã; meu saudoso pai, por sua fidelidade e sacrifício diário no sustento da família; meus irmãos, que não me atrapalham; aos amigos que muito me ajudam; minha esposa, que muito me atura; minha finada sogra, que muito me mimava, e minha filha, que muito me enrola (rs).

Obrigado a você que chegou até aqui. Muito me honra o tempo que você dedicou à leitura dessa obra. Eu sei que muitas perguntas estão sem respostas e te convido à participar do grupo que criei no Telegram. Talvez eu consiga responder algumas. Nos veremos por lá.

https://t.me/livrosubmundo

Laudelino Amaral de Oliveira Lima